허브 코헨,

협
상
의
법
칙

허브 코헨, 협상의 법칙

허브 코헨 지음 | 강문희 옮김

아버지의 협상 전략은
항상 받는 것보다 더 많이 주는 것이었다.
그의 인생은 하나의 웅변이었다.

운명은 우리 스스로 만드는 것이다!
허브 코헨은 운명을 협상이라고 말한다

이 책은 다른 책들과 마찬가지로 긴 내력을 갖고 있다. 나의 생각은 여러 해 동안 만난 많은 사람들과 겪은 경험에 의해 형성되었다. 그런 면에서 볼 때, 이 책을 쓰는 작업은 오래 전부터 시작되었다고 말하는 게 솔직하고 정확할 것이다.

그럼에도 불구하고, 이 책은 주로 내가 지난 사십여 년 동안 직접 관여했던 수천 개 협상들의 산물이다. 이 기간 동안 나는 정부뿐 아니라 민간 부문에 종사하는 많은 저명한 학자들과 실무자들과 일하면서 굉장히 많은 것들을 얻었다. 그 덕분으로 이 책을 쓸 수 있게 되었다.

먼저 이 책을 읽으면서 여러분이 주목하게 될 세 가지 사항에 대해 설명하고 싶다.

첫째, 나는 이 책에서 사용된 개념과 의견을 보충하기 위한 그 어떤 주석, 참조나 전문 구절도 사용하지 않기로 했다. 이 책을 쓴 나의 목적은 전문가를 위한 학술서를 쓰는 것이 아니라, 일반인을 위한 실용적이고 읽기 쉬운 안내서를 쓰는 것이었다. 의견들과 예제들은 그 자체로 뜻이 통해야 한다. 만일 그렇지 못한다면, 제 아무리 훌륭한 각주라도 아무 소용이 없다.

둘째, 쉬운 문체로 글을 써서 여러분이 전문어나 난해한 법률 용어로 곤란을 겪지 않도록 했다. 이는 주요 기본 개념을 쉽게 이해할 수 있도록 하기 위해서였다. 어떤 경우는 비유적인 표현으로 의도와는 반대되는 제안을 하기도 했기 때문에 글자 그대로 해석해서는 안 되며 그 속뜻을 이해해야 한다.

셋째, 비록 내가 이 책에서 주로 남성위주의 표현을 사용했지만, 여성을 경시할 의도는 전혀 없었다는 것을 독자들에게 확실히 밝히고 싶다.

나는 이브가 아담의 갈비뼈에서 만들어졌기 때문에 여성문제가 부차적인 문제라고 절대로 생각하지 않는다. 요즘의 해방시대에 있어서 이 문제는 영어의 잘못이 크다고 본다.

나의 취지는 행동을 어떻게 하라고 규정을 짓거나 여러분이 무엇을 원해야 한다고 지시하려는 것이 결코 아니다. 그 보다 나의 목적은 여러분의 현실과 그 현실이 주는 기회들을 명백히 보여주는 데 있다. 그렇게 하는 과정에서 나는 여러분이 선택할 수 있는 여러 선택들과 대안들 뿐만 아니라, 자신들을 제한할 수도 있는 사고방식과 행동이 무엇인지를 알려줄 것이다. 그러면 여러분은 자신들의 필요에 따라 원하는 것을 얻는, 그리고 개개인의 생각에 맞고 편한, 자신만의 방식을 갖게 될 것이다.

나는 무엇보다도 내 인생의 반려자이자 아내인 엘렌의 도움과 지원에 감사를 표하고 싶다. 아내가 아니었다면 이 책을 쓸 생각조차 못했을 것이며 물론 완성시키지조차 못했을 것이다.

그리고 나에게 사람을 '내 편으로 만드는 대화법'을 가르쳐준 나의 제일 친한 친구 래리 킹에게도 고마움을 전한다.

허브 코헨

일리노이 주 노스브루크에서

CON
TENTS

운명은 스스로 만드는 것이다!
허브 코헨은 운명을 협상이라고 말한다

CON
TENTS

CON
TENTS

CON TENTS

Part 4 무엇을 어떻게 협상할 것인가

part 1

세상의 8할은 협상이다

우리는
우리 스스로 운명을 만들고는
그 만들어진 것을 운명이라고 부른다.

Chapter 1

협상이란 무엇인가?

우리가 살고 있는 이 세계는 거대한 협상 테이블이다. 그리고 싫든 좋든 우리는 그 협상 테이블에 앉을 수밖에 없다. 우리는 작게는 가족에서부터 상점의 판매원, 사업상 경쟁자 혹은 무슨 무슨 '협회'나 '권력기관'과 같은 거창한 명칭을 가지고 있는 여러 상대들과 갈등을 겪는다. 이런 의견충돌을 어떻게 처리하느냐에 따라서 우리의 인생은 성공할 수도 있고 실패할 수도 있다. 또한 즐겁고 만족스러운 삶을 즐길 수도 있고 쓴맛만 맛보게 될 수도 있다. 바로 이 부분에 협상의 영역이 존재한다.

그렇다면 협상이란 무엇인가?

협상은 당신에게 무엇인가를 원하는 상대로부터 당신에 대한 호의 그리고 당신이 원하는 무언가를 얻어내는 일이다. 그것이 명성이든, 자유이든 아니면 돈이나 정의 또는 사랑·사회적 지위·신체적 안전 등 무엇이든 간에 우리가 누리고자 하는 온갖 것들을 협상을 통해 얻어낼 수 있다.

그리고 지금까지 세상에는 다른 사람보다 자신이 원하는 것을 얻어내는 방법에 대해 더 잘 알고 있는 사람들이 있었고, 이제 곧 당신도 그들 중의 하나가 될 것이다.

오래 전부터 사람들은 최고의 재능을 가지고 있고, 최선의 노력을 다하며, 최고의 교육을 받은 사람들에게 성공이라는 보상이 돌아간다고 생각해 왔다. 그러나 오늘날의 승자는 단순히 재능을 가지고 노력하는 사람뿐 아니라, 원하는 것을 얻기 위해 협상을 해나갈 줄 아는 능력을 가진 사람에게 돌아간다.

어쩌면 이런 결과에 대해 헌신적인 노력을 미덕으로 삼는 사람들은 환멸을 느끼게 될지도 모른다. 하지만 이것은 협상이 우리의 삶을 성공으로 이끄는 데 얼마나 중요한 요소인가를 간과하기 때문이다.

협상은 거미줄처럼 얽혀 있는 긴장과 대립 속에서 자신에게 유리한 결과를 얻기 위해 정보와 힘을 사용하는 것을 말한다. 이 광범위한 정의를 깊이 생각해보면, 우리는 사생활에서든 직업과 일에 관계된 업무에 있어서든 줄곧 협상을 해오고 있음을 깨닫게 될 것이다.

어쩌면 당신은 일이 아닌 지극히 일상적인 생활 속에서 수시로 협상이 이루어지고 있다는 말에 대해 의아하게 생각할지도 모른다. 그러나 생각해 보라.

남편은 아내와, 아내는 남편과 협상을 한다(물론 나는 당신의 결혼생활이 두 사람 모두에게 승자가 되는 협조적인 협상이 되기를 기원하는 사람이다). 친척과 친구들, 딱지를 떼려는 경찰, 가계수표를 받지 않으려는 상점 주인, 형편없는 서비스에도 불구하고 돈을 두 배로 받아먹으려는 여관 주인, 하숙비를 올리려는 집주인, 자신의 전문교육비의 일부를 고객으로부터 뜯어내려는 교습 전문가, 얼렁뚱땅 차를 팔려고 애쓰는 자동차 세일즈 맨, 예약을 했음에도 불구하고 방이 없다고 오리발을 내미는 호텔 지배인과도 협상은 벌어질 수 있다.

그중 가장 자주 일어나면서도 매번 실망스러운 협상 중 몇몇은 가족들 사이에서 벌어진다. 즉 부모와 자식 사이에도 알지 못하는 가운데 자주 협상을 하고 있다는 말이다. 나 자신의 경험을 예로 들어보겠다.

우리 부부는 세 아이를 낳아 키우고 있다. 문제는 막내아이였다. 막내는 나이 아홉 살일 때의 체중이 22.68킬로그램, 같은 또래의 아이들에 비해 굉장히 마른 편이었다. 음식을 제대로 먹지 않으니 빼빼 마르는 것은 당연지사였다. 이런 막내는 우리 가족 모두에게 무척 골칫거리였다. 우리 부부는 먹는 것을 즐기는 편이고, 다른 두 아이들도 식욕이 왕성했는데, 막내가 이 모양이었으니 오죽했겠는가.

어떤 사람들은 막내를 보고 "저 아이는 어디서 주워왔나. 자네 애 맞아?"라며 의아한 표정을 짓기 일쑤였다. 막내가 먹는 것을 싫어하게 된 것은 음식과 관련된 장소를 피하는 버릇이 생기면서부터였다. 그 아이에게는 '부엌', '밥', '식사시간' 같은 단어조차 혐오스러울 지경이었다.

몇 년 전, 일주일간의 강연을 마치고 집으로 돌아온 어느 금요일 저녁이었다. 먹는 것도 그렇고 입는 것조차도 불편했다. 말동무조차도 없는 아주 따분하고 힘든 여행이었다. 나는 지쳤고, 집에 돌아가 아내가 만들어준 맛있는 음식과 대화가 그리웠다. 하지만 내가 현관에 들어섰을 때 보았던 것은 피곤에 지쳐 소파에 웅크리고 앉아 있는 아내였다. 나는 순간적으로 무언가 문제가 있음을 깨달았다.

"오늘은 정말 힘든 하루였어요."

아내가 우물우물 말했다. 나는 기분도 바꿀 겸 좋은 레스토랑에 가서 외식을 하는 것이 어떻겠느냐고 제안했다. 아내와 두 아이는 입을 모아 "좋은 생각이에요!"라고 외쳤다.

그런데 아홉 살 짜리 막내가 반대를 하고 나섰다.

"난, 식당에 가지 않을 거야! 거기는 음식 먹는 데잖아!"

나는 두말할 것도 없이 막내아이를 번쩍 안아서 차안에 집어넣었다(이것은 우리 가족의 협상방법 중 하나다). 우리가 식당에 도착할 때까지도 녀석은 쉬지 않고 투덜댔다. 결국 녀석이 말했다.

"아빠, 난 아무 것도 안 먹을 거니까, 식탁 밑에 앉아 있으면 안 돼요?"

내가 아내를 바라보자 아내는 말도 안 된다는 얼굴로 나를 바라보았다.

"아무도 모르게, 이 녀석은 식탁 밑에, 나머지 네 명은 의자에 둘러앉는 거요. 그러면 돈도 아낄 수 있을 테니까."

처음에 아내는 반대했지만 나는 아이의 생각이 옳은 점도 있을 거라고 설득했다. 결국 막내는 아무도 모르게 식탁 아래로 기어 들어갔다. 이윽고 식사가 시작되었고 처음 10분간은 아무런 문제가 없었다. 그러나 두 번째 요리가 차려질 무렵, 나는 끈적끈적하고 축축한 손이 내 무릎 위로 슬그머니 기어오르는 것을 느꼈다. 몇 초 후에는 아내가 불에 데인 것처럼 놀라 벌떡 일어났다. 나는 화가 나서 범인을 식탁 밑에서 끄집어낸 다음 내 옆자리에 털썩 주저앉혔다.

"여기 가만히 앉아 있어. 아무 말도 하지 말고. 엄마에게도, 형이나 누나에게도!"

내가 윽박지르듯 말하자 녀석이 물었다.

"알았어요. 그런데 의자에 서있으면 안 돼요?"

"좋아. 하지만 제발 귀찮게 굴지는 말아라!"

20초나 흘렀을까. 이 깡마른 녀석이 손으로 나팔을 만들어 소리를 질렀다.

"이 식당은 무지 더럽대요!"

비록 놀라기는 했지만, 녀석의 목을 잡아 식탁 밑으로 처넣고 웨이터에게 청구서를 달라고 할 정도의 여유는 남아 있었다. 집으로 오는 길에 아내가 말했다.

"여보, 오늘 우리가 무언가 하나를 배운 것 같아요. 앞으로 다시는 저 쥐방울만한 말썽꾸러기를 식당에 데려가지 말기로 해요."

결국, 다시는 이 아이에게 식당에 가자는 말을 하지 않았다. 그날의 황당한 사건을 통해 우리는 아홉 살 짜리 꼬마가 식당에 가기 싫다는 자신의 뜻을 이루기 위해 정보와 힘을 이용했음을 볼 수 있다. 대부분의 다른 아이들처럼 이 녀석도 자신이 할 수 있는 방법으로 협상을 벌였던 것이다.

이렇듯 비록 의식하지 못한다 하더라도 우리 모두는 항상 협상을 하고 있다. 하급자나 고용인들도 상사가 어떤 행동을 하도록 정보와 힘을 이용한다.

예를 들어 당신이 어떤 아이디어를 가지고 있고, 그 아이디어를 상사가 채택해주길 바란다고 해보자. 이때 필요한 것은 무엇일까? 그것은 상사가 '이건 정말 훌륭한 아이디어인걸!' 하고 생각하도록 아이디어를 포장하는 것이다. 아이디어를 포장하는 것, 그것도 협상이다. 기술적으로는 뛰어난 면이 있음에도 불구하고 아이디어를 팔 때의 협상능력이 떨어져 불이익을 보는 사람들이 의외로 많다. 결국 그들은 좌절감을 느끼게 된다.

협상은 부하들과의 관계에서도 이루어진다. 물론 현명한 상사라면 항상 아랫사람들의 관심거리를 이용하여 협상할 것이다. 상사는 자신이 가지고 있는 공식적인 권위를 이용하여 아랫사람들이 자진하여 일을 하도록 유도하는 사람이기 때문이다.

만약 "내가 시키는 대로 해!"라고 말하는 상사가 있다면, 그런 상사를 괴롭히는 최선의 방책을 알고 싶은가? 간단하다. 상사가 시키는 대로 정확하게 일을 하면 된다. "무엇을 하라"는 지시를 받았을 때, 받아 적고 나서 "이것을 하라는 말씀이시죠?" 하고 반드시 물어라. 그는 고개를 끄덕일 것이다.

2주 후에 상사가 허겁지겁 달려와서 따지듯이 "어떻게 된 일인가?"라고 물으면 당신은 "모르겠습니다. 저는 지시 받은 대로 정확히 일을 처리했을 뿐입니다"라고 대답하면 된다. 우리는 그런 태도나 현상을 '악의적인 복종'이라고 부른다. 그리고 세상에는 이런 짓을 아주 능숙하게 해내는 사람들이 많다.

그러므로 당신이 상사의 입장에 있다면 결코 일을 할 사람에게 "내 지시대로 따라!"라고 명령하지는 않을 것이다. 우리는 때때로 말하지 않았던 것이나, 하라고 말할 수 없었던 것까지도 그 사람이 해주기를 바란다. 우발적인 많은 상황들을 모조리 예측하고 대비할 수는 없는 노릇이니까.

협상은 상사와 부하직원 사이에만 있는 것은 아니다. 때로는 동료 직원들과 협상할 때도 있다. 맡은 일을 완수하기 위해서는 많은 사람들의 협조와 도움 그리고 지원이 필요하다. 회사의 조직체계상 이들은 여러분의 직속 부하직원도 아니고, 또한 여러분의 업무와는 전혀 상관없는 사람들일 수도 있다. 다른 직무를 수행하거나 다른 업무에 대해 훈련을 받거나 다른 분야에서 근무하고 있을 수도 있다. 이들의 도움과 지원을 받기 위해서는 협상기술이 필요하다.

어떤 때는 고객이나 의뢰인, 은행가, 세일즈맨, 유통업자 그리고 심지어는 국세청 직원을 포함해서 고용촉진위원회, 보건복지부 등의 정부 직원들과 협상해야 하는 경우도 있다. 당신은 더 많은 예산책정과 더 넓은 사무공간, 더 많이 보장된 자율과 자유로운 출퇴근 시간, 자리변동, 혹은 필요하다고 느끼는 기타 여러 가지의 것들을 충족시키기 위해 협상하게 될 수도 있다. 이와 같이 우리가 실제로 의식하고 있는 것보다 훨씬 많은 일들이 협상을 통해 이루어지고 있다.

그러니 어쩌란 말이냐고?

물론 당장 협상을 잘 할 수 있는 방법을 배워야 한다. 설혹 그것이 일에 관련이 없는 것이라고 해도 삶의 질을 더욱 풍부하고 만족스럽게 영위하기 위해서라도 협상하는 방법을 익히는 것은 필수적이다.

그렇다면 협상은 어떻게 이루어지는가?

세상의 모든 협상은, 그것이 외교적이든 정치적이든 아니면 주택을 구입하는 문제든 관계없이 다음과 같은 세 가지 중요한 요소가 항상 포함되어 있기 마련이다.

정보 - 당신이 상대에 대해 알고 있는 것보다 상대측이 당신에 대해 더 많이 알고 있을 것이라고 생각하게 된다.

시간 - 상대는 당신처럼 조직의 압력, 시간의 제약, 최종기한 등과 같은 어려움이 없는 것으로 생각하게 된다.

힘 - 상대는 당신보다 더 많은 힘과 권위를 가지고 있다고 생각하게 된다.

힘은 자신이 원하는 대로 상황을 만들어 갈 수 있는 존재이다. 즉 힘이란 사람, 업무, 상황 그리고 자기 자신에 대하여 통제를 가해서 일을 처리할 수 있는 자질이나 능력을 말한다. 하지만 당신의 힘이 언제나 일정한 크기를 갖고 있는 것은 아니다. 모든 힘의 크기는 그 힘을 쓰는 사람이 그것을 느끼고 믿는 정도에 달렸다. 만일 당신이 힘을 가지고 있다고 스스로 생각한다면, 실제로 당신에게는 힘이 있는 것이다. 반대로 힘을 가지고 있더라도 그렇지 않다고 생각하면 그 힘은 없는 것과 마찬가지다. 즉 당신이 힘을 가지고 있다고 생각하고, 삶의 과정을 협상의 연속이라고 보면 당신은 더 많은 힘을 가지게 된다는 말이다.

협상 능력이 있느냐 없느냐에 따라 우리는 주위환경에 영향력을 행사할 수도 있고, 못할 수도 있다. 협상 능력은 자신의 인생을 지배할 수 있을 것 같은 자신감을 심어준다. 이것은 사기가 아니다. 더욱이 나를 신뢰하는 사람들을 협박해서 무엇인가를 얻어내는 것도 아니다. 이것은 자신이 원하는 대로 일을 진행시키기 위해 당신과 다른 사람들의 필요를 충족시키는 것이며, 당신의 행동에 영향을 주기 위해 당신의 정보와 시간과 힘을 분석하는 행위이다.

뛰어난 협상 기술이란 결코 새로운 것을 만들어 내야 하는 학문이 아니다. 나는 역사상 최고의 협상가로 약 2천 년 전에 살았던 두 사람을 든다. 그 두 사람은 권력을 가지고 있지도 않았고, 공식적인 권위를 가진 것도 아니었다. 하지만 그 두 사람은 힘을 행사했다.

두 사람 모두 초라한 옷차림으로 사람들에게 **질문**을 하며(그렇게 해서 정보를 얻으며) 이곳 저곳을 돌아다녔다. 한 사람은 삼단논법으로, 그리고 다른 한 사람은 비유의 형식을 빌려서 질문을 했다. 그들에게는 **목표와 기준**이 있었다. 그들은 기꺼이 **위험을 감수**했고, 그럼에도 불구하고 항상 자신이 처해 있는 **상황을 지배**했다. 더 나아가 죽음의 방식과 죽음의 장소까지도 **선택**했다. 그리고 죽음을 맞이했을 때에는 의무감과 열의를 지닌 추종자들이 그들을 따랐고, 결국 이 땅의 가치체계를 바꾸어놓기까지 했다. 실제로 많은 사람들은 일상생활 속에서 그들이 가르쳤던 가치관에 따라 살고자 노력한다.

물론 여러분은 내가 누구에 대해 이야기하고 있는지 짐작하고 있을 것이다. 그들은 다름 아닌 소크라테스와 예수 그리스도이다. 내 생각에 그들은 가장 뛰어난 협상가였다. 그들은 협상 테이블에 앉은 양자 모두를 승리로 이끄는 윤리의 협상가였고, 또한 힘이 있는 사람들이었다. 그들은 내가 이 책을 통하여 여러분에게 알려주고자 하는 여러 가지 협상의 접근 방식을 본성대로 사용했던 인물들이다.

Chapter 2

모든것이 협상의 대상이다

당신이 만족하게 될지 좌절하게 될지는 당신이 가지고 있는 정보와 제한된 시간이 주는 압박 그리고 지니고 있는 힘에 달려 있다. 무슨 말인지 이해하기 어려운가? 그렇다면 가상의 이야기 한 토막을 들어 설명해 보도록 하겠다.

어느 날 아침, 당신이 우유를 한 잔 마시기 위해 냉장고를 열었다고 하자. 일단 아무 것도 섞지 않은 우유를 한 잔 쭉 마신 다음, 커피에 우유를 타 마실 생각으로 말이다. 하지만 당신이 입맛을 다시며 우유팩을 잡는 순간 무언가 끈적끈적한 것들이 묻어 있음을 느낀다. 고개를 갸웃거리며 살펴보니 바닥에도 물이 흥건하게 고여 있다.

"냉장고가 왜 이 모양이지?"

당신이 이맛살을 찌푸리며 아내를 불러 묻자 그녀는 "냉장고가 고장났어요" 하고 대답한다.

"새것을 하나 사야겠군. 이번에는 정찰제 매장에서 삽시다. 거기에서 구입하면 속을 끓이지 않아도 될 테니."

당신은 이렇게 말하고는 너무 어려서 집에 두고 갈 수 없는 아이들에게 차에 타라고 이른다. 백화점으로 가는 도중 당신은 아내와 여유자금에 대해 이야기를 나눈다. 그리고 현재는 여유자금이 별로 없기 때문에 냉장고를 구입하는 데 450달러 이상은 쓰지 않기로 한다. 다른 말로 하면 당신은 확고한 목표를(원하는 구입금액의 한계를 결정한) 세운 것이다.

이윽고 당신은 정찰제 매장에 도착했다. 시어즈, 워즈, 김벨스, 마셜 필즈, 메이시즈, 허드슨 등 유통판매점이 죽 늘어서 있다. 여기서는 편의상 시어즈 백화점에 가는 것으로 하자.

당신은 아내와 아이들을 이끌고 대형가전제품 코너로 힘차게 걸어간다. 그리고 이것저것 둘러보다가 당신은 원하는 사양을 갖춘 듯한 냉장고를 발견하고는 가까이 가서 살펴본다. 이 냉장고 위에는 '파격가 489달러 95센트'라는 가격표가 붙어 있다. 이 가격은 당신이 쓸 수 있는 돈보다 39달러 95센트가 더 많은 금액이다. 그것도 매직펜으로 대충 휘갈겨 쓴 가격표가 아니라 두꺼운 고급 수지합판에 아주 정교하고 깔끔하게 인쇄된 라벨이다. 당신이 보기에 이건 마치 하느님이 인쇄해서 거기에 붙여놓은 것처럼 권위가 있어 보인다.

"저, 여기 좀 봐요."

당신이 이렇게 소리치자 판매원이 다가온다.

"제가 도와드릴 일이라도 있습니까?"

"이 냉장고에 대해서 얘기를 좀 나누고 싶은데요."

"이게 마음에 드세요?"

"아, 예."

당신은 그렇다고 대답한다.

"알겠습니다. 제가 영수증을 써드리겠습니다."

판매원이 이렇게 나오자 당신이 끼어든다.

"아니… 잠깐만요. 잠시 얘기를 좀 합시다."

판매원이 눈쌀을 찌푸리며 말한다.

"부인과 얘기가 끝나시면 저를 찾으세요. 하드웨어 코너에 있겠습니다."

그리고 판매원은 어슬렁거리며 가버린다.

이제 이렇게 묻고 싶다. 당신이라면 이 협상이 쉬울 것 같은가, 아니면 어려울 것 같은가? 자본주의 문화 풍토에서 살고 있는 대부분의 사람들은 어렵다고 말할 것이다. 왜 그런가? 그것은 정보, 시간적 압박, 인지된 힘의 정도에 있어서 일방적인 열세에 놓여 있기 때문이다.

정보

당신은 이 매장이나 판매원에 대해서 무엇을 알고 있는지를 살펴 보라.

그 판매원이 봉급으로 받는지, 수당제로 일하는지, 아니면 두 가지의 복합형인지 당신은 알고 있는가? 당신은 그것에 대해 아는 것이 없다. 그 판매원이 마감기간 내에 판매해야 할 할당량을 부여받았는지에 대해서도 당신은 모른다. 그의 이번 달 판매실적이 좋았는지,

아니면 그 판매원이 오늘 아침 상사로부터 오늘 내로 냉장고를 한 대 꼭 팔든지 아니면 다른 무엇이라도 팔라고 경고를 받았는지에 대해서도 모른다. 게다가 이 냉장고 모델의 재고 상황은 어떠한지, 이 모델이 이 매장에서 동이 날 정도로 잘 팔리는 인기제품인지, 아니면 대충 팔아치워도 될 물건인지에 대해서도 당신은 모르고 있다. 이 모델의 명세 가격은 얼마인지에 대해서도 당신은 모른다. 이 매장이 그 냉장고를 팔아서 얼마만큼 이익을 보는지 역시 모른다.

말할 것도 없이 당신은 판매원이나 이 매장에 대해서 아는 것이 없다. 그렇다면 그 판매원은 당신에 대해서 알고 있는 것이 있을까?

그는 최소한 당신이 그 냉장고에 대해 관심을 가지고 있다는 것은 알고 있다. 사람들이 시어즈 백화점의 스포츠용품 코너나 의류 코너, 음향기기 코너에서는 오다가다 기웃거리며 눈요기 쇼핑을 할 수도 있지만, 대형가전제품 코너는 다르다. 냉장고는 필요한 때가 되어야 비로소 살펴보는 물건이다. 이런 '기정사실' 뿐 아니라 판매원은 근처의 어느 경쟁 상점들 중 어디에서 냉장고를 팔고 있고, 현재 그 상점에서 세일을 하고 있는지, 가격은 얼마나 받고 있는지도 알고 있다.

비록 지금은 그가 당신과 당신의 아내를 무시하고 있는 것처럼 보일지라도 사실은 귀를 쫑긋 세우고 당신 부부가 주고 받는 말을 듣는다. 그는 당신의 고장난 냉장고와 현재의 여유 자금, 당장 냉장고를 사야만 하는 상황 따위도 알게 된다. 당신이 아내와 말을 주고 받을수록 판매원에 비해 정보력의 열세는 점점 더 두드러지고, 그만큼 판매원은 유리한 위치에 서게 된다.

"색깔이 정말 마음에 들어요."

"내 생각에는 길 건너 워즈 유통회사 판매점에서도 이 가격 이하로는 살 수 없을 것 같아요."

"이 냉동 칸은 내가 본 것 중에서 가장 널찍해요."

이런 사소한 논평들도 판매원을 더욱 우위에 올려놓는다.

반대로 판매원은 당신에게 정보를 줄 수 있는 어떤 질문에도 절대로 곧이곧대로 대답하지 않는다는 점에 주목하라. 질문을 받으면 판매원은 거꾸로 질문을 한다. 만일 당신이 "내가 지금 이 냉장고를 사겠다는 것은 아니지만, 만약 산다면 언제쯤 배달해 줄 수 있나요?"라고 물으면, 그는 "언제쯤 배달해 드리면 좋겠습니까?" 하고 되물을 것이다.

"오후 일찍은 어때요?"라고 물으면, 그는 "그렇게 빨리요?"라고 답할 것이다. 이쯤 되면 당신 부부 중 한 사람이 이렇게 말하고 만다.

"만약 냉장고가 제시간에 배달되지 않으면 70달러 어치의 음식이 상하게 될 것 같아서 말이죠."

판매원이 이 정보를 좋아할까? 물론이다. 왜냐하면 당신의 어려운 처지를 그에게 알려준 셈이니까. 당신은 상대의 최종 기한을 모르는 채 상대에게 당신의 최종 기한을 드러낸 셈이다.

시간

늘어나는 정보량의 차이 문제에 조직상의 압박과 시간의 문제가 엎친 데 덮친다. 당신이 보기에 판매원은 느긋해 보인다. 그가 속한 조직은 보이지 않는다. 반면에 당신의 조직, 즉 가족은 어떠한가? 뻔히 드러나 있고, 게다가 비협조적이기까지 하다.

당신의 아내는 "우리 다른 곳에 가봐요"라고 말하는데, 당신은 "가만히 좀 있어봐"라고 하거나, 아니면 그 반대일 수도 있다. 또한 데리고 온 아이들은 어떤가? 냉장고 옆에서 '열중쉬어' 자세로 거래가 끝날 때까지 얌전히 기다리고 있을까? 천만에 말씀이다. 한 녀석은 냉장고 문을 열었다 닫았다 하고, 다른 한 녀석은 매장 저쪽 끝에서 하키 스틱을 휘둘러 퍽을 세탁기며 건조기에 맞추며 놀고 있다.

그새 냉장고 문을 여닫던 놈이 보이지 않는다.

"애가 어디 갔지?"

"노란색 냉장고 속에 있나봐요. 문이 닫혀 있는 저것 말예요. 3분 내로 애를 꺼내지 않으면 숨막혀 죽을 거라구요."

한 녀석을 냉장고에서 꺼내놓는 동안 다른 한 놈은 "자! 덤벼! 얼른! 게임 시작했다니까?"라며 스틱을 휘두르며 소리까지 질러댄다.

가족들이 이렇게 당신을 정신없게 하는 동안 판매원은 냉장고를 파는 데는 전혀 관심이 없다는 듯 가게 이곳저곳을 어슬렁거리며 돌아다닌다. 그리고 이따금씩, "여보세요, 거기 손님, 결정하셨어요?"라고 건성으로 묻기만 한다. 마치 망고나 파파야 열매를 따러 가는 사람처럼 한가한 말투로 말이다.

힘

이 모든 사항 외에도 힘이라는 문제가 남아 있다. 이와 같은 경우에 힘은 두 가지 형태로 나타난다.

관행이 갖는 힘

대부분의 사람들은 정찰제 매장에선 가격을 흥정할 수 없다고 믿는다. 만일 내가 왜 그렇게 믿느냐고 물으면, "가격을 흥정할 수 있다면, 왜 정찰제 매장이라고 부르겠어요?"라고 대답한다. 이것이 다음과 같은 인과관계를 낳는다.

· 정찰제 매장에서는 흥정을 할 수 없다고 믿게 한다.
· 그래서 정찰제 매장에서는 흥정을 시도하지 않는다.
· 결국 정찰제 매장과는 협상을 하지 못하게 되며, '정찰제 매장'이라고 하면 '흥정이 안 됨'이라는 공식을 유발시킨다.

이것이 '스스로의 힘으로 목적을 달성하는 예언'을 만드는 가장 적절한 예이다. '정찰제 매장에서 흥정을 시도하는 사람을 본적이 없다'는 접근방식 자체가 흥정을 실패하게 하는 씨앗이 된다.

당신이 판매원을 향해 조심스럽게 가격이 표시된 라벨을 가리키면 판매원은 당신이 무슨 말을 하려는지 금방 알아챌 것이다. 판매원은 이미 그런 상황을 여러 번 겪었기 때문이다. 하지만 그는 당신이 먼저 말을 꺼내기를 바란다.

마침내 판매원이 시침을 떼고 묻는다.

"제가 도와드릴 일이라도 있나요?"

그러면 당신은 그저 가격표를 가리키면서 "저… 있잖아요"라고 우물거릴 뿐이다. 판매원이 시침을 떼고 다시 "가격표가 어디 이상한가요?"하고 물으면 당신은 "아뇨… 단지, 가, 가…"하며 더듬거린다.

판매원이 순진한 척 "뭐라구요?"라고 물으면, 그때서야 당신은 "가격 말예요!"라고 짜증을 섞어 엉겁결에 말한다.

판매원이 원하는 대로 당신이 먼저 입을 연 것이다. 그쯤 되면 판매원은 조금 거들먹거리는 자세로 덧붙인다.

"손님, 여긴 시어즈 백화점이라구요!"

만일 이런 일이 내게 일어난다면 나는 사과하는 말투로 "아, 죄송합니다. 제가 매장을 잘못 찾아온 것 같군요!"라고 말할 것이다. 그리고 그때쯤 아내는 어깨 너머로 "내가 다시는 당신과 물건을 사러오나 봐요!"하는 말을 던지고 휙 돌아서서 걸어나가기 시작할 것이다. 이건, 어쨌든 완전히 나쁜 것만은 아니다. 왜냐하면 나는 이렇게 하는 과정에서 '아내의 쇼핑에 따라다니지 않아도 되는' 부차적인 목적은 달성했기 때문이다.

이런 식의 곤경에서 벗어나는 방법이 있다. 당신의 부족한 경험이 만유의 진리인 것처럼 행동하지 말라. 당신이 정한 전제에 활발하게 도전함으로써 당신 자신의 경험을 뛰어넘어라. 놀랍게도 대부분의 가정들이 틀렸다는 것을 깨닫게 될 것이다. 포부를 더 크게 가져라. 아래의 노래에 묘사된 것과 같은 소극적인 태도는 버려라.

그 일은 해낼 수 없는 일이라고 사람들이 말했죠.

그는 마음이 내키지는 않았지만 마지못해서 일을 시작했죠.

그는 '해낼 수 없는' 일과의 씨름을 했죠.

아니나 다를까! 그는 그 일을 해낼 수 없었죠.

협상가로서 어느 정도의 위험을 감수하고, 과거의 경험으로부터 얻은 전례에 구애받지 말고 당신의 가정을 적용시켜 보라. 성취의욕을 높이 갖고 기대치를 높여라. 당신과 당신의 아내가 489달러 95센트의 가격표와 맞서고 있는 동안, 또 다른 형태로 나타나는 힘을 찾아볼 수 있을 것이다.

합법성이 갖는 힘

합법성의 힘은 인지되거나 추측되는 권위(때로는 지시, 서류, 혹은 인쇄된 기록 등 무생물적인 것으로 대표되는 권위)에서 나오는 것으로서 보통사람들이 이의를 달지 않는 권위에서 나오는 힘이다.

예를 들어, 내가 당신에게 무엇을 하라고 말하면 당신은 자신의 필요에 기준을 두고 나의 요청을 평가할 것이다. 그리고 나의 요청이 자신의 필요에 맞아떨어질 때만 나의 제안에 응할 것이다. 하지만 어떤 표지판이 이러이러한 행동을 하라고 지시한다면, 당신이 그 지시사항을 받아들일 가능성은 훨씬 높아진다. 예를 들어보자.

여행을 자주 하는 사람이라면 '홀리데이 인'의 접수 창구에 붙어 있는 자질구레한 지시사항들에 대해 잘 알고 있을 것이다. 또한 방문에 붙어 있는 자잘한 지시사항들 역시 익숙할 것이다. 그 지시 사항 중에는 "체크아웃 시간은 오후 1시입니다"라는 말이 들어 있다.

어느 지배인이 내게 이런 질문을 했다.

"당신 생각에는 과연 몇 퍼센트의 손님이 거기 적혀 있는 대로 오후 1시에 체크아웃 하는 불편을 감수할 것 같소?"

나는 잠시 생각해본 후, "글쎄, 한 40퍼센트?"라고 대답했다. 하지만 내가 홀리데이 인 모텔 지배인으로부터 들은 말에 의하면, 모텔의 위치에 따라 조금씩 다르기는 하지만 대충 90~99%에 달한다고 한다.

이 수치를 보고 놀랐는가? 사실은 나도 그랬다. 미국인들의 투표 참여율은 비교적 참여도가 양호한 경우라 해도 55퍼센트 정도에 그친다. 그런데 평균 95퍼센트의 사람들이 홀리데이 인의 체크아웃 시간에 맞추어 절차를 밟다니… 도대체 무엇이 평소 독립심이 강한 이 사람들을 나그네쥐처럼 지정된 시간에 요금을 지불하는 곳으로 달려가게 하는가.

나는 5년 전 우연히 홀리데이 인에 묵은 적이 있었다. 오후 일찍 비행기를 타야 했기 때문에 숙박비를 지불하기 위해 창구직원에게 갔다. 로비는 한산했고 시간을 보니 12시 30분이었다. 그때 마침 배가 고팠다. 나는 점심을 먹은 뒤에 함께 요금을 지불할 생각으로 식당으로 갔다. 점심을 먹고 나니 시간은 오후 1시였다. 방금 전 창구에 사람들이 없었으니까 지금도 고작해야 두 세 명이나 있겠거니 생각하면서 로비로 갔다.

그런데 내가 로비에 들어섰을 때, 마치 죄수들이 배식을 기다리는 것처럼 28명이나 되는 손님들이 창구 앞에 늘어서 있었다. 어떻게

30분만에 28명이나 모여들 수 있을까? 나는 곰곰이 생각했다. 그리곤 '이 사람들은 체크아웃 하려는 사람들이 아닐 거야. 차림새를 보니 아마도 이 지역의 시설물을 관광하러 온 사람들 같아. 그 코스에는 언제나 이 모텔이 끼어 있으니까' 하고 생각했다. 그렇다면 나는 줄을 서서 기다릴 필요가 없다. 나는 그 '관광객'들을 지나쳐서 창구 앞으로 가 진짜 체크아웃 하는 줄을 새로 만들기로 했다.

그리고 내가 이들 관광객들을 지나쳐서 앞으로 걸어나가자, 그들 중 몇몇이 따가운 시선으로 나를 쳐다보았다. 아차 하는 생각이 들었다. 약간 창피했다. 나는 그 줄 맨 뒤로 가 아무렇지도 않은 듯 보이려고 애를 쓰면서 앞사람의 어깨를 툭툭 두드리곤 물었다.

"무슨 줄인가요?"

"체크아웃 하려는 사람들이오."

"어떻게 알고 나왔죠?"

"시간이 되었으니까 나온 거죠."

그가 귀찮은 듯 쏘아붙였다. 하지만 나는 기어코 한 마디를 더 물었다.

"그걸 어떻게 아셨어요?"

"그야 문에 붙어 있는 것을 보고 알았죠."

이건 매우 중요한 말이다. 그는 문에 붙어 있는 지시사항을 읽고 그 지시사항 대로 이렇게 줄을 서서 기다리고 있는 것이다.

이런 합법성의 힘을 보여주는 또 하나의 사례가 있다.

한 회사의 하급직원이 용기를 내어 사장실에 들어가서 이렇게 말했다.

"방해해서 죄송합니다만, 봉급을 올려주셨으면 합니다. 저는 그럴 만한 자격이 있다고 생각합니다."

사장이 어떻게 나왔을 것 같은가? "안 돼, 자네의 월급을 올려줄 순 없네!" 이렇게 나왔을 것 같은가? 결코 그렇지는 않다. 사장은 이렇게 말했다.

"물론 자네의 월급을 올려줘야 한다는 것은 알고 있다네. 하지만…" (하지만이란 단서는 월급을 올려주지 못할 정당한 이유가 있다는 말과 같다.)

사장은 서류들을 아무렇게나 옆으로 치운 뒤, 책상 유리 밑에 있는 인쇄된 종이를 가리키며 조용히 말했다.

"그런데 유감이지만 자네는 자네 직책에서 가장 높은 호봉의 급여를 받고 있단 말일세."

그러자 하급직원은 "아, 예… 제 급여 등급을 잊고 있었습니다"라고 우물거리고는 물러섰다. 인쇄된 문구 때문에 정당하게 자신의 것이 될 수 있는 것도 얻지 못하고 나오는 것이다. 하급직원은 속으로 '서류에 버젓이 인쇄되어 책상 유리 밑에 놓여 있는데, 내가 말로 어떻게 해보겠어?' 라고 생각한다. 이는 바로 사장이 하급직원이 말했으면 하고 바라는 말일 수도 있다.

합법성이 갖는 힘에 대한 세 번째 예를 들어보자.

20년 전에 나는 부동산의 법적 절차에 관련된 일을 하고 있었다. 부동산 임대차 계약을 할 때였다. 사람들은 자신들의 계약서에 서명하고, 다시 내 서명을 받기 위해 왔다. 대부분의 사람들은 보증금을 내고 서류는 읽지도 않고 그냥 갔다. 하지만 드물게 어떤 사람은 "서명하기 전에 계약서류를 읽어보고 싶은데요. 그것은 정당한 거 아닌가요?" 하고 말하곤 했다. 그러면 나는 "물론 그렇게 하실 권리가 있습니다. 지금 바로 읽어보세요"하고 대답했다. 서류를 반쯤 읽어가다가 그 사람은 큰 소리로 "잠깐만요! 이 서류대로라면 나는 임대기간 동안에 머슴살이하게 되는 거 아닙니까?"라고 소리쳤다. 그때 나는 다시 이렇게 말했다.

"그럴 리가 있습니까? 그건 표준 양식인걸요. 보세요, 왼쪽 아랫부분을 보면 형식승인번호가 찍혀 있지요?"

그러면 그들은 대개, "아! 표준 양식이군요. 그렇다면야…" 하는 식으로 반응하면서(마술적인 힘을 지닌) 몇 개의 인쇄된 숫자에 굴복해서 서명을 하고 만다.

아주 드문 경우지만 이렇게 해도 서명하기를 꺼리는 사람에게는 "법조계 사람들은 그 어떤 변경도 승인하지 않을걸요"라고 덧붙일 수도 있다. 물론 나는 소송전문가들이 이런 변경을 좋아하는지 그렇지 않은지에 대해서는 전혀 모른다. 그럼에도 불구하고 이 말은 마술처럼 잘 먹혀들었다. '법조계 사람들'이라는 말이 대개 강력한 합법성의 이미지를 영화관의 대형화면처럼 보여주기 때문이다. 이론상으로도 사람들은 법을 다루는 사람들과 시간을 보내는 것을 좋아하지 않는다.

이쯤에서 다시 시어즈 백화점의 상황으로 돌아가 보자.

당신은 홀리데이'인에서 줄을 서서 기다리던 사람들, 봉급을 올려달라고 했던 하급직원, 그리고 임대계약서에 서명을 했던 사람들처럼 489달러 95센트라는 가격표에 압도당한 채 멀거니 냉장고만 바라보고 있다. 하지만 위에 들었던 어떤 경우의 예라 하더라도 그 상황에 압도당할 필요는 없다. 이 모든 상황은 협상을 통해 헤쳐나갈 수 있기 때문이다.

무슨 근거로 그렇게 말하느냐고? 그것은 냉장고에 부착된 가격표를 포함해서 거의 모든 결과물들은 협상을 통해서 얻어진 것이고, 협상을 통해 얻어진 것들은 협상이 가능한 것들이기 때문이다.

잠시 생각을 바꾸어보자. 시어즈 백화점에서는 489달러 95센트라는 수치를 어떻게 산출해냈을까? 이것은 나뿐만 아니라 당신 역시 알고 있을 것이다.

판촉부에서는 "450달러로 합시다. 그러면 냉장고가 잘 팔릴 겁니다"라고 제안한다. 반면 재무부서에서는, "물건을 팔았으면 이익을 남기는 것이 원칙입니다. 540달러는 해야 합니다"라고 제안한다. 이때 광고부 직원들이 끼어들어, "심리학적인 면에서 고려해 볼 때 가장 알맞은 숫자는 499달러 95센트입니다"라고 말한다. 그러자 누군가 참지 못하겠다는 듯, "이것보세요, 우리는 사업을 하고 있습니다. 의견을 모아야 될 것 아닙니까?" 하고 내뱉는다.

이렇게 해서 가격을 낮추려는 판촉부와 가격을 높이려는 재무부, 심리적인 저항을 내세우는 광고부 등이 모여 합의를 한다. 협상을 하는 것이다. 결국 냉장고의 가격은 489달러 95센트로 결정된다. 즉 489달러 95센트는 하느님이 인쇄를 해서 내려보낸 숫자가 아니라 이들이 협상을 벌여 타협을 이뤄낸 결과이다.

물론 협상의 결과물이 아닌 것도 있다. 가령 '십계명'은 협상을 해서 얻어진 것이 아니라 하나님이 기정사실로 돌에 새겨 우리들에게 준 것이다. 이건 지키기 어려우니 빼달라고 하느님과 협상을 한다는 건 사실 어렵다. '산상수훈'도 협상의 결과는 아니다. 예수가 그의 추종자들을 불러놓고 "너희들이 알고 있는 정보를 내게 말하라. 특별조사단을 만들 것이다. 소위원회로 나누고 문제를 풀어 나가보자"라고 말씀하지는 않았다.

이러한 사항들은 '신성한 기정사실'이기에 시어즈 백화점의 가격표나 홀리데이 인의 체크아웃 시간, 심지어 공중서류 등과는 다른 범주에 속한다.

물론 협상 가능한 것들이 많다고 해서 당신이나 내가 아무 때나 협상을 해야 한다는 것은 아니다. 만일 당신이 내게 "당신은 정찰제 매장에서도 흥정을 합니까? 시어즈 백화점에서 협상을 해요?"라고 묻는다면, 나는 솔직하게 "내 인생의 전략 중 하나는 절대로 시어즈 백화점에 가지 않는 것입니다"라고 대답할 것이다.

내 말의 요지는 어떤 것에 대해서 협상을 하고 안하고는 다음 질문에 대한 대답에 전적으로 달려 있다는 것이다.

· 이 특별한 상황에서 협상을 하는 것이 내게 있어 편한가?
· 협상을 하면 내가 필요로 하는 것을 충족시킬 수 있는가?
· 협상의 결과로 얻는 이익이 내가 소비하는 정력과 시간만큼 가치가 있는 일인가?

당신이 볼 때 세 가지 질문에 모두 '그렇다'고 대답할 수 있는가? 그렇다면 그때가 바로 협상을 시작해야 할 때다. 그러기 위해서는 늘 상황을 유리하게 이끌어갈 수 있는 힘을 가지고 있어야 한다.

필요에 따라 기회를 선택하라.

당신에게 가장 큰 이득을 주는 데 관심이 없는 사람들에 의해 조종당하거나 위축되지 말라.

주어진 어떤 상황에 대해서 어떤 태도를 취할 것인가에 대해 당신은 자유롭게 선택할 수 있으며, 원하는 결과를 이끌어낼 능력도 있다. 다시 말하면, 삶의 틀을 만들고 개선해 가는 데 당신은 자신이 생각하는 것보다 훨씬 더 큰 역할을 할 수 있다는 것이다.

Chapter 3

협상에 이용되는 몇 가지 테크닉들

가상 시나리오를 다시 한 편 써보도록 하자.

당신 부부와 아이들은 지금 시어즈 백화점에서 당신이 부담할 수 있는 액수보다 더 비싼 가격이 붙어 있는 냉장고를 보고 있다. 당신은 그 냉장고가 너무나 갖고 싶다. 이것은 협상할 만한 가치가 있는 것인가? 만약 앞에서 물었던 세 가지 질문에 대해 모두 긍정적인 답변이 나왔다면 곧장 일을 밀고 나가는 것이 좋다.

하지만 어떻게? 또 무슨 말이나 행동을 취해야 하는가?

경쟁의식을 유발하라

처음부터 자신을 너무 한정시켜서 규정짓지 말라. 즉 당신을 냉장고를 사야 하는 사람으로만 간주하지 말라는 말이다. 다시 말해, 당신을 자신이 가지고 있는 '돈'을 팔려는 사람으로 생각하라. 그렇다면 당신의 '돈'은 팔려고 내놓은 상품이 되는 셈이다.

당신의 돈을 원하는 사람이 많으면 많을수록 당신 돈의 가치는 올라가게 된다. 그렇다면 어떻게 다른 사람들이 당신 돈을 얻기 위해 애를 쓰게 만들 것인가? 한 가지 방법은 당신의 돈을 놓고 경쟁을 유발시키는 것에서 찾을 수 있다.

시어즈 백화점의 상황을 통해 이야기하자면, 당신 돈을 원하도록 경쟁심을 일으키는 방법은 아주 간단하다. 그 판매원에게 경쟁관계에 있는 다른 판매점에서 유사한 모델을 더 낮은 가격으로 판매하고 있다고 은근히 귀띔해주면 된다.

경쟁 판매점들이 당신 돈을 간절히 원한다는 사실은 순식간에 당신이 목적을 달성할 수 있는 힘을 준다. 그리고 시어즈가 종종 자체 상표를 붙인 다른 제품들과도 경쟁을 하고 있다는 사실 또한 즉각 당신에게 힘이 된다.

시어즈가 자체적으로도 경쟁한다는 것이 놀랍게 여겨지는가? 같은 매장에 비치되어 있는 카탈로그를 훑어 보라. 그 카탈로그의 어디엔가 똑같은 냉장고가 440달러에 26달러의 배달료를 덧붙인 가격으로 나와 있음을 볼 수 있을 것이다. 그 페이지를 판매원에게 보여주면서 협상을 시작하라.

필요를 충족시켜라

당신에게는 다른 것을 선택할 수 있는 권리가 있다. 그리고 그 선택의 여지가 사실이든 아니든 간에 당신의 필요를 충족시켜야 한다는 기본적인 축 위에 놓여 있다. 아주 근원적인 의미에서 보면 협상이란 필요를 충족시키기 위한 것이다. 시어즈는 자신의 필요를 충족시키기 위해 당신에게 489달러 95센트라는(그 가게의 필요에 합당한) 가격을 제시한다.

그렇다면 당신의 필요는 무엇인가? 어쨌든 당신은 그 거래에서 또 하나의 당사자이다. 이상적인 협상은 거래를 마쳤을 때, 양측 모두 이기거나 돈을 벌어야 한다.

시어즈 백화점의 판매원에게 당신의 필요에 대해서 예민하게 의식하도록 할 수 있는 몇 가지 방법이 있다. 우선 이렇게 물어 보라.

"이 모델의 색상이 몇 가지나 됩니까?"

이때 만일 판매원이 32가지라고 답하면 어떤 색상들이냐고 되물어 보라. 판매원의 말을 듣고 나서 당신은 놀란 듯 말한다.

"그게 다입니까? 지금 여기에 있는 것 말고 다른 색상은 없다구요?"

"예, 그렇습니다. 그런데 어떤 색상을 원하십니까?"

"우리 집 부엌은 최신식으로 설계되었는데, 여기 있는 색상은 아주 구식이거든요. 전혀 어울릴 것 같지가 않아요. 가격을 약간 조정할 수 있다면 그런 대로 쓸 수도 있긴 하지만…."

당신의 필요를 설명하는 두 번째 방법으로 냉장고의 기능, 말하자면 제빙기에 대해 말할 수도 있다.

"이제 보니 이 모델에는 제빙기가 함께 붙어 있군요."

"예, 그렇습니다. 이 냉장고는 24시간 얼음을 만들어내는 데, 시간당 2센트밖에 안 든답니다!"

판매원이 당신의 필요에 대해서 전혀 갈피를 잡지 못하고 이렇게 추측성 발언을 하는 것을 주목해야 한다. 당신은 그의 빗나간 추측을 역으로 이용한다.

"그럼 문제가 좀 어려워지겠는데요. 우리 애들 중에 하나가 만성 기관지염을 앓고 있거든요. 의사가 절대로 얼음을 먹여선 안 된다고 했어요. 그 제빙기를 떼어낼 수는 없을까요?"

"하지만 제빙기가 문짝 전체를 차지하고 있는데요."

판매원이 할 수 없다는 듯 이렇게 대꾸할 때, 당신은 이렇게 제안할 수 있다.

"그래요…. 하지만 나는 이 장치를 쓰지 않는데, 제가 쓰지도 않는 기능 때문에 돈을 지불한다는 건 좀 그렇군요. 제빙기만큼 가격을 낮출 수 있지는 않을까요?"

당신의 필요를 표현하는 세 번째 방법은 그 냉장고의 사양에 대한 불만을 토로하는 것이다.

"이 모델은 문이 왼쪽으로 열리게 되어 있군요. 우리 가족은 모두 오른손잡이입니다."

이 같은 말은 판매원에게 당신의 필요가 전적으로 충족되고 있지 않다는 것을 암시한다.

그러므로 판매원의(제값을 받고 팔아야 한다는) 필요 역시 전부 충족되어서는 안 된다는 점을 드러내는 것이다.

염가판매를 이용하라

"이 모델은 언제 세일을 하나요?"

혹은 "제가 바겐세일 기간을 놓쳤나요?"라고 물어 보라. 만약 이 냉장고를 지금 당장 염가로 판매하지 않는다면, 이것은 장차 바겐세일이 있을 것이거나 아니면 방금 끝났을 것이라는 추측이 가능하다. 당신이 시기를 놓쳤다고 해서 불이익을 감수해야 할 아무런 이유가 없다.

상대의 약점을 찾아라

당신이 취할 수 있는 매우 효과적인 방법은 '흠잡기 작전'이다. 이 '전시품 기법'은 두 가지 방법으로 수행할 수 있다. 첫째 방법은 판매원이 지켜보는 동안 냉장고에 다가가서 그것을 아주 세밀하게 살펴본 후 소리친다.

"여기에 약간 흠이 나 있군요!"

그러면 판매원은 답할 것이다.

"아무렇지도 않은 것 같은데요."

"여기 옆쪽에 약간의 흠이 보이는 걸요. 밝은 데서 보면 냉장고 표면에 흠이 많이 나 있는 것이 보인다구요. 이렇게 흠집이 나 있으니 가격을 조금은 깎아줘야 하지 않겠어요?"

흠집이 없을 경우에도 어떻게 할지 걱정할 이유가 없다. 당신은 언제나 흠집을 만들어낼 수 있다(이것을 보고 양심의 문제를 거론하지 마시라. 나는 비록 우회적이기는 하지만 여전히 선택의 문제를 말하고 있다). 앞에서 하키스틱을 가지고 놀던 아이를 기억하는지 모르겠다. 그 아이에게 냉장고 옆에서 놀이를 하게 할 수도 있다.

이 작전을 실행할 수 있는 두 번째 방식은 '내부결함으로 인한 할인' 작전을 이용하는 것이다. 매장에 전시되어 있는 모델에는 반드시 불확실한 점들이 있게 마련이다. 언뜻 보면 지나칠 수 있겠지만 거기에는 반드시 흠이 있게 마련이다. 어쨌든 사람들은 여러 달 동안 이 냉장고의 문을 여닫아보고, 내부 용기와 부속실을 만져보았을 것이다.

전시된 제품들은 한 블록을 수 차례 반복해서 걷고 있는 매춘부와 같다. 즉 자주 손을 대서 흠이 나고 잘못 다뤄지는 바람에 내부에 손상이 있을 수도 있다. 이것을 이용하여 내부결함으로 인한 할인, 아니면 합법적인 혜택을 받을 자격을 갖게 된다.

어떤 사람은 결함이 있는 냉장고를 사고 싶지는 않다고 말할지도 모른다. 하지만 나는 여전히 할인된 가격에 냉장고를 구입한다는 대원칙에 충실한 협상에서의 선택문제를 다루고 있다.

측면을 공격하라

지금까지는 냉장고의 가격을 깎는 얘기를 해왔다. 하지만 당신은 냉장고의 전체 가격을 형성하는 다른 관련요인들에 대해 얘기할 수도 있다. 즉 판매원이 실제 가격을 어느 정도 깎아주는 데는 한계가 있을지라도 다른 면에서는, 예를 들어 중고품 보상판매라든가 하는 면에서는 더 많은 자율성을 가지고 있고, 운신의 폭이 넓다는 것을 생각하여야 한다.

당신은 이렇게 말해볼 수 있다.

"아, 예! 만일 그게 당신이 제시한 가격이라면, 내가 현재 쓰고 있는 냉장고를 150달러 정도 쳐주면 되겠군요. 아직 새것이나 다름없으니까요."

만약 판매원이 "무슨, 말씀이신지…?"라고 반응하면, "좋습니다. 좋아요. 그럼 거기서 50달러는 깎아내죠"라고 재빨리 응수한다.

물론, 여러분 중 누구도 냉장고를 가지고 이런 행동을 자주 취하지 않으리라는 것은 인정한다. 그러나 사람들은 자동차를 살 때, 이런 방식을 효율적으로 이용하고 있다.

만약…?

당신이 쉽게 이용할 수 있는 또 하나의 수단으로 "만약…?" 이라는 말을 자주 사용하는 것이다. "만약…?" 이라는 말은 협상을 할 때 주문처럼 잘 먹히는 효과적인 표현이다. 예를 들면 이렇다.

"만약 내가 냉장고 네 대를 사면 어떻게 되나요, 그럴 경우 가격이 조정될까요?"

"만약 당신이 배달해 주는 대신에 내가 트럭에 싣고 가면 어떻게 되나요?"

"내가 만약 세탁기 겸용 건조기와 와플파이를 굽는 기계를 함께 사면 가격에 변동이 있을까요?"

"앞으로 6개월에 걸쳐서 우리 이웃들이 한 달에 한 대 꼴로 냉장고를 사게 되면 가격이 달라질 수 있나요?"

물론 당신이 "만약…?" 이라는 말로 물을 때마다 원하는 것을 모두 얻을 수는 없을 것이다. 하지만 당신과 거래하는 사람 중의 십중팔구는 당신에게 유리한 방향으로 대안을 내놓게 되는 것 또한 사실이다.

잊지 말아야 할 것은 비록 고시된 가격인 489달러 95센트가 임의적으로 결정된 것이라고 해도 여기에는 설치비, 배달료, 수선 서비스, 계약서, 보증서 등 시어즈가 부담하는 모든 비용이 포함되어 있다는 점이다. 만약 당신이 이러한 여러 비용 중 일부, 혹은 전부를 시어즈 대신 부담할 수 있다면 그 점포는 당신에게 그 비용만큼 깎아줘야 할 것이다.

예를 들어 당신이 판매원에게, 그 가격에 설치비용이 포함되어 있는지를 물었을 때, "그렇습니다만…"이라고 반응했다면 당신은 이렇게 말할 수 있다.

"아, 그래요. 저희 집에도 연장이 있으니까 제가 설치해서 쓰도록 하지요."

최후 통첩

당신에게 더 이상 협상할 시간이나 마음이 없다고 가정해 보자. 그렇다면 처음부터 대뜸 판매원에게 다가가서 말한다.

"자, 당신은 이 냉장고를 팔아야 하고… 나는 이것을 사고 싶소. 그러니 450달러에 팔든지 말든지 하시오."

당신이 몸을 돌려 밖으로 걸어나간다고 해서 그 판매원이 거리까지 따라나올까? 결코 그렇지 않다. 왜? 판매원과 당신 사이에는 전반적인 거래에서 재고할 만한 어떤 관계도 이루어져 있지 않기 때문이다. 게다가 그는 당신의 퉁명스런 말투에 거부감을 느낀다. 최후 통첩이 먹혀들게 하는 중요한 요소는 언제나 판매원, 즉 상대방이 들인 시간과 힘의 정도에 비례한다.

이 원칙을 깊이 명심하고 이제 다른 방식을 시도해 보자.

당신은 별 관심이 없는 것처럼 하면서 월요일 오후 2시, 매장이 가장 한산한 시간에 대형가전제품 코너에 들러 판매원에게 말한다.

"이 매장에 있는 냉장고를 모두 보고 싶소."

그리고 2시부터 4시까지 판매원에게 전시장에 있는 모든 모델을 보여달라고 하면서 각 제품들의 장점을 묻는다. 판매원이 2시간의 시간을 들여 당신에게 냉장고를 한 대 팔게 되었다는 기대를 가지고 있을 때, 당신은 말한다.

"아무래도 쉽게 결정할 수가 없군요. 내일 아내와 함께 와서 결정을 해야겠소."

다음 날, 오후 2시에 이번에는 아내와 함께 그 매장에 들른다. 당신은 어제의 그 판매원을 찾아 전날과 같은 절차를 반복한다. 그리고 끝날 무렵, 그 판매원에게 말한다.

"우리가 살 것을 정하기 전에, 내일 냉장고 전문가 한 분과 함께 와보고 싶군요. 저의 장모님 말입니다. 장모님께서는 냉장고에 대해 안목이 높고, 또 많은 것을 알고 계시거든요. 그럼 내일 다시 뵙겠습니다."

이제 그 판매원은 네 시간을 썼다.

수요일 약속했던 시간에 아내와 장모를 동반하고 점포를 찾는다. 당신은 예의 그 판매원에게 4시까지 그 매장의 모델 전체에 대해서 설명을 해달라고 요구한다. 그리고 어느 정도 지나서 중얼거린다.

"흠… 도대체 뭐가 뭔지 알 수가 있어야 마음을 정하지. 일단 돌아가서 의논을 해봐야 할 것 같은데요."

이때까지 판매원은 그의 인생에서 당신에게 6시간을 투자한 셈이다. 속으로는 머리에서 김이 날 정도가 되겠지만 당신이 노리는 것은 바로 그 점이다.

목요일 오후, 이제 당신은 혼자 매장에 들어가 그 판매원에게 아는 척을 한다.

"아저씨, 저 아시겠죠? 냉장고를 사러 왔었잖아요."

그 판매원은 떨떠름한 표정을 지으면서 "아, 예…. 그렇네요"라고 말할 것이다.

당신은 계속해서 말을 잇는다.

"저. 지금 저한테는 여기 보시다시피 450달러와 성냥 한 갑, 그리고 잔돈 8센트가 있을 뿐입니다. 그리고 저는 바로 이 모델을 사고 싶습니다. 제발 부탁인데… 어떻게 타협해 볼 수 없을까요?"

그리고 나서 그 판매원이 얼른 반응을 보이지 않으면, 당신은 어깨를 한 번 으쓱하고 나서 천천히 출구 쪽으로 걸어간다.

이번에는 판매원이 쫓아 나올까? 물론이다. 그는 이미 당신과의 관계에서 많은 시간을 투자했고 당연히 그가 소비한 노력에 대한 보상을 받고싶어 한다. 그는 아마도 이렇게 투덜거리듯 소리치고 말 것이다.

"좋습니다! 좋아요. 좋은 게 좋은 거죠. 그렇게 하자구요!"

당신은 "그 가격에 팔려면 팔고 싶으면 그만 두시오!"라는 말을 하지 않았다. 그럼에도 판매원은 당신의 의도를 알아차렸다. 왜일까? 그것은 당신이 최종 통보를 적절하게 함으로써 일이 그렇게 되지 않으면 안 되도록 상황을 만들어 왔기 때문이다. 거래의 전후 상황을 잘 분석해 본 판매원은 속으로 분을 삭이느라 애를 써야만 할 것이다.

'젠장, 이 지겨운 놈에게 여섯 시간이나 써버리다니! 그나마 아는 악마에게 당하는 것이 모르는 악마에게 당하는 것보다야 낫지. 앞으로 더 험한 꼴을 당하게 될지 누가 알겠어?'

미끼 던지기

'미끼 던지기'라고 알려진 이 작전도 똑같은 원리이다. 무슨 말인지 잘 이해가 되지 않는다면 내 설명을 잘 들어보도록 하라. 그러면 "아!"하고 금방 알아차릴 것이다. 편의상 당신을 남자라고 가정하고 얘기를 해보도록 하겠다. 물론 여성이라고 해도 똑같이 적용된다. 다만 머릿속에서 상상하고 있는 그림을 남성복 매장에서 여성복 매장이나 부띠끄로 옮기기만 하면 되니까.

당신은 정장을 한 벌 사기 위해 시내에 있는 남성복 전문점에 들렀다. 아주 가까운 사람이 결혼을 하는 터라 말쑥하게 차려 입고 식장에 가고 싶기 때문이다. 정장의 깃 넓이가 해마다 달라져서 당신은 어떤 스타일의 옷을 구입할 것인지 주저한다. 업자들의 장삿속 때문에 매년 유행이 달라지는 탓이다. 그래서 당신은 주머니에 줄자를 넣어 가지고 간다.

"무엇을 도와드릴까요?"

점원이 다가와 묻자 당신은 눈살을 찌푸리며 "예"하고 짧게 말하고는 이후, 세 시간 동안이나 가게의 이곳 저곳으로 옮겨다니면서 이 옷 저 옷을 뒤집어보고, 줄자로 깃을 재보기도 한다. 계속해서 어깨 넓이, 주머니의 귀, 소매 스타일, 단추의 수, 소맷부리 등에 대해 질문을 해대는 통에 점원은 어쩔 수 없이 당신의 뒤를 졸졸 따라다닐 수밖에 없다. 당신은 이따금씩 이렇게 묻기도 한다.

"이런 스타일의 옷은 얼마나 오래 유행할까요?"

점원이 자신의 추측을 말하면, 당신은 "정말 그렇게 생각하시오?" 라고 되물어 본다.

이제 서른 아홉 번째 옷을 살펴보고 일흔 여덟 개의 깃을 재본 후에 어느 정도 질려 있는 점원이 마악 짜증을 내려고 할 때 슬쩍 말한다.

"내 생각에는 저기 위에 걸려 있는 370달러 짜리 히키 프리먼이 좋을 것 같습니다. 아주 연한 줄무늬가 들어가 있는 것 말이에요."

점원은 '이제야 귀찮은 인간을 처리할 수 있겠구나' 하는 생각에 안도의 숨을 내쉬며 당신을 매장 뒤에 있는 거울이 붙어 있는 재단사의 작업실로 데리고 들어간다. 당신은 히키 프리먼으로 갈아입은 다음, 삼 면이 거울로 되어 있는 단 위에 올라선다. 당신이 그렇게 단 위에 서있는 동안 점원은 이제 어느 정도 느긋해진 마음으로 당신 곁에서 전표를 쓰며 자신의 수당을 계산해보고 있을 것이다.

당신이 거울에 옷매무새를 비춰보고 있는 동안 한 편에서는 나이 지긋한 재단사가 핀 몇 개를 입에 물고, 줄자를 목에 걸고서 구부정한 자세로 일을 한다. 그는 다섯 개의 핀을 뽑아 여기 저기에 꽂고, 바지 엉덩이 부분에 초크로 X 표시를 한 후에 가랑이에서 3인치 정도의 폭을 안으로 끌어당긴다. 그의 손은 바짓가랑이를 잡고 있을 테지만 그의 입은 이렇게 중얼거린다.

"이 옷은 아주 잘 나왔습니다. 당신에게도 안성맞춤이구요."

어느 양복점에서든 그와 같은 나이가 지긋한 직원이 있어서 그런 식으로 말할 것이다. 몇 개의 핀을 물고 있기 때문에 마치 웅얼거리 듯 하는 발음으로 말이다.

바로 이 시점에서 당신은 점원을 향해 아주 당연하다는 듯이 물어본다.

"그런데 참, 넥타이는 어떤 걸 끼워주시겠습니까?"

점원은 전표를 쓰던 손을 멈추고는 쪼그리고 앉아서 일을 하고 있는 나이든 재단사를 바라본다. 재단사는 핀을 꽂고 초크로 표시를 하는 일을 계속해야 할지 말아야 할지 갈피를 잡지 못하고 당신을 쳐다본다. 그가 손으로 쥐고 있던 가랑이 부분을 놓자 3인치나 되는 천이 다시 아래로 주르륵 흘러내린다.

이것이 바로 미끼 던지기다. 처음에 일었던 싫은 감정이 사그러든 후 점원의 마음속에서는 무슨 생각이 오갈까? 그는 속으로 이렇게 투덜거릴 것이다.

'이 웃기는 녀석이 내 귀중한 시간을 세 시간 반이나 빼앗았어. 서른 아홉 벌이나 되는 옷을 내리느라 어깨는 쑤시고, 저 멍청한 녀석이 깃을 일흔 여덟 번 재는 것도 지켜보고 있었단 말이야. 좋아. 그건 그렇다 치고, 그럼 내가 얻은 게 뭐지? 이렇게 된 마당에 내가 건질 게 뭐가 있냔 말야! 370달러 짜리 옷을 한 벌 팔면 수당이 60달러인데, 그걸 벌려고 내 돈을 내서 7달러 짜리 넥타이를 덤으로 사줘야 하나? 꼴 보기 싫은 놈!'

자, 당신은 그 넥타이를 얻어낼 수 있을까? 물론이다. 당신이 점원에게 존경과 사랑을 받을 수 있을까? 그건 좀 다른 문제이다. 그 상황에서 갖게 된 자신의 감정 때문에, 그는 당신에게 넥타이를 줄 것이다. 결코 애정 때문이 아니다.

만일 그가 다른 손님과는 달리 당신에게 긴 시간을 쓰지 않았다고 해도 당신의 '미끼 던지기'가 먹혀들었을까? 아니다. 이 작전의 성공여부는 소요된 시간에 비례해서 결정 된다. 바로 이 점이 협상을 하는 데 있어서 상대측을 어떤 형태로든 그 상황에 투자하게 만들어야만 되는 이유이다. 당신이 그 점원에 비해 유리한 위치에 있지 못하다고 할지라도 그 점원과의 협상을 통해 설득한다면 그 협상은 성공하는 것이다.

도와주세요

어떤 상황에서는 절실히 도움을 구하는 것처럼 행동하는 것이 모든 것을 알고 있는 것처럼 행동하는 것보다 유리하다. 그렇다면 모든 것을 잘 알고 있는 것처럼 행동한다는 것은 무슨 뜻일까?

개인사업체나 정부의 어떤 부서에서 일하고 있는 고위간부를 생각해보면 쉽게 연상할 수 있다. 그들은 강한 인상을 보여주기 위해 애를 쓴다. 어떻게 보이고 행동해야 하는지를 규정하는 오래된 관행에 젖어 있기 때문이다.

이런 이미지는 교묘하게 겉모습을 숨겨야 얻을 수 있다. 상상력을 더 발휘해본다면, 이런 이미지는 한창 인기를 끌던 때의 로버트 레드포드나 로버트 굴렛의 모습에 론 그린이 '배틀스타 갈락티카'라는 영화에서 우주전함 지휘관 복장을 하고 있는 모습을 합성한 것과 같다.

이 상투적인 모습의 고위 간부들은 관자놀이 주변이 희끗희끗한 회색 머리카락을 깔끔하게 빗어 넘기고, 각이 진 턱을 앞으로 조금 내밀고 있을 것이다. 목소리는 굵고 낮은 울림이 있으며, 악수할 때는 상대방의 손을 으스러질 정도로 세게 쥐고 흔든다. 그리고 아주 당당한 걸음걸이로 성큼성큼 걷는다("어이 안녕한가! 고위간부인 나는 활보하고 있다네!"). 또한 진심이든 아니든 간에 버릇처럼 "만나서 반갑네!"라는 말을 입에 달고 다니기도 한다.

만일 당신이 아주 멋진 파티를 마치고 술에 취해 곯아떨어진 이 '가짜 합성품'을 갑작스럽게 깨우면 그는 침대 밖으로 튀어나와서는 이렇게 소리를 지를 것이다.

"어이, 안녕한가! 이 어르신께서 행차하셨지. 만나서 반갑네!"

만일 그때 당신이 "혹시 여드름이 났던 적이 있으십니까?"라고 물으면 그는 어리둥절해서 "무슨 말인가?"라고 대답할 것이다. 그는 결코 여드름이 나본 적이 없었을 테니까.

말이 길어지긴 했지만, 이 실속없이 규격화된 유형의 이미지는 빈 껍질에 불과하다. 그런 사람의 말은 귀담아 들을 가치도 없다. 그는 언제나 몸을 뻣뻣하게 뒤로 젖힌 채, 고상하고 전문가이며 학식이 있는 양 으스대느라고 실상은 피로에 지쳐 있기 마련이다.

이러한 유형의 사람은 언제나 모든 것을 다 아는 것처럼 행동하려다가 자신의 약점을 노출시키고 만다. 하지만 반대로 이따금씩 "잘 모르겠는데요. 도와주시겠습니까?"라고 말하는 사람은 어떨까? 때때로 매우 유리한 효과를 거둘 수 있다. 모든 일에 해답을 가지고 있지 않음을 인정하는 것은 상대방에게 더욱 호감을 갖도록 만든다. 그리고 당신의 접근방식을 수용하도록 만든다.

약점을 강점으로

협상에서는 영리한 척 하기보다 우둔한 척 하는 것이, 애써 설득하려 하기보다는 조용히 앉아 있는 것이 더 효과를 보는 경우도 있다. 그리고 많은 경우, 약점이 실질적인 강점이 될 수도 있다.

"잘 모르겠습니다."

"잘 이해가 되지 않는군요."

"방금 하셨던 말씀을 다시 한 번 말씀해 주시겠습니까?"

이런 말도 적절하게 할 수 있어야 한다. 아니 그렇게 하는 것이 도움이 되는 상황이라면 "제게 도움을 주십시오"라는 말을 할 수 있도록 훈련해야 한다.

약간 어리숙해 보이는 사람과 거래했을 때의 경험을 떠올려 보자. 무슨 말을 하는지 모르는 멍청이와 거래를 할 때, 세련된 논리와 설득력 그리고 폭넓은 자료가 무슨 소용이 있는가? 이때 당신의 설득력 있는 수단들은 무용지물이 되어 버린다.

학습능력이 없거나 언어장애를 가지고 있는 사람과 협상해 본 경험이 있는가? 만약 내가 말을 더듬거나 애를 써서 몇 마디를 겨우 뱉어내는 당신과 협상하려 한다고 해보자.

내가 "좋습니다. 이 조건에서 걸리시는 부분이 있습니까?"라고 말했다면 당신은 "예, 에… 그러니까… 수, 수…"라고만 한다.

"진정하시고, 무슨 말씀이시죠?"

"저, 그러니까,… 저, 수…"

"숫자를 말씀하시는 겁니까?"

당신은 고개를 끄덕인다.

"좋아요. 우선 말하고 싶은 게 뭡니까?"

당신은 떠듬떠듬 말한다.

"가… 가…."

"가격 말씀이세요?"

당신은 다시 고개를 끄덕인다.

"좋습니다. 이제 뭔가 알 것 같군요. 그럼 두 번째는 무엇입니까?"

"푸푸… 품…."

나는 얼른, "품질요?"라고 말을 이어나갈 수밖에는 없다. 당신은 다시 고개를 끄덕이고, 이런 식으로 협상은 이어진다.

당신은 무슨 말을 했는가? 아무 말도 하지 않았다. 나는 무얼 하고 있는가? 나는 당신의 말이 무엇일 것이라는 것을 대신 설명하면서 그 거래에 시간을 투자하고 있다. 당신에게 칼자루를 쥐어주는 것이다.

내 아내는 내가 맹인들에게 말을 할 때, 언제나 목소리를 높인다고 지적한다. 왜 그럴까? 그것은 나도 모르는 사이에 그들이 나의 목소리를 통해 보이지 않는 것을 보게 하려고 애쓰기 때문이라고 생각한다.

때로는 약점 자체가 협상에서 균형을 낳을 수도 있다. 큰 은행이 주요 고객에게 채무지급이 늦어지는 것에 대해 불만을 표시하려고 전화를 했다고 가정해 보자. 채무자는 얼른 선수를 친다.

"아이구, 전화를 다 해주시고, 정말 감사합니다. 최근에 제 자금 사정이 무척 악화되었습니다. 사실 이 시점에서 부도를 막을 수 있는

유일한 길은 이자를 최대한 1.5% 깎아주시고, 원금상환을 최소한 일
년 정도 늦춰주는 수밖에 없습니다."

　채무자가 처한 진퇴양난의 입장 자체가 채권자의 권리 집행력과
거래능력을 약화시키는 것이다.

이해가 안 가는데요

　문화와 언어가 다른 지역의 사람과 거래를 할 때는 언어 또한 무능
력을 가장하는 데 종종 이용되곤 한다. 나는 이럴 때의 이점을 잘 알
고 있다.

　몇 년 전에 일본 항공사 대표들이 미국에서 온 많은 노련한 두뇌들
과 거래를 할 때 이 책략을 사용하는 것을 보았다.

　그들에게 회사의 입장을 설명하는 것은 무척 힘든 일이었고, 엄청
난 노력을 기울였다. 설명을 하는 데만도 아침 여덟 시부터 시작해서
무려 두 시간 반이나 걸렸다. 원하는 가격을 관철시키고, 그 가격의
정당성을 증명하기 위해 플립 차트, 프리젠테이션 자료물, 기록, 기
타 설명을 뒷받침해주는 정보의 도움을 받아 세 개의 프로젝터로, 세
명의 직원이 헐리우드 풍의 영화화면을 스크린에 비춰가면서 설명했
다. 나도 그 회의실에 있었는데, 그 장면은 마치 디즈니랜드에 놀러
온 것 같았다. 이 서커스 같은 발표회 내내, 그 일본인들은 아무 말도
없이 그저 가만히 앉아 있기만 했다.

마침내 불이 켜지고, 기대감과 자기만족에 취해서 얼굴이 벌겋게 상기된 미국측 주요간부 한 사람이 무표정한 얼굴로 앉아 있는 일본인을 바라보면서 말을 건넸다.

"지금까지 설명해드린 것에 대해 어떻게 생각하십니까?"

한 일본인이 상냥하게 웃으면서 대답했다.

"우리들은 이해가 안 가네요."

그 임원의 얼굴에서 핏기가 가셨다.

"무슨 말씀이시죠? 이해가 안 가다니요. 뭐가 이해가 안 간다는 말씀입니까?"

그러자 또다른 일본인이 역시 상냥하게 웃으며 대답했다.

"전부 다요."

나는 당황해 하는 그 임원을 유심히 살펴보고 있었다. 그리고 속으로 그가 심장마비를 일으키는 것이 아닌가 걱정을 했다. 그가 다시 물었다.

"어디서부터…?"

세 번째 일본인이 예의바르게 미소를 지으며 이렇게 말을 했다.

"이 방에 불이 꺼진 후부터요."

그 경영자는 벽에 기대서서 그의 비싼 넥타이를 헐겁게 푼 후, 맥빠진 목소리로 물었다.

"좋습니다. 우리가 무얼 어떻게 했으면 좋겠습니까?"

그러자 일본측 이사 세 명 모두 입을 모아 말했다.

"처음부터 다시 한 번 설명해 주실 수 있겠습니까?"

자, 이 상황에서 '가장 유리한 입장'에 있는 편은 어느 쪽인가? 누가 누구를 조종하고 있는가? 어느 누가 두 시간 반이나 걸린 설명을 처음과 같은 열의와 확신을 가지고 다시 할 수 있겠는가?

그 회사들이 요구했던 가격은 쓰레기통으로 들어간 것이다.

> ▶ 뛰어난 협상을 위한 충고
> 처음 거래를 시작할 때부터 너무 빨리 '이해' 하지 말라. 만나자마자 자신의 지적 수준을 드러내 보이지 말라. 자기가 말하고 듣는 비율을 잘 파악하고 있어야 하고, 비록 답을 알 수 있을 것 같아도 오히려 질문할 수 있는 여유를 가져라.
> 다른 사람으로부터 도움을 받으려 할 경우, 사람들은 대부분 상호 이익이 되는 관계를 만들려는 경향이 있다. 그러나 이 경우 최소한 상대측으로 하여금 시간이든 정보든 노력이든 뭔가 투자를 하게 해서 최후 통첩이 먹혀들게 하고 결국 자신에게 이익이 돌아오도록 해야 한다.

최후 통첩 성공시키기

앞에서 이야기한 몇 가지 예와 마찬가지로 협상을 할 때는 반드시 최후 통첩을 해야 하는 때가 오기 마련이다.

최후 통첩이란 부모가 아이들에게 야간외출을 금지할 때 '최종 제안'을 하거나 노조가 단체교섭을 하는 데 흔히 사용된다.

최후 통첩이 먹혀들게 하는 방법은 다음의 네 가지다.

케이크에 크림 바르기

상대측에게 다른 선택의 여지가 없도록 해야 한다. 투자한 몫이 있기 때문에 거래를 취소하고 협상이 없었던 것으로 할 수 있도록 해서는 안 된다. 그러므로 최후 통첩은 협상의 막바지에 제시되어야 하며, 절대로 처음에 해서는 안 된다. 크림을 바르기 위해서는 케이크를 다 구워야 하는 것과 마찬가지다.

부드럽게 입맛에 맞게

협상에서 사용되는 언어는 결코 상대방을 깔보거나 기분을 상하게 해서는 안 된다. "받아들이든지 말든지 알아서 하시오" 혹은 "이것 아니면 저것"이라고 하는 식으로 무뚝뚝한 최후 통첩은 협상에서 패배하게 만드는 말들이다. 이보다는 귀에 거슬리지 않는 '부드러운' 통보가 상대방에게 먹혀들게 된다. 그런 말이야말로 자신이 실제로 처해 있는 상황을 진실되게 전해주는 자체이기 때문이다. 예를 든다면 다음과 같은 말이다.

"나는 당신의 어려움을 잘 알고 있습니다. 그리고 당신의 의견은 온당합니다. 하지만 이 이상 제가 어떻게 해볼 도리가 없습니다. 제 입장도 좀 생각해 주십시오."

바꿀 수 없는 요리법

당신의 최종 입장을 어떤 식으로든 문서나 적절한 자료의 형태로 확인해두는 것이 현명한 행동이다. 예를 들어, "당신이 요구하는 뜻은 잘 알았습니다. 저는 여기에 명기한 금액을 당신에게 드리고 싶습니다. 하지만 내가 쓸 수 있는 예산은 이것이 전부라는 것을 알아주십시오"하는 말은 더 이상 협상의 여지가 없음을 상대에게 알려주는 데 효과적이다.

서류 형태로 되어 있는 '공식적인 예산'을 보여주는 것도 효과가 있다. "이것은 경영진의 임금 지침에 위배됩니다", "연방통상위원회가 이것을 허락하지는 않을 것입니다", "이것은 회사의 방침에 위배됩니다" 등과 같은 진술도 아주 효과적이다.

보충문서가 없을 경우, 다음과 같은 말을 들었을 때 약간 흔들렸던 경험이 있을 것이다.

"… 하지만 내 친구들 모두가 그렇게 하고 있는데요"라든가, "만일 우리가 당신에게 그렇게 허락한다면 모든 사람들이 다 그렇게 하고 싶어할 것입니다" 등.

한정된 메뉴에서 선택하게 하기

어떤 식으로든 대안을 찾을 수 있는 여지를 상대측에게 남겨두라. "이렇게 하지 않으면 끝장이오"라는 말은 절대로 해서는 안 된다. 다른 어떤 것보다 월등한, 아니면 최소한 다른 것에 비해서 바람직한 하나의 대안을 택하도록 상황을 조성하도록 한다.

예를 들어 내가 당신을 고용하려 한다고 가정해 보자. 당신은 5만 달러의 연봉을 원하지만 나는 3만 달러 이상은 줄 수 없다.

"들어오든지 아니면 없던 걸로 하든지 알아서 하시오"라는 식으로 내가 말할 것 같은가? 천만의 말씀이다. 그런 말은 상대편의 기분을 매우 나쁘게 할 것이다. 그 대신 나는 이렇게 말할 것이다.

"당신은 물론 그만한 돈을 요구할 수 있습니다. 그게 합당하기도 하구요. 하지만 저는 2만 8천 달러에서 3만 달러 사이로 맞출 수밖에 없는 형편입니다. 어떻게 하시겠습니까?"

그러면 당신은 틀림없이 이렇게 대답할 것이다.

"3만 달러를 받기로 하겠습니다."

나는 이 상황에서 당신보다 약간 유리함에도 불구하고 한 번 더 퉁겨 본다.

"2만 9천 달러에는 안 되겠습니까?"

"그렇게는 안 되겠습니다. 3만 달러 주십시오."

나는 한숨을 한 번 쉰 다음 그렇게 하기로 한다.

"그렇죠. 좋습니다. 정 그렇게 하길 원하신다면 그렇게 하는 수밖에 없죠. 3만 달러에 합의된 것으로 알겠습니다."

이와 똑같은 '메뉴 제한 방식'은 아주 극적인 상황에서도 통한다. 1977년 8월, 크로아티아계 사람 몇 명이 뉴욕의 라 과르디아 공항을 출발하여 시카고 오헤어 공항으로 가는 TWA 항공기 한 대를 공중 납치했다. 시간을 벌기 위해 그들은 몬트리올, 뉴펀들랜드, 셰넌, 런던을 거쳐 마침내 파리 외곽에 있는 드골 공항까지 이리저리 날아다녔다. 드골 공항에서 프랑스 경찰은 비행기의 바퀴를 쏘아 꼼짝할 수 없도록 만들었다.

비행기는 활주로에서 3일 동안 머물렀다. 그리고 마침내 프랑스 경찰 당국은 테러리스트들에게 선택범위가 한정된 최후 통첩을 했는데, 그것은 내가 말했던 분류 기준에 맞아떨어지는 것이었다.

"테러범들은 들어라. 너희들은 물론 너희들이 원하는 대로 행동할 수 있다. 하지만 지금 이곳에는 미국 경찰이 도착해 있다. 그리고 만일 너희들이 투항하여 미국 경찰과 함께 미국으로 들어간다면 길어봐야 2년 정도의 기간을 복역할 것이다. 이 말은 너희들이 10개월 이내에 풀려날 수 있다는 말이다."

테러범들이 이 말을 마음속에 새기도록 잠시 여유를 둔 후, 경찰은 다시 말을 이었다.

"하지만 만약 우리가 너희들을 체포한다면 너희들은 프랑스의 법률에 따라 사형에 처해질 것이다. 자, 이제 어떻게 할지 결정하라."

믿고 안 믿고는 당신의 자유지만 그 납치범들은 투항을 했고, 미국의 법률체제에 의해 심판을 받아 살아남을 궁리를 하게 되었다.

part 2

무엇이 협상을 좌우하는가

가격표는
하나님이 프린터로 찍어놓은 신성한 것이 아니다.

Chapter 4

힘

앞에서 나는 힘을 사람, 사건, 상황 그리고 스스로를 제어할 수 있고 일을 끝낼 수 있는 재능이나 능력이라고 정의했다. 이 정의 자체로만 보면 힘은 나쁘지도 않고 좋지도 않다. 도덕적이거나 부도덕적이지도 않다. 윤리적이거나 비윤리적이지도 않다. 중성적이다.

힘은 한 곳에서 다른 곳으로 다다르기 위한 방법이다. 예를 들어 당신이 현재 A라는 위치(당신이 현재 처한 상황 또는 상태)에 있다고 하자. 당신은 B라는 위치(당신의 목표, 목적지, 또는 행선지)로 가고 싶어한다. 힘은 당신이 A라는 위치에서 B라는 위치로 갈 수 있도록 해준다. 힘은 당신이 그 목표를 달성할 수 있도록 당신이 당신의 현실을 바꿀 수 있게 해준다.

하지만 '힘'이란 개념은 나쁜 의미를 내포하고 있다. 왜 그럴까? 힘이란, 한 쪽이 다른 쪽을 지배하는 노예와 주인의 관계를 내포하는 것처럼 보이기 때문이다. 하지만 이런 막연한 비난은 삶의 현실과 동떨어진 것이다. 사람들이 힘에 대해 불평할 때는 다음 두 가지 이유 중 하나이다.

1. 그들은 힘이 잘못된 방식으로 사용된다고 생각하며 이 방식을 싫어한다. 힘은 교묘하고 강제적이거나 독재적인 방식으로 이용되어 진다. 즉 무엇을 이루기 위한 힘이 아니라 지배하기 위한 힘이란 뜻이다. 힘은 자주 악용되고 있고 그런 면에서 이 비판은 타당하다.

2. 그들은 힘의 목표를 지지하지 않는다. 만일 바라는 목적이나 목적지가 타락했다거나 착취적이라고 여겨지면, 아무리 적절한 수단을 통해 달성했다고 하더라도 그 목적을 정당화시키지 못 할 것이다.

이런 두 가지 경우가 아니라면 나는 힘을 사용하는 것에 대해 반대할 이유가 없다고 본다. 힘은 절대로 그 자체가 목적이 되어서는 안 된다. 힘은 목적지로 갈 수 있도록 도와주는 수단이어야 한다.

만일 우리가 힘을 그 많은 목표들에서 분리해서 본다면 그 목표들은 기분 좋게 '선'한 것일 수도 있고, 불쾌하게 '악'한 것일 수도 있다. 하지만 그 목표들을 이룰 수단이 되는 힘은 전기나 바람처럼 중성적인 에너지일 뿐이다.

우리는 가끔 사람들이 전기에 감전된다고 해서 전기가 무조건 나쁜 것이 아님을 알고 있다. 가끔 폭풍으로 변해 휘몰아친다고 해서, 바람의 형태를 취하고 있는 공기를 나쁘게 생각하는 사람은 없다. 공기는 대부분 우리의 폐 속으로 부드럽게 들어왔다가 나갈 뿐이다. 게다가 우리는 공기를 필요로 한다. 공기가 없으면 사람은 죽고 만다.

마찬가지다. 우리는 우리 스스로를 보호하기 위해, 그리고 우리 인생에 대한 통제력을 가질 수 있다고 확신하기 위해 힘을 필요로 한다.

당신은 많은 힘을 갖고 있다. 그러니 이제 당신에게 중요한 목표들을 현명하게 달성하기 위한 수단으로 힘을 사용하라. 다른 사람이 당신은 힘을 가지고 있고, 당신의 목적을 이루어나갈 수 있다고 생각함에도 머뭇거린다면 당신은 스스로에게 신세를 지는 것이 된다.

당신이나 다른 사람에게 저질러지는 부정행위가 무엇인지 알았을 때, 당신은 언제든 행동을 취할 수 있는 힘이 있다. 만일 당신이 스스로를 무력하다고 믿어 부정행위를 외면한다면("혼자서 무슨 일을 할 수 있겠어?") 당신은 틀림없이 좌절감을 느끼고 비참하다고 느끼게 될 것이다.

이 사회를 구성하는 사람들이 한 개인으로서 사회를 변화시킬 수 없다고 믿는다면 우리 모두에게 해롭다. 이런 '무기력한' 사람들은 냉담해지고 결국 패배하게 된다. 이는 다른 사람들이 이들의 짐까지 짊어져야 한다는 뜻이다.

또한 이런 무기력한 사람들은, 그들이 이해하지 못해서, 그들이 통제하지 못한다고 믿는 체제에 적개심을 품게 되고, 체제를 무너뜨리기 위해 노력하게 되기도 한다. 실제로 이런 태도는 우리 사회에 널리 침투되어 있는데, 이런 증상의 한 예로 생산성의 저하와 무분별한 폭력을 들 수 있다.

'삐딱이' 리넷 프롬도 이렇게 적개심을 품게 된 사람들 중 하나다. 그녀는 제럴드 포드 회장을 저격하려고 시도했었다. 체포된 뒤 그녀는 이렇게 말했다.

"당신 주위의 사람들이 당신을 아이 대하듯 취급하고, 당신이 하는 말에 귀를 기울이지 않는다면 무엇이든 저질러야 합니다!"

이 삐딱이가 한 그 '무엇'은 정신병적이었고 자멸적이었다. 그녀의 자각은 전혀 근거가 없는 것이다. 그녀는 자신에게 사회적으로 인정 받는 합법적인 대안이 있다는 사실을 깨닫지 못했다. 그녀는 목표를 떠나, 범죄적 행위는 대부분 항상 힘을 남용하는 것이라는 사실을 깨 닫지 못했다.

본질적으로 힘은 중립적이다. 힘은 목표가 아닌 수단이다. 힘은 정 신건강과 비폭력적인 생존을 위해 필요 불가결하며 '인식'에 그 근거 를 둔다.

나는, "힘이 있다고 스스로 '인식'한다면 당신은 진짜 그 힘을 갖 고 있다"라고 말해 줄 수 있다. 이 말은 무슨 의미인가.

독방에 갇혀 있는 죄수를 생각해 보자. 당국에서는 그가 자살하지 못하도록 그의 신발 끈과 허리띠를 거둬갔다(그들은 나중에 직접 그 를 손봐주기 위해 살려둔다). 이 불운한 작자는 그의 독방에서 구부 정한 자세로 왔다갔다 하고 있다. 그는 왼손으로 바지춤을 움켜쥐고 있다. 이는 벨트가 없을 뿐 아니라 몸무게가 15파운드나 빠졌기 때문 이다. 철문 밑으로 밀어 넣어주는 음식은 맛이 없어서 손도 대지 않 고 거부한다. 그가 손가락 끝으로 자기 갈비뼈를 쓸어보고 있을 때, 제일 좋아하는 말보로 담배 향이 코를 자극한다.

그는 문에 달려 있는 작은 창을 통해 통로에서 혼자 지키고 있는 교도관이 한껏 담배를 들이마셨다가 행복하게 내뿜는 모습을 본다. 담배가 너무도 피우고 싶어서 죄수는 오른손으로 문을 정중하게 두 드린다.

교도관이 투덜거리며 느릿느릿 걸어와서는 "뭐야?"라며 경멸하듯 묻는다.

"담배 한 개피만 주세요. 제발 부탁입니다. 피우고 계신 말보로 좀⋯."

교도관은 죄수를 향해 비웃듯 코방귀를 뀌고는 등을 돌린다. 이건 교도관이 죄수는 무력하다고 잘못 인지하기 때문이다.

죄수는 그의 상황을 다르게 인지한다. 그는 자신의 선택 사항들을 알고 있다. 그리고 그는 자신의 생각들을 시험하고 위험을 감수할 의향이 있다. 즉 자신에게 힘이 있음을 알고 있다. 죄수는 이번엔 오른손으로 당당하게 문을 두드린다.

화가 난 교도관이 담배연기를 뿜어내며 고개를 돌린다.

"이번엔 또 뭐야?"

죄수는 이렇게 대답한다.

"제발 30초 이내로 담배 한 개피만 피우게 해주십시오. 만일 피우지 못하게 된다면 피범벅이 되어 정신을 잃을 때까지 콘크리트 벽에 내 머리를 박을 거요. 바닥에 쓰러진 나를 당국에서 데려가 소생시키면 당신이 나를 그렇게 만들었다고 진술할 거요."

죄수는 계속해서 말한다.

"물론 그들은 내 말을 절대로 믿지 않겠지요. 하지만 당신이 참석해야 할 모든 청문회와 여러 위원회 앞에서 증언해야 할 것을 생각해 보세요. 3통씩 작성해야 하는 보고서들을 생각해 봐요. 당신이 겪어야 할 복잡한 행정 절차들을 생각해 보세요. 내게 값싼 담배 한 개피를 안 줘서 이 모든 일을 당하려 합니까? 담배 한 개피만 주면 다시는 당신에게 폐를 끼치지 않겠습니다."

교도관이 작은 창 사이로 담배를 넣어 줄까? 물론 그럴 거다. 왜일까? 교도관은 그 상황에 대한 비용 편익 분석을 재빨리 끝냈을 테니까.

당신이 어떠한 상황에 처해있든 간에, 당신의 입장은 왼손으로 바지춤을 잡아당기고 있는 그 죄수의 입장보다는 더 나을 것이다. 죄수는 말보로 한 개피를 원했고, 얻었다.

합당한 범위 내에서 당신이 당신에게 주어진 선택 사항들이 무엇이 있는지 알고 있다면, 당신의 생각을 시험해 본다면, 믿을 만한 정보에 입각해서 치밀하게 계산된 위험을 감수한다면, 그리고 당신 스스로가 힘을 갖고 있다고 믿는다면, 당신은 당신이 원하는 것은 무엇이든지 가질 수 있다.

공식은 너무나 쉽고 간단하다. 당신이 힘을 갖고 있다고 굳게 믿어라. 당신이 자신의 힘을 믿는 순간 상대방도 당신의 자신감을 알아차릴 수 있게 된다. 그러므로 그들이 당신을 어떻게 보고, 믿고, 반응하는가 하는 것은 당신에게 달렸다. 간단하게 말해서, 그들은 당신의 힘이 그들을 도울 수도 있고, 해칠 수도 있다는 사실을 인식하게 되는 것이다.

이와 같이 힘은 보는 사람이 어떻게 보는가에 완전히 달려 있다. 당신부터 그렇게 보기 시작해야 한다!

힘이 보는 사람의 눈에 따라 달라진다는 점에 대해 좀더 쉽게 예를 들어보자.

'오즈의 마법사' 라는 영화를 기억할 것이다. 이 영화에서 보면 굉장한 힘을 발휘하는 한 존재가 있다. 바로 위대한 존재이자, 대단히 강력한 마법사이다. 그 마법사는 도로시와 그녀의 친구들로 하여금 서쪽나라의 사악한 마녀가 가지고 있는 빗자루를 훔쳐오게 하는 등의 매우 위험한 일들을 시키며 많은 시간을 소비하게 만든다. 그들은 이 목표를 수행하고자 그들의 목숨까지 걸며 순종한다. 왜일까? 이는 그들이 그 마법사가 힘을 가졌다고 믿기 때문이다.

영화의 끝 부분에서 강아지 토토가 칸막이 커튼을 홱 잡아당겼을 때 마법사는 누구였는가? 그는 단지 연기와 소음을 만들어내는 기계를 갖고 있는 거드름부리는 노인이었을 뿐이다. 현실적으로 이 늙은 괴짜는 아무런 힘도 갖고 있지 않았다. 하지만, 모든 사람들이 그가 힘을 갖고 있다고 확신했기 때문에 그는 막강한 힘을 행사했다. 그의 정체가 폭로되기 전까지 모든 사람들이 인식한 것은 모두 마법사 자신의 인식에 기반을 두고 있다.

그 늙은 마법사와는 달리 당신은 당신의 힘을 억지로 꾸며낼 필요가 없다. 당신은 당신이 생각하는 것보다 더 많은 힘의 원천들을 손안에 쥐고 있다!

경쟁의 힘

당신이 소유하고 있는 무언가(시어즈 백화점의 경우, 돈)에 대해 경쟁을 유발시키면 언제나 그 소유물의 가치는 올라간다. 더 많은 사람들이 당신의 돈을 원할수록 명백하게 당신 돈의 가치는 더 올라간다.

이것은 당신이 판매자일 경우 상품이나 서비스에만(소비자일 경우

돈에만) 적용되는 것이 아니라, '생각'이라고 하는 추상적인 것에도 적용이 된다.

내가 당신의 직속 상사라고 가정해 보자. 내 사무실로 당신이 뛰어 들어와 이렇게 말한다.

"제게 아주 기발한 생각이 있습니다! 정말 가치가 있는 새로운 아이디어죠!"

당신의 말을 듣고 난 후, 내가 당신에게 "그 생각을 다른 사람과 얘기해 봤나?"라고 물어서, 당신이 "네, 다른 상사들 여러 명에게 얘기해 봤지만 그들은 제 생각에 별로 관심을 기울이지 않더군요"라고 대답한다면, 내 눈에 당신 생각의 가치가 더 높게 보일까? 아니다. 당신의 생각은 아무런 경쟁도 유발시키지 못했기 때문에 그 가치가 떨어질 수밖에 없다.

하지만 내 질문에 당신의 대답이 "네… 팀장님과 같은 위치에 계시는 다른 분들에게도 말씀드렸더니 좋은 생각 같다면서 좀더 들어보고 싶어했어요!"라고 했다면, 나는 열려 있는 문을 닫은 다음 "자, 이제 거기 앉아서 내게도 얘기해 보게"라고 반응할 것이다. 이는 당신이 경쟁을 유발시킴으로써 당신 생각을 가치가 있고 탐나는 것으로 만들었기 때문이다.

경쟁의 힘에 대해서 더 얘기하자면, 당신은 이미 직장을 갖고 있으면서 다른 직장을 구하는 것이 쉽겠는가, 아니면 직장이 없을 때 구하는 것이 쉽겠는가? 당연히 대답은 '당신이 직장을 가지고 있는 상태에서 다른 직장을 구하는 것이 더 쉽다'일 것이다.

이런 상황을 생각해 보자.

당신이 어떤 일자리에 지원서를 냈다. 어떤 이유에서든 당신은 12개월 동안 무직이었다. 나는 당신의 이력서를 검토한 후 예의바르게 묻는다.

"지난 한 해 동안 당신의 가치를 높이기 위해 무슨 일을 하셨습니까?"

당신은 헛기침을 한 뒤 "별로 한 것이 없습니다"라고 대답한다. 당신은 내게 당신이 집안 일을 했다거나 가정 상담사 일을 도맡았다고 말한다.

나는 "고맙습니다. 곧 연락 드리겠습니다"라고 대답한다.

당신은 너무도 걱정이 되어서 침착함을 잃는다. 그래서 이렇게 불쑥 묻는다.

"하지만 언제요? 언제쯤 연락 주시겠어요?"

나는 당신에게 선택할 수 있는 카드가 거의 없기 때문에 많은 스트레스를 받고 있다는 것을 눈치챈다. 나는 이렇게 생각하게 된다.

'만일 다른 사람들이 이 사람을 고용하지 않았다면, 이 사람의 가치가 별로 없었기 때문이 아닐까?'

나는 어색한 웃음을 지어 보이며 이렇게 대답한다.

"우리 사무실에서 가까운 시일 내에 당신에게 연락을 드릴 것입니다."

당신은 입술에 한 번 침을 바르면서 "하지만 언제요?"라고 작은 목소리로 말하겠지만, 나는 속으로 '당신은 갈 곳도 없을 텐데 언제든 무슨 상관이야?'라고 생각하며, 좀 덜 어색하게 웃으려고 노력할 것이다.

다른 시나리오를 생각해 보자.

당신은 대출을 받아야 한다. 요즘과 같은 경제 사회에 살고 있는 '평범한 사람'으로서, 돈을 대출 받으려는 사람이 당신뿐이 아니라는 사실을 알고 있으며, 그래서 걱정이 된다.

은행에서 당신을 방문해서 대출 서비스를 받으라고 하는가? 아니다. 드디어, 한참을 망설인 후 당신은 동네 금융기관에 들어갈 용기를 낸다. 다음과 같은 방식으로 행동하는 것은 좋은 방법일까?

은행의 대출 담당자에게 머뭇머뭇 다가가서 한쪽 무릎을 꿇은 뒤 거의 애원하는 식으로 말한다.

"제발 도와주세요. 전 돈이 필요합니다. 저의 가족을 부도의 공포에서 구해 주세요. 담보도 없고, 어쩌면 대출 받은 돈을 갚을 수 없게 될지도 모르겠습니다만, 당신의 관대한 아량은 다음 세상에서라도 보답을 받을 겁니다."

이런 접근 방식이 통하지 않을 것은 확실하다. 그렇다면 이런 접근 방식을 사용해 보라.

만일 당신이 남자라면, 회색 쓰리 피스 정장을 입어라. 만일 여자라면 보수적으로 보이는 치마 정장을 입는다. 빌릴 수 있다면 '파이 베타 카파' 열쇠와 비싼 금시계를 차라. 가까운 친구 세 명도 같은 방식으로 옷을 입게 한 뒤 함께 가라. 그런 뒤, 마치 "어이, 거기! 나는 잘나가는 회사 사장인데, 이 은행이 어떤가 한 번 와봤어. 그 불결한 돈 좀 저리 치워…. 더러운 돈은 필요 없다구. 편지를 부치러 왔단 말이야!"라는 식의 분위기로 은행을 가로질러 걸어가라. 약간 과장을 한다면, 대출 담당자는 은행 밖으로까지 당신을 따라 나와 집으로 가는 길까지 숨차게 뒤쫓아 올 것이다.

덧붙여 말하자면, 지금 내가 설명한 것을 나는 '버트 랜스의 금전 획득 이론'이라고 부른다. 버트 랜스를 기억하는가? 그는 지미 카터 대통령의 연방 예산국장으로 근무했었다. "그 불결한 돈 좀 저리 치워" 하는 책략을 이용해서, 그는 41개 은행에서 381개 대출을 받았다. 대출금은 총 2천만 달러가 넘었다. 자그마치 2천만 달러!

왜, 은행들이 랜스에게 거액의 돈을 빌려주지 못해서 안달을 했을까? 세 가지 이유가 있다.

다른 은행들이 그에게 돈을 빌려주었기 때문이다. 이것은 실질적으로 그의 신용 등급이 일등급임을 뜻한다. 은행은 그가 돈을 필요로 하지 않는다고 생각했다. 이것이 그들의 인식이었고, 이것은 그가 그렇게 보이도록 행동했다는 사실에 근거를 둔 인식이었다.

겉보기에 그는 세상에 걱정할 게 아무 것도 없어 보였다. 랜스의 태도는 마치 그가 은행에게 돈을 빌려줄 기회를 부여함으로써 은행에게 호의를 베풀고 있는 듯 보였다.

가장 중요한 것은 그에게 확실한 선택 사항들이 있었다. 그리고 그는 이 선택 사항들의 가치를 최대한 활용했다. 그의 선택 사항은 바로 그가 원하는 어떤 은행에서나 대출을 받을 수 있다는 사실이다. 그는 가장 알맞은 곳을 고르고 선택할 수 있었다. 이 사실이 은행들로 하여금 그의 손에 돈을 쥐어주기 위해 서로 치열한 경쟁을 하게 만들었다.

하지만, 은행들이 랜스가 다른 은행의 대출을 갚기 위해서 또 다른 대출을 절실히 필요로 한다는 사실을 알았을 때, 그의 자금줄은 말라

버렸다.

내가 말하고자 하는 것은 무엇인가? 버트 랜스는 자신에게 선택 사항들이 있다는 것을 인식했고, 그 선택 사항들을 이용했다. 그는 그가 만들어낸 경쟁을 이용해서 돈을 벌었다. 당신도 가능할 때마다 그렇게 해야 한다.

무엇보다도, 선택 사항이 없는 상태에서는 협상에 절대로 임하지 말라. 만일 선택 사항 없이 협상에 임하면, 내가 방금 설명한 구직 시나리오와 아이디어 채택 시나리오에서처럼 상대방은 당신을 소홀히 대할 것이다.

합법성의 힘

당신이 임의로 쓸 수 있는 힘의 또 다른 원천은 합법성의 힘이다.

우리가 사는 사회의 사람들은 인쇄된 것은 무엇이든지 경외심을 갖고 대하게 되었다. 인쇄된 문구, 서류, 그리고 표지들은 권위를 지닌다. 대부분의 사람들은 인쇄물에 대해 이의를 제기 하지 않는다.

내가 솔직하게 말하건대, 당신은 협상을 하면서 인생을 살아갈 때, 그 합법성에 대해 의문이 제기되거나 도전을 받을 수도 있다. 또 여기에서 해주고 싶은 솔직한 충고는 이런 것이다.

당신은 이익이 되는 경우 합법성의 힘을 최대한 사용하고, 그 반대라면 합법성에 도전하라.

방금 말한 것은 매우 중요하다. 다시 한번 강조하자면, 어떤 합법성이든 이의가 제기되거나 도전을 받을 수 있다. 당신에게 이롭다고 판단될 경우에는 합법성의 힘을 이용하고, 그 반대라면 그 힘에 이의를 제기하라.

합법성의 힘에 이의를 제기한 예를 들어보겠다.

3년 전에 국세청에서 소득세 신고에 대해 감사를 하기 위해 나를 부른 적이 있다. 나는 건물을 구입했었고, 소득신고를 할 때 여러 해 동안 감가상각을 했었다. 내 소득신고 검토기간 동안 국세청 감사원은 공식적으로 그 건물이 30년이 넘어야 감가상각이 될 수 있다고 주장했다. 나는 20년을 주장했다. 왜 내가 그런 입장을 취했을까? 그것은 내가 소득세 신고에 적은 것이었고, 나는 감사기간 동안 일관성있는 주장을 하는 것이 좋다고 생각했다.

감사원은 "30년 감가상각!"이라고 중얼거렸고, 나는 "20년 감가상각"이라고 중얼거렸다.

그는 얼굴을 찌푸리며 책상의 맨 아래 서랍에서 책자를 획 잡아 꺼낸 뒤 책을 뒤적였다.

"보세요!"

그가 투덜거렸다.

"책에 그렇게 나와있잖소. 30년이라구요!"

나는 일어나서 책상 뒤편으로 걸어가서 책을 검토한 뒤 순진한 척 물었다.

"이 책에 내 이름도 적혀 있나요? 이 책에 내 건물의 위치와 주소도 표시되어 있나요?"

그는 "물론 그렇지는 않습니다"라고 대답했다.

"그렇다면 나는 이 책이 나에 대한 책이라고 생각하지 않아요."

내 의견을 역설하기 위해 나는 그의 뒤에 있는 책장에서 다른 책들을 꺼냈다.

그는 "지금 뭘 하는 거요?"하며 항의했다.

"진짜 저에 대한 책을 찾고 있어요. 내 이름과 내 건물이 기록되어 있는 책 말이죠."

"이것 보세요. 그 책들을 다시 제자리에 꽂으세요. 이 책에 대해 논쟁을 할 수는 없어요."

"왜 못하지요?"하고 나는 물었다.

그는 얼굴을 찌푸리며 말했다.

"전에 아무도 그렇게 한 적이 없으니까요!"

나는 웃으며 말했다.

"그렇다면… 제가 그렇게 하는 첫 번째 사람이 되도록 해보지요."

내가 성공적으로 이의를 제기한 그 책에 대해서 생각해 보라. 의회에 의해 규정된 법률인가? 아니다. 신이 내린 천명인가? 아니다. 그것은 국세청 서류일 뿐이었다. 그 책은 하나의 협상의 산물인 규정을 해석하기 위해 관료주의자들이 작성한 또 다른 협상의 산물이었다. 그 책의 입장은 협상의 결과물이었기 때문에 그 내용 또한 협상이 가능했다.

여기에 합법성의 힘을 이용하는 예를 들어보겠다.

엘랜 펀트의 몰래 카메라는 여러 해 동안 인기를 끄는 TV 프로그램이다. 이 프로그램은 성별, 교육수준 또는 출신배경에 관계없이 대부분의 사람들에게 합법성이 갖는 믿을 수 없이 큰 영향력에 그 바탕을 두고 있다.

몇 년 전 방송되었던 한 프로그램에서 펀트는 델라웨어 주를 한 시간 반 동안이나 폐쇄시켰다. 어떻게 그렇게 했을까? 주요 고속도로에 큰 표지판을 하나 세웠을 뿐이다!

'델라웨어 주 폐쇄됨'

차들이 줄줄이 끽! 소리를 내며 멈췄다. 그리고 고속도로에서 내려왔다. 혼란스러워 하는 운전자들은 차에서 내려, 카메라가 이 소동을 녹화하고 있는 지도 모른 채 표지판 밑에 서있는 펀트에게 다가왔다. 대다수의 사람들은 이렇게 말했다.

"이것 봐요! 델라웨어에 무슨 일이 있습니까?"

펀트는 그저 머리 위의 표지판을 가리키며 "표지판을 읽으세요!"라고 대답했다. 운전자들은 난색을 표하고, 머리를 긁적이고 아래 입술을 깨물었다. 한 명은 이렇게까지 물었다.

"언제쯤 길이 다시 열릴까요? 저는 거기서 살거든요, 제 가족들도 거기서 살고요."

이 예는 무엇을 말해주는가? 합법성이 우리 사회에 엄청난 힘을 가지고 있음을 보여주지 않는가. 합법성의 힘을 이용해 보라. 그리고 다음과 같이 머리를 써서, 위험을 감수하면서 얻는 힘 또한 이용해 보라.

위험을 감수해서 얻는 힘

협상을 할 때 당신은 기꺼이 위험을 감수할 수 있어야 한다. 위험을 감수하기 위해서는 상식에 덧붙여 용기가 필요하다. 만일 당신이 계산된 모험을 하지 않는다면 상대방은 당신을 교묘하게 속일 것이다. 플립 윌슨은 이렇게 말했다.

"도박판에서 횡재를 하려면 먼저 기계에다가 동전을 넣어야 한다."

최근 열린 나의 세미나에서 스미스라는 사람이 휴식시간 동안 내게 다가와서 말했다.

"허브 코헨 씨, 저는 이 회의에 참석한 걸 정말 다행으로 생각합니다. 저에겐 문제가 있어요. 저의 가족이 이사를 하려고 하는데, 우리 마음에 꼭 드는 집을 찾았지요. 우리는 그 집을 꿈의 집이라고 부른답니다."

나는 그를 바라보며, "그래서요?"라고 물었다. 그가 말을 이었다.

"그래서… 판매자는 15만 달러를 원하는데, 저는 13만 달러를 지불할 준비밖에 되어 있지 않습니다. 파는 사람이 2만 달러나 더 원하는데, 어떻게 하면 이 집을 13만 달러에 구입할 수 있을까요? 저에게 협상 전술을 좀 가르쳐 주십시오."

내가 물었다.

"만일, 당신이 그 꿈의 집을 갖지 못하면 어떻게 되나요?"

그가 대답했다.

"지금 농담하십니까? 제 아내는 자살할 거예요! 내 아이들은 가출을 할 거구요!"

그의 말을 듣고 나는 중얼거리듯 말했다.

"흠… 당신의 아내와 아이들에 대해서 어떻게 느끼시는지 제게 말씀해 주세요."

"제발, 이러지 마세요, 코헨 씨… 저는 그들을 너무도 사랑합니다! 그들을 위해서라면 무엇이든 할 거예요! 어떻게 해서든지 파는 사람이 부르는 값을 깎아야 해요!"

알아 맞혀보라. 스미스가 그 꿈의 집을 13만 달러에 구입했을까. 아니면 15만 달러에 구입했을까? 그렇다. 그는 15만 달러를 지불했다. 그의 자세로 볼 때, 그가 16만 달러에 구입하지 않은 것만도 다행이다.

그 집은 그에게 너무도 많은 것을 의미했고, 그는 그 집을 잃을 수도 있다는 위험을 감수할 준비가 되어 있지 않았다. 그는 너무도 많은 신경을 썼기 때문에(신경을 쓰더라도 그렇게 많이 써서는 안 된다), 그는 '불확실성'을(아마 내가 관심을 가질 수 있는 다른 집이 있겠지…) 감수할 여유가 없었다. 이 불확실성을 감수했더라면 그 판매자가 부르는 값을 하향 조정할 수도 수도 있었다.

이렇게 볼 수 있다. 그는 잡아야 할 다른 것을 생각하지 않았으므로 전기가 통하는 전선을 붙잡은 채 놓지 못했다. 그리곤 눈물을 머금고 15만 달러를 지불해야 했다.

기억하라. 당신이 그 무언가를 반드시 가져야 한다고 느낄 때, 당신은 항상 가장 높은 가격을 지불하게 되어 있다. 상대방이 쉽게 당신을 조종할 수 있는 위치에 당신이 서게 되는 것이다.

재치있게 위험을 감수하려면 확률에 대한 지식과 감당할 수 있는 손해에 대해서 불평없이 받아들이고, 떨쳐버릴 수 있는 철학적인 의지를 가져야 한다('인생은 다 그런 거야'). 물론 패배의 가능성은 모든 일을 진행시킬 때 지불해야 하는 대가이다.

내가 당신에게 위험을 기꺼이 감수해야 한다고 말하는 것은, 라스베가스의 룰렛 판에 당신의 정기예금을 배팅하는 바보 같은 일을 하라는 말이 아니다. 나는 당신이 찍은 번호가 아닌 다른 번호를 가리키며 룰렛이 멈췄을 때, 당신이 자신의 손목을 자르고 싶은 충동을 느낄 수도 있는 위험을 무릅쓰라고 말하지 않는다. 내가 제의하는 것은 적당한 양의 위험을 조금씩 늘려가라는 것이다. 당신에게 불리한 결과가 일어났을 때, 경제적으로 곤란을 느끼지 않을 만큼의 여유를 가질 수 있는 위험을 감수하라.

확률을 계산하는 예를 들어보겠다. 그런 뒤 당신이 위험을 좀더 다루기 쉽게 하는 방법에 대해 알려주겠다.

협상 세미나 도중 나는 한 손에 25센트 짜리 동전 하나를 쥐고 청중 앞에 서서 이렇게 말한다.

"지금 저는 여러분도 잘 아시는 '동전 던지기' 게임을 하려고 합니다. 이 25센트 동전을 딱 한 번만 던질 겁니다. 만일 당신이 선택한 면이 나온다면 제가 한 분에게 백만 달러를 드리겠습니다. 만일 여러분이 틀린 선택을 했다면, 제게 각자 십만 달러씩 주셔야 합니다. 이것이 합법적인 내기이고 제가 장난하는 것이 아니라고 한다면 이 내기를 하실 분이 이 방에 몇 분이나 계십니까?"

보통 어느 누구도 손을 들지 않는다. 나는 동전을 던져 결과를 본 다음 내 호주머니에 다시 넣는다. 그런 뒤 나는 이렇게 말한다.

"제가 이런 제안을 했을 때 여러분이 어떤 생각을 하셨을지 제가 한 번 분석해 보겠습니다. 여러분은 마음속으로 이렇게 생각하셨을 겁니다. '이 사람은 이길 확률이 반반인 내기에 십대 일의 유리한 조건을 내게 걸었어. 협상에 대해 아는 것은 많을지 몰라도 대체적으로 봤을 때 별로 머리가 좋진 않군!' 이라고 말입니다."

청중의 대부분이 동의하며 고개를 끄덕인다. 나는 계속 말한다.

"이기는 것에 대해서 생각해 보셨나요? 백만 달러를 가지고 뭘 할까 하고 생각지는 않았나요? 세금을 덜 낼 방법을 고안하고, 가방을 꾸려서 타히티로 날아갈 생각을 했나요? 아닙니다. 여러분은 질 경우를 생각하고 있었지요. 여러분은 이렇게 생각했을 겁니다. '내가 어떻게 십만 달러를 긁어모을 수 있지? 지금 당장 나는 월급날이 돌아올 때까지 돈이 부족하단 말야' 라고 말입니다."

청중 중 많은 사람들이 소심하게 웃는다. 계속 말한다.

"저는 여러분이 세미나가 끝난 후 집으로 돌아가시는 모습을 상상할 수 있어요. 여러분의 부인들이 여러분을 맞이하면서 묻겠지요. '별일 없었어요?' 여러분은 이렇게 대답하겠죠. '글쎄, 어떤 사람이 있었는데, 25센트 동전을 갖고 동전 던지기 게임을 했어. 그건 그렇고 우리 지금 융통할 수 있는 돈이 얼마나 있지? 여분의 돈 좀 있어?' 라고 할테죠."

청중이 나의 동전 던지기 내기에 응하지 않은 것은 현명한 행동이었다. 그런 금전적인 상황에서 위험의 수준은 그 사람이 얼마만큼의 자금을 가졌는가에 비례한다. 청중 중에 억만장자가 있었다면, 그 사람은 그 도박에 응했을 수도 있다. 제이 폴 게티나 하워드 휴즈였다면 두 번 생각하지 않고 했을 것이다. '돈이 돈을 부른다' 는 옛말은 아직도 유효하다.

부를 소유한다는 사실은 사람으로 하여금 유리한 기회를 노릴 수 있도록 해준다. 내재된 위험이 크지 않기 때문에 그들은 모기에게 약간 물린 정도밖에는 되지 않는다. 잃었을 경우, 그 부자는 어깨를 으쓱하고 "이거 아주 재밌군! 한 방 먹었어"하고 웃어버릴 수 있다.

내가 내기의 방정식을 양적으로 줄였다고 하면 어떠했을까? 내가 만일 백만 달러 대 십만 달러를, 좀더 만만한 백 달러 대 십 달러로 바꿨다면? 청중 중 나의 내기를 받아들인 사람이 있었을까? 아마도 거기 있었던 모든 사람들이 내기에 응했을 것이다. 위험이 이제는 그들의 자산에 비교해서 그다지 크지 않기 때문이다.

두 숫자 사이의 비율은 여전히 동일하지만, 큰 타격을 주는 손해의 가능성이 제거되었다는 사실을 염두에 두라. 우리의 대부분은 겁내지 않고 십 달러를 잃을 가능성 정도는 감수할 수 있다. 하지만 소수의 사람을 제외한 대부분의 사람들은 십만 달러의 손실을 견딜 수 없다.

비록 내가 내기의 방정식을 줄이지 않는다고 해도, 만일 그 내기를 힘을 모아서 했다거나 나눴다면 청중은 그 내기를 좀더 쉽게 만들 수 있었을 것이다. 이 말이 무슨 뜻인지 설명하겠다.

만일 청중 천 명의 사람들이 각각 모금함에 백 달러를 넣고 대표자를 선정해서 동전의 면을 알아 맞춘다면 백만 달러를 천 명이 공평하게 나눠서 가질 수 있을 것이다. 이렇게 하면 방정식을 또 다른 방향에서 해석할 수 있게 된다. 50 대 50 가능성이 있는 손해는 이제 백 달러밖에 되지 않는다. 백 달러를 잃으면 기분이 좋지는 않더라도 비참하지는 않다. 그러나(여기에 결정타가 있다?) 50 대 50의 가능성이 있는 이 게임의 승리는 백만 달러, 즉 상당한 액수인 천 달러이다.

이것은 무엇을 말하는가? 큰 내기가 있을 때, 항상 따르는 위험을 나누거나 협동으로 해결할 방법을 생각해 보라는 것이다. 위험을 나눠서 다른 사람들과 나눌 수 있게 된다면, 당신은 그 위험을 감수할 수 있을 정도로 줄일 수 있게 된다. 즉 백 달러를 투자해서 천 달러를 벌 수 있는 기회를 잡을 수 있게 된다.

다른 사람들을 끌어들임으로써 당신은 또한 당신의 한계를 넓힐 수 있고, 당신의 '지구력'도 키울 수 있다. 포커 게임을 하든지 주식 시장에 투자를 하든지, 만일 당신의 자본이 적보다 더 많다면 당신은 더 강한 힘을 가진 입장에 있게 된다.

나는 당신에게 위험을 감수하라고 권한다. 그러나 나는 당신이 절제할 수 있는 위험만 감수하길 바란다. 당신이 도박을 하거나 '인생을 걸고 크랩 노름'을 하지 않길 바란다. 모든 일에 도전을 하기 전에, 먼저 승산이 있는지 계산하라. 이성적으로 행동하고 충동적이어서는 안 된다.

절대로 자존심, 성급함, 또는 일을 성급하게 처리하려는 욕구 때문에 위험을 감수하지는 말라.

동참에서 얻는 힘

내가 방금 설명한 바같이 동전 던지기를 할 때, 많은 수의 사람들의 참여를 얻는 것은 당신이 감수해야 할 위험을 분산시킬 수 있게 해준다. 그렇게 하면 당신은 유리한 조건으로 돈을 벌 수 있다. 위험을 함께 나눔으로써 위험은 당신에게 적정한 수준으로 변하고, 당신은 유리한 기회를 이용할 수 있는 입장에 서게 된다. 이렇게 다른 사람들로 하여금 참여하게 하는 기법은 삶을 사는 데 있어 결과가 불확실하고, 많은 노력을 기울여야 할 모든 때에 적용된다.

예를 들어 당신이 엄청난 모험적인 사업에 착수하려고 한다. 당신은 상사, 가족, 또는 동료들에게 성큼성큼 다가가서 이렇게 선언하지는 않을 것이다.

"이 사업은 아주 굉장한 거예요. 모두 제 아이디어지요! 제가 제안한 거예요! 하지만 문제가 조금이라도 생기면 저도 따라서 패배하게 되겠죠!"

그건 미친 짓이다. 오히려 당신은 당신의 사무실, 가게, 또는 집에서 "우리는 모두, 이 일에서 한 배를 타고 있는 겁니다!"라고 말하고 다녀야 한다.

간단하게 말해서, 부러질 듯 말 듯 한 나뭇가지에 혼자 기어오르지 말라. 그러면 오늘은 영웅이 될지 모르지만 내일은 가치 없는 사람으로 전락할 수도 있다. 다른 사람에게 도와달라고 설득하라. 계획과 결정을 짓는 과정에 참여하도록 유도하라. 그러면 그들도 위험부담의 일부분을 지게 된다. 기억할 것은 사람들은, 그들이 지원을 해서 시작한 일은 끝까지 지원한다.

당신은 다른 사람들을 참여시켜서 얻는 힘으로 다음 세 가지의 이 득을 얻을 수 있다.

- 전반적인 위험을 분산시킴으로써 당신은 좋은 기회를 잡을 수 있다.
- 동료들이 모든 근심을 함께 나누고 지원을 해주니 당신의 스트레스 정도 가 줄어든다.
- 당신의 그룹 멤버들의 일치된 헌신은 상대방에게 굉장한 힘을 전파한다.

당신이 다른 사람들의 참여를 얻어낼 수 있는 능력을 가지고 있다 면, 당신은 상대방에게 영향력을 확대시키고, 당신의 힘은 커진다. 반대로 상대방이 당신 팀이나 그룹이 '다른 장단에 맞춰 춤을 추고 있다'고 인식하면, 당신의 입장은 난처해진다. 당신 부부와 아이들이 판매원에게 상충된 신호를 보냈던 시어즈 백화점에서 냉장고를 구입 할 때의 상황을 생각해 보라.

예를 좀더 들어보자면, 당신과 당신의 회사를 대표하는 다른 네 명 의 사람들이 다른 회사에서 온 몇 명의 사람들과 협상을 하려고 한 다. 회의 테이블로 가면서 당신은 모든 팀원들이 당신과 같은 견해를 갖고 있다고 당연하게 생각한다.

하지만 협상이 시작되자 당신 편에 있어야 할 어떤 사람이 예상치 못했던 양보를 해주고, 상대편도 이에 응했다.

이 느닷없이 관대한 또는 당신의 의도를 노출하는 언급은 당신의 협상 입지를 약화시킨다. 충격을 받은 나머지, 당신은 상대측이 당신 팀 속에 스파이를 한 명 심어놓았다고 믿을 정도이다. 너무 당황해서 당신은 커피를 마시는 시간에 그 반칙꾼에게 가서 퉁명스럽게 불평한다.

"당신, 우리 회사 직원 맞아? 당신 신분증 좀 보세. 당신 소속 회사가 어딘지 봐야겠어!"

여기서 일어난 일은 당신이 회의에 임하기 전에 모든 팀 멤버들의 동참을 위해 협상을 하지 않았기 때문에 일어난 일이다.

> ▶ 뛰어난 협상을 위한 충고
> 항상 모든 일을 할 때는 다른 사람들의 참여를 얻어내라. 그들로 하여금 행동을 취하게 하라. 그 행동이 당신뿐 아니라 그들 자신의 것이 되도록 만들어라. 관여는 참여를 낳는다. 그리고 참여는 힘을 낳는다.

더 큰 스케일에서 보면, 한 공동체가 그 사회의 경찰조직을 지지하지 않으면 법은 제대로 집행되지 않는다. 은행은 그 은행의 안정성에 대한 신용이 떨어지면 망한다. 군대는 그 군인들 스스로가 싸워야 하는 이유를 믿지 않으면 쓸모가 없어진다.

베트남 전쟁에서 미국이 진 이유는 가장 '잘나고 똑똑한' 사람들이 그들의 실수를 깨달았기 때문이 아니라, 정글과 가정에서의 참여가 떨어졌고, 이에 따라 국가정책이 바뀌었기 때문이다. 실제로 리처드 닉슨 대통령의 군대가 철수한 것은, 전쟁을 끝내고자 전념을 다한 다수의 사람들에 의해 이미 내려진 결론을 실행한 것에 지나지 않는다.

당신은 자신이 생각하는 것보다 훨씬 더 많은 잠재력을 가지고 있다. 그러므로 당신의 힘을 가짜로 만들어낼 필요가 전혀 없다. 힘의 원천을 몇 가지 더 보여주겠다.

전문지식의 힘

혹시 다른 사람들이, 당신이 그들보다 더 많은 기술적 지식, 전문기술 또는 전문적 지식을 갖고 있다고 인식하거나 믿을 때 당신을 존경심과 경외심을 갖고 특별하게 대한다는 것을 느낀 적 있는가? 실제 있었던 한 경우와 가설의 경우 두 가지를 예로 들어보겠다.

실제의 예

제 2차 세계대전 중, 조지 패튼 장군은 연합군이 처음으로 북아프리카를 공격할 때 연합군을 지휘했다. 패튼은 매우 이기적인 사람들 중 하나였다. 그리고 그는 자신이 시詩에서부터 탄도학에 이르기까지 모든 것에 정통해 있다고 생각하는 사람이었다. 그럼에도 불구하고 그는 함대의 항해사가 건네는 조언은 모조리 겸손하게 받아들였다. 왜 그랬을까?

이것은 패튼이 갖지 못한 공인된 전문지식을 그 항해사가 가졌기 때문이다.

첫 번째 가설

당신은 당신의 집, 아파트, 또는 콘도를 다시 단장하고 있다. 마음에 드는 벽지가 하나 있는데, 그 벽지가 당신의 가구와 잘 어울릴지 확실치 않다. 당신은 전문 잡지에 작품을 실은 적도 있는 실내장식 전문가에게 비싼 값을 치르고 조언을 구한다. 그녀는 당신에게 당신이 선택한 벽지는 시대에 뒤떨어졌으니 완전히 다른 벽지를 사용하라고 말한다. 당신은 주저하지 않고 그렇게 한다. 왜 그렇게 할까? 그녀가 요구하는 비싼 서비스료를 보고는, 그녀가 당신이 갖고 있지 않은 재치있고 전문적인 감각을 갖고 있다고 믿기 때문이다.

두 번째 가설

당신은 심한 복통을 느낀다. 당신의 주치의는 내과 전문의에게 가 보라고 조언한다. 간호사에게 당신의 병세를 알려 주고 난 뒤 생각해 보니, 이런 증세들이 3년 전 당신의 담낭이 나빠졌을 때 보였던 증세와 비슷하다. 필수 테스트들과 간단히 점검을 받은 뒤, 당신은 자격증과 증명서들이 일렬로 죽 걸려 있는 방으로 안내된다(기다리면서 세어보니 모두 14개나 걸려 있다).

내과의가 들어와서 진단을 내린다.

"다이버티 큘리티스로군요."

의사는 인쇄된 용지를 당신에게 주고는 "질문이 있습니까?"라고 말한다. 당신이 없다고 대답하고, 정신을 차리니 어느새 당신은 접수원과 다음 스케줄을 예약하고 있다.

당신은 비록 병명을 발음하거나 쓸 줄은 모르지만, '그 병에 걸렸다'는 것은 안다. 왜 그럴까? 어느 누가 감히 전문의의 전문 자격증과 진단실의 분위기를 보고도 그에게 내려진 진단에 이의를 제기할 수 있겠는가?

이제 당신이 협상을 할 때, 옛날 주술 치료사가 갖고 있었던 미스터리와 마법 같은 미묘한 분위기에서 유래된 듯한 수용·존경 그리고 경외심을 갖고 대하는 이러한 태도를 어떻게 사용할 수 있는지 설명하겠다.

이 시대에는 전문지식에 대한 존경심이 만연해 있다. 그러므로 당신도 전문지식의 힘을 이용할 수 있다.

알다시피 대부분의 사람들은 회계사·의사·자동차 수리공·변호사·컴퓨터 전문가·증권 중개인·과학자·교수·국방부 전략가들 또는 배관공의 말에 이의를 달지 않는다. 왜 우리는 그들 말에 이의를 제기하지 않는가? 어떤 식으로든 그들이 전문분야에 대해서 우리보다 더 잘 안다고 확신하기 때문이다.

만일 당신이 전문지식을 갖고 있는 사람으로 보이고 싶다면, 당신이 해야 할 일은 다음과 같다.

협상 초기에 당신의 출신 배경과 자격을 상대방에게 증명해 보여라. 그렇게 하면, 당신의 말에 아예 이의를 제기하지 않을 것이다. 복잡한 협상을 할 때, 참가자들은 종종 논의되고 있는 내용의 어떤 면에서는 전문지식이 부족하다는 사실을 이용하라.

그리고 가능한, 당신이 가지고 있다고 다른 사람들이 생각하는 지식을 실제로 습득하라. 미리 대비하라. 만일 그 협상이 당신에게 꼭 이겨야 할만큼 중요하다면, 당신의 시간을 내서 맹렬히 공부할 만큼의 가치가 있을 것이다(당신이 협의를 하기 전에 그 주제에 대해 맹렬히 공부하라).

만일 당신이 그 지식을 갖고 있지 않다면, 쓸데없는 위험을 감수하지 말라. 그저 예리한 말 몇 마디 정도를 하거나, 전문용어 중 몇 개를 선택해서 가끔 사용하라. 그런 뒤 입을 다물어라.

무엇보다도, 잘난 체하면 안 된다. '지식이 죽은 생선처럼 오래가지 않는(냉동되더라도 그리 오래가지는 않는)' 요즘 세상에서 모든 분야에서 전문가가 되기는 불가능하다. 보통 대부분의 협상에 필요한 전문지식은 재치 있는 질문을 하고, 상대가 올바른 대답을 하는지를 알아차릴 정도의 능력이다.

만일 상대측에 협상 주제에 대해 두 편의 논문과 한 편의 특수연구서를 쓴 전문가가 있고, 그의 말이 너무 어려워 이해할 수 없다고 느낀다면 어떻게 할 것인가? 아무 문제도 없다. 당신의 자원을(집단, 친구, 조직 등) 이용해서, 당신도 그 주제에 대해 세 편의 논문과 두 편의 특수 연구서, 그리고 한 권의 책을 쓴 전문가를 데려가면 된다. 그렇게 하면 틀림없이 상대측과 동등한 입장이 되거나 더 우위에 놓일 수 있다.

테이블 건너편에 있는 상대측의 '전문가'들을 대할 때, 지나치게 감명을 받지 말라. 만일 그들이 당신을 필요로 하거나, 당신이 제공하는 것을 필요로 하지 않는다면 그들이 그 자리에 앉아 있지 않을 것임을 명심하라. 가끔가다 "이해가 가지 않아요. 3분 전에 하시던 설명부터 이해가 가지 않는군요"라고 하거나 "문외한이 알아들을 수 있도록 쉬운 말로 설명해 주실 수 있나요?"라고 말할 수 있도록 스스로 연습하라. 대중없는 말을 많이 하고, 순진한 모습 또한 보이면서, 예의바르게 인내하고 질문을 많이 하면, 소위 말하는 전문가의 태도와 행동도 종종 바뀔 것이다.

필요의 지식이 갖는 힘

모든 협상에 있어서, 다음의 두 가지 사항을 예상한다.

· 특정 논점들과 요구 사항들, 이들은 공개적으로 언급된다.
· 상대측의 진정한 필요는 거의 말로 나타내지 않는다.

시어즈 백화점의 냉장고 구매 상황으로 되돌아가서 이 두 가지 사항들의 차이점을 설명해 보겠다.

당신이 대형 가전제품코너에 걸어 들어가서 판매원에게 이렇게 말한다고 치자.

"자… 만일 당신이 이 489달러 50센트 짜리 냉장고를 450달러에 내게 판다면, 지금 당장 현금으로 지불을 하겠소!"

이런 접근 방식이 시어즈 백화점에서 먹혀들까? 아니다. 이 제안은 그 조직의 진정한 필요를 충족시키지 못한다. 왜 그럴까? 알다시피 시어즈 백화점은 소매업을 위주로 설립된 조직이 아닐 수도 있기 때문이다. 그저 소매점인 것처럼 위장했을 뿐이다. 실제로, 시어즈 백화점은 당신이 카드 할부로 물건을 구입하기를 바랄 수도 있는 금융기관이다. 왜일까? 그렇게 하면 이 회사는 당신이 매회 지불하는 돈에서 18%의 알찬 이자를 챙길 수 있다.

그렇다면 이러한 '현찰박치기' 수법이 다른 곳에서는 먹혀들까? 그렇다. 당신이 어디에 적용하는 가에 달려 있다. 당신이 똑같은 제안을 현금유통에 어려움을 겪고 있는 철물점에서 했다면, 그 주인은 뜻밖의 기회를 놓칠세라 선뜻 받아들일 것이다. 당신은 주인이 그 돈을 가지고 물건도 사들이고, 돈을 돌릴 수 있다는 것을 알 수 있다. 그리고 주인이 그 돈을 소득세 신고 목록에서 빼버릴지 올릴지의 여부는 아무도 모르는 일이다.

사람들은 저마다의 필요가 있다. 시어즈는 당신이 주겠다는 현금이 필요하지 않다. 유통회사는 당신이 주겠다는 현금이 필요하지 않다. 그러나 소자본 경영자들에게는 다르다. 그들은 현금이 필요하다. 만일 당신이 그 사람이 필요로 하는 것이 무엇인지에 대해 근거있는 추정을 할 수 있다면, 어떤 거래에서든지 무슨 일이 일어날지를 정확하게 예측할 수 있다.

겉보기에 몰인정하고 신경을 쓰고 있지 않는 듯한 조직이나 회사의 이면에는 언제나 그들만의 특수한 필요성을 충족시키려고 필사적인 노력을 기울이는 사람들이 있다. 어떤 상황에 처해 있는 개인과 거래를 하더라도 그 사람이 진정으로 필요로 하는 것을 충족시켜 주기만 하면 성공을 거두게 된다.

그러므로 어떤 사람이 협상에서 "이것이 제가 제시할 수 있는 최저 가격입니다"라고 말할 때 배수진을 친 듯한 그들의 말이 과연 얼마나 신빙성이 있는지, 그것이 정말로 그들의 마지막 보루인지, 아니면 그렇게 보이기 위함인지를 유의해서 살펴야 한다.

본질적으로 사람들이 '자신은 이것을 원한다(요구한다)'고 말했던 것은 진정으로 그들의 필요를 충족시킬 수 있는 것이 아닌 경우가 흔하다.

만약 내가 새차를 사려고 특정 모델과 판매 대리점을 염두에 두고 있다고 가정해 보자. 그때 나는 두 가지 방식으로 해결한다.

1. 나는 그 차에 대한 자료를 모을 수 있는 데까지 정확히 모은다. 이런 일은 어렵지 않다. '자동차 도로 안내서'나 '소비자 보고서'를 들춰보기만 하면 된다. 아니면 최근에 그 모델을 구입한 사람과 이야기를 할 수 있다. 그리고 기술 관계자에게 그 모델을 만드는 데 누가 관여했는지도 물어볼 수 있다. 그 차의 성능과 가격, 그리고 있을 수 있는 A/S 문제까지 노트에 기록한다.

2. 그리고 가능한 여러 대리점을 들려본다. 이에 대한 정보는 적당한 사람, 자동차 판매자와 거래를 해본 적이 있는 사람에게 적절한 질문만 할 수 있다면 쉽게 얻어낼 수 있다. 다음에는 그 판매자에게 초점을 맞추고 실적을 일일이 체크해 본다. 그의 현재 사업 상황과 그가 재정보조를 해야 할 물품의 목록, 제시하는 사양별 가격, 판매원들의 급여 수준도 알아본다.

   그후에 판매자 자신에 대한 것들, 예를 들어 그가 좋아하는 것과 싫어하는 것, 취향, 가치관 등에 대해 알아둔다. 그가 성급하게 결단을 내리는 성격인지 신중한 성격인지도 알아본다. 또한 그가 무리하게 일을 벌이기를 좋아하는지 아니면 차근차근 일을 추진해 나가는지도 알아본다.

이런 말이 당신에게는 비현실적으로 들릴지도 모른다. 하지만 지금 수천 달러의 돈을 들여서 차를 사는 입장이고, 또한 이것이 향후 몇 년간 제대로 서비스를 받아야 한다는 점을 잊어서는 안 된다. 앞에서 말했듯이 어떤 거래가 당신의 시간과 돈을 들일 가치가 있는 일이라면, 그 거래를 성사시킬 수 있도록 철저한 준비를 해둘 만한 가치 또한 있는 것이다.

이제 그 판매자나 혹은 그 대리점의 핵심사원 중 한 명과 직접 대면했을 때 나는 여러 가지를 살펴보고 질문을 한다. 말을 많이 하기보다는 질문을 하고 주로 듣는 편이다. 이렇게 함으로써 나는 최선의 협상을 이끌어 갈 수 있는 값진 정보를 얻어낸다. 그리고 그 판매원의 진정한 필요를 충족시키기 위한 방향으로 나의 구매전략을 변화시킨다. 그의 진정한 필요는 그저 큰 문제없이 파는 것일 수도 있고, 페르시아의 양탄자 상인처럼 입씨름을 해가면서 흥정하는 것 자체일 수도 있다. 그는 매우 싼값에 물건을 팔아치울 수도 있다.

나 역시 이런 게임을 좋아한다. 그것이 큰 액수가 걸린 물건을 놓고 협상하는 것이라면 더 좋다. 이때 내가 판매자가 요구하는 가격에 응하지 못할 수도 있다. 하지만 그가 말로 표현하지 않았던 진정한 필요를 충족시켜줄 수 있다면, 그와 나는 서로 충분한 만족을 느낀다.

상대가 드러내지 않았던 필요를 충족시켜 주는 것이 성공적인 협상을 낳는 길이다.

투자의 힘

나는 이미 어떤 주어진 상황에서 상대편으로 하여금 시간과 돈 그리고 힘을 투자하게 만드는 것이 매우 중요하다고 이야기했다. 이 문제는 최후통첩이 먹혀들게 하는 관건이 된다. 이것은 "어떤 넥타이를 공짜로 주시겠습니까?"라고 하는 것과 같은 '밑밥 던지기'의 근본을 이룬다. 이것은 세 명의 일본인 신사와 엄선된 미국 회사 대표들의 예에서 "그것을 다시 한 번 설명해 주시겠습니까?"와 같은 핵심적인 것이다.

바로 이것이 협상의 서두에서부터 사람들에게 협조적으로 접근해야 하는 까닭이다. 당신이 만일 경쟁력을 갖추고 난 후에야 최후통첩을 하기 원한다면 할 수도 있겠지만, 그것은 오직 상대편이 상당한 투자를 하고 난 후에야 제대로 효과를 볼 수 있다.

투자의 정도와 절충하고자 하는 의지 사이에는 직접적인 비례관계가 있다. 미국이 베트남 전쟁에서 손을 떼는 것이 왜 그렇게 어려웠을까? 그것은 손을 빼내려고 할 때는 이미 45,000명이라는 미국인의 생명을 희생시키고 난 후였기 때문이다. 미국인들은 그만한 인적 투자를 쉽게 포기할 수 없었다.

당신이 두 가지의 증권상품을 사고 또 두 건의 부동산 투자를 했는데, 하나는 가치가 올라가고 하나는 내려갔다고 해보자. 당신은 어떤 것을 팔겠는가? 말할 것도 없이 상승하고 있는 것을 판다. 다른 것은 어떤가? 이것에 대해서는 잠시 관망할 것이다. 심지어 더 살지도 모른다. 왜냐하면 가격이 방금 전에 매겨진 것이라면 제값을 받을 시점이 되었다고 생각하기 때문이다.

이러한 인간심리의 원칙을 인정하라. 이 점을 당신에게 유리하도록 만들어라.

이 힘과 관련된 또 다른 묘수가 있다. 예를 들어 직장상사가 나에게 커퍼필드라는 사람과 협상을 하도록 위임하면서 이런 당부를 했다.

"자네는 꼭 이 가격을 얻어냈으면 하네. 다른 하잘 것 없는 부분은 적당히 타협해도 가격만은 절대로 안 되네. 이 가격은 이미 정해진 것이네."

나는 커퍼필드와 협상을 하기 시작한다. 1라운드에 들어갔다. 나는 나의 입장을, 커퍼필드는 그의 입장을 말한다. 어려움 속에서도 견해 차이는 상당히 완화되었다. 이제 2라운드가 시작됐다. 가격 문제를 얘기해야만 한다.

다시 한 번 나는 나의 입장을, 커퍼필드는 그의 입장을 정리한다. 우리는 합의점에 이르려고 애를 썼지만 별 진전이 없다.

나는 이렇게 제안한다.

"이 문제에 대해서는 나중에 얘기를 하죠, 커퍼필드 씨."

그도 그것을 인정한다.

다른 말로 하면, 많은 노고와 고초 끝에 이제 난관에 봉착하게 된 이 문제를 잠시 뒤로 제쳐두려는 것이다.

이제 우리는 3라운드로 들어간다. 비록 얼마간의 시간이 걸리기는 했지만 이번 라운드에서 다뤄진 문제들은 그럭저럭 타협점을 찾을 수 있다.

우리는 4라운드로 돌입한다. 어렵사리 이것도 타결된다. 이제 다음 차례는 5번째 항목에 대한 것뿐이다. 얘기를 하고 난 후에 결국 커퍼필드의 창조적인 견해를 받아들이기로 한다.

다섯 가지 협상 항목 중에서 네 가지를 합의한 상태에서 마침내 결승점에 이른다. 커퍼필드는 웃음을 머금는다. 그는 장미꽃 향기를 느낀다. 이제 협상 카드는 사실상 자신의 손안에 있는 것이나 다름없다고 그는 생각한다.

내가 이제 말을 꺼낸다.

"커퍼필드 씨, 이제 두 번째 문제를 다시 얘기해 볼까요?"

"그렇게 하죠. 이제는 가격에 대해서만 절충하면 되겠군요?"

"죄송합니다만 커퍼필드 씨, 그 문제에 대해서만큼은 어떠한 절충도 불가능합니다. 가격은 확고부동합니다. 저는 제가 제시한 가격이 그대로 받아들여지길 바랍니다."

이제 커퍼필드가 어떤 심리 상태에 있을지 생각해 보자. 만일 이 시점에서 나와의 협상을 그만둔다면 그는 이제까지 투자한 시간과 얻은 것을 모두 잃어버리는 셈이 된다. 그는 이제부터 누구든 붙잡고 새로 시작해야 한다. 생각해 보면 앞으로 다시 협상하게 될 사람이 나보다 훨씬 다루기 어려우리라는 것을 알고 있다. 이 때문에 그는 점점 누그러질 수밖에 없다. 그리고 결국 나는 제시한 가격을 보장받을 수 있게 된다.

만일 협상하기 어려운 어떤 문제(감정 문제라든지 혹은 가격, 비용, 이자율, 봉급 등 수치로 환산될 수 있는 구체적인 항목들)를 갖고 있다면, 이런 문제는 상대측이 상당한 시간과 힘을 투자한 후인 협상의 막바지에 이르러서 다뤄야 한다.

만일 감정적인 문제나 양보할 수 없는 사안들이 협상 초반에 떠오르면 어찌할 것인가? 그대로 인정하고 대화를 나누지만, 최종결정만은 나중으로 미뤄두어야 한다. 상대방이 당신과 만만찮은 시간을 보내고 나서야 그 문제를 다시 논하라. 협상의 막판에 도착했을 때, 이제까지 해놓은 투자가 그들을 얼마나 유연하게 만드는 지를 보면 당신도 놀랄 것이다.

보상과 벌이 가져오는 힘

나는 당신을 신체적, 심리적, 재정적으로 돕거나 해칠 수도 있고, 그럴 수 있는 힘을 가지고 있다. 당신이 그것을 인식하고 있다면, 우리의 관계에서 나는 '힘'을 갖는다. 어떤 상황에서 '실제적이고 사실적인' 진실은 비물질적이다.

즉 내가 당신에게 영향력을 행사하기 위해 무언가를 할 수 있고, 그렇게 할 힘이 있다고 당신이 생각한다면(실제로 나는 할 수도 없고 할 의향도 없음에 불구하고), 당신과의 거래에서 나는 힘을 행사할 수 있다.

진실이든 아니든 이러한 인식 때문에 우리는, 마치 옛날 왕의 후궁이 힘을 가지고 있다고 느끼는 것처럼, 중견 간부의 비서에게 막대한 힘이 있으리라고 생각한다. 물론, 상사의 비서를 그 팀의 보잘 것 없는 구성원으로 취급하는 판매원은 안목이 없는 사람이다. 총명한 사람은 그 비서가 때때로 그의 앞길을 닦아줄 수도 있고, 반대로 길에 유리조각을 뿌려 놓을 수도 있다는 것을 알고 있다.

사람에게는 자신만의 특수성이 있다. 어떤 사람에게는 위협적인 것으로 인식되는 것이, 다른 사람에게는 아무렇지도 않은 것으로 여겨지기도 한다. 또 어떤 사람에게는 대단한 상으로 여겨지는 것이 다른 사람에게는 별 볼일 없는 것으로 간주될 수도 있다. 이와 마찬가지로 보상과 강제, 적극적이거나 소극적인 업무수행 태도 등도 개인의 인식과 필요에 따라 다양하게 받아들여진다.

만일 내가 당신이 인지하고 있는 것과 필요에 대해서 알고, 또 당신에게 힘을 미칠 수 있다는 사실을 인식하고 있다면, 나는 당신의 행동을 조종할 수 있다.

예를 들어 다음과 같은 문제들에 대해 내가 통제권을 행사할 수 있다고 당신이 믿는다고 가정해 보자.

당신이 승진을 하고 봉급을 인상 받을 수 있을지 아니면 해고될지, 또 언제 점심을 먹어야 할지, 다른 사람 앞에서 문책을 당하게 될지, 당신의 사무실과 책상이 어디에 위치해야 할지, 당신이 회사차를 소유하고 있을지, 당신이 개인용 주차 공간을 확보할 수 있는지, 당신의 휴가가 언제 잡힐지, 혹은 당신의 예산이나 지출 계좌 규모를 늘어나게 해줄지 등.

만일 이러한 문제들이 당신에게 중요한 것이라면 이 점 때문에 당신이 나를 정중하게 대하게 될까? 그렇다.

이제 일상적인 것으로 잠시 눈을 돌려 보자.

당신은 내가 매일 아침 당신의 책상 앞에 멈춰서서 인사를 하고, 당신이 크리스마스 카드나 생일 축하 카드 보내는 것을 중요하게 여기는 사람이라는 것을 내가 알고 있다고 생각해 보자.

내가 당신에게 아침 인사를 소홀히 하고, 카드 보내는 것을 잊어버렸다면 나는 당신의 호의를 잃을 수도 있을까? 그렇다.

만일, 이러한 것들이 시시하기 이를데 없는 것(즉 '마치 애주가에게 따뜻한 우유 한 잔이 무의미한 것처럼)이라 해도, 이런 일이 일어나고 용인되는 곳이 바로 우리가 살고 있는 세상이다.

나는 당신이 그러한 힘을 가졌을 때 그런(다른 사람에게 인식된) 힘을 이용해서 이익을 챙겨야 한다고 말하는 것은 아니다. 단지 현실의 이런 측면을 잘 알고 있어야 한다는 것을 말할 뿐이다. 여기 기억해 두어야 할 두 가지가 있다.

1. 당신은 누구를 도울 수 있고, 또 그럴 만한 힘도 있다. 당신이 그들에게 해를 가할 수 있거나 그럴 힘이 있다는 것을 상대에게 확실하게 인식시켜 준다면 모든 사람은 당신과 의미있는 방식으로 협상하려 들 것이다.
2. 당신과 내가 서로 적대 관계에 있을 때, 만일 내가 힘을 가지고 있다고 당신이 믿고 있다고 하자. 당신측이 양보를 하거나 입장을 바꾸어 우리의 관계를 이롭게 할 어떤 반대급부를 내놓지 않는다면, 나는 결코 당신이 파악하고 있는 나의 힘에 대한 인식의 정도를 완화시켜주지 않을 것이다.

인식된 내용이 사실이든 거짓이든 인식의 정도를 완화시켜주지 않는다는 말의 의미는 다음과 같은 것이다. 지미 카터 대통령이 첫 업무를 수행하기 위해 집무실에 들어갔을 때, 그는 외교정책에서 인권 문제를 거론했다.

그것만으로는 아무런 문제가 없었다. 그러나 불행히도 그는 곧바로 우리들이 해야 할 것과 하지 말아야 할 것들을 죽 나열했다. 적대 관계에 있는 사람들의 눈에 비친 지미 카터의 이런 행동은 그들을 이웃집 고양이만도 못한 종이 호랑이로 만들어 놓은 셈이었다. 그는 반대급부로 가져갈 수 있는 몇 가지의 선택사항을 완전히 제거해 버리는 불행한 잘못을 범한 것이다.

예를 들어 카터 대통령은 결코 아프리카나 중동에 미국 군대를 파견하지 않을 것이라고 공언했다. 이 말을 들은 쿠바의 카스트로는 시거를 물고 이렇게 말했다.

"일이 어떻게 될지 당신들이 알기나 하겠소? 미국놈들이 아프리카에 군대를 보내지 않는다는 거요! 이 얼마나 사려깊은 놈들이오! 그렇다면 우리 쿠바가 아프리카에 군대를 보내야 하지 않겠소?"

그리고 그는 실제로 앙골라와 혼 두 곳에 군대를 파견했다.

카터 대통령은 카스트로를 혼란스럽게 했어야 했다. 그는 침략 행위에 대처할(외교적 압력이든 군의 힘을 빌려서든) 충분히 알아들을 수 있는 선택사항(사용되었든 사용되지 않았든)을 함께 공개했어야 했다.

"우리는 도덕적인 지도자입니다. 하지만 정확히 무엇을 하고 무엇을 안할지 우리 자신도 잘 모릅니다. 이 점을 생각해 보시오. 우리는 크리스마스 이브에 B-52 폭격기 편대를 하노이 상공에 띄우지 않았던가요? 상황이 악화된다면 우리 군인들이 무슨 짓을 하게 될지 누가 알겠습니까?"

만일 그가 이런 식으로 말을 했더라면 카스트로가 시거를 피우며 거들먹거리는 짓은 하지 않았을 것이다. 그리고 만일 쿠바 용병들이 아프리카로 갔더라도 비행기가 날아갈 때마다 하늘을 쳐다봐야 했을 것이다.

> ▶ 뛰어난 협상을 위한 충고
> 반대급부의 가능성을 얻지 못하면 상대방의 긴장을 풀어주지 말라. 당신이 목표했던 것을 받아낼 때까지 상대방을 혼란스럽게 하라. 지정학상으로 당신이 충분히 위험을 감수하려 하고, 힘을 행사하려 한다는 것에 대한 상대방의 인식은 잠재적인 적에 의해 저질러질 수 있는 기회주의적인 태도나 발상을 처음부터 갖지 못하게 할 것이다.

동일시의 힘

만일 상대편을 당신과 동일하게 느끼도록 할 수만 있다면 당신의 협상 능력은 최대화 된다.

이 점을 설명해 보자. 사람들은 무슨 이유로 한 쇼핑센터 안에서도 다른 가게보다 특정 가게를 선호하는가? 왜 매번 같은 자동차 수리센터에 차를 맡기고 한 은행하고만 당좌예금 거래를 하는가? 사업을 하는 데 있어서 다른 여러 경쟁사를 제쳐두고 왜, 한 회사하고만 거래를 하는가?

이 문제는 품질이나 편리함, 가격의 이유만으로 설명할 수 없다. 저울의 균형을 이쪽에서 저쪽으로 기울게 하는 것은 접촉하고 만나게 될 사람과 당신을 어느 정도 동일시하는가에 달려 있다.

만약 메이시 백화점에서 일하는 어떤 사람이 당신의 자존심을 세워주고 기분을 좋게 해줬거나 편안하게 해주고 당신의 필요를 이해했다면, 당신은 그와 당신을 동일시하게 될 것이다.

따라서 비록 블루밍데일 백화점에서 더 나은 것을 준다고 해도 그곳보다는 메이시 백화점을 좋아하게 된다. 바로 이런 이유 때문에 누구와 무슨 이유에서 거래를 하든 다른 사람을 당신에게 끌어들여서 동일시하게 만드는 것이 중요하다.

예를 들어 IBM사의 성공 요인은 그 직원들의 용모만이 아니라 고객들에게 접근할 때 보여준 프로다운 모습에서 찾아볼 수 있다. 몇 년 전 나는 한 고객에게 무슨 이유로 다른 경쟁사보다 더 비싼 기계들을 IBM사에서 구입하는지를 물어본 적이 있다. 그 사람의 대답은 이랬다.

"우리들은 얼마든지 더 싼 가격의 기계들을 구입할 수 있습니다. 물론 기술적이나 질적으로 IBM사 제품들이 최고는 아닙니다. 하지만 이 기계는 복잡한 시스템을 가지고 있고, 만약 문제가 생긴다면 IBM에서는 어떤 회사보다 우리를 도와주리라는 것을 잘 알고 있기 때문입니다."

이것이 바로 동일시라는 것이다.

그렇다면 어떻게 다른 사람을 당신과 동일시하도록 만들 수 있을까? 당신이 사람을 만날 때, 전문가다운 이성적인 사람으로 행동한다면, 당신은 그들의 협력과 신뢰 그리고 존경을 얻을 수 있다. 지위를 이용해서 강제로 일을 시키거나 권위주의적인 태도를 보이지 말라. 그보다는 이해와 동정의 감정을 가지고 있음을 보여주려고 애써라.

다른 사람들의 필요, 희망, 꿈 그리고 성취 동기에 호소하라. 각각의 사람들에게 그들이 문제를 해결하는 데 도움을 줄 수 있다는 희망과 함께 인정을 가지고 접근해야 한다. 이렇게 행동할 수만 있다면 당신은 하멜린의 '피리부는 사나이'가 가졌던 마술적인 흡인력과도 같은 세련되고 설득력있는 힘을 가지게 된다.

카리스마나 리더십을 이야기할 때, 우리들은 깊은 존경심을 자아내는, 주위 사람들이 표본으로 삼아서 닮으려고 하는 그런 사람에 대해 이야기한다. 위험을 감수하면서 한 지도자를 따르는 사람들은 그 사람의 승리가 곧 자신의 것이라고 느낀다. 다시 말해 그 사람과 자신을 동일시한다.

인류의 역사는 부처와 예수 그리스도에서부터 아이젠하워 장군과 테레사 수녀에 이르기까지 모범으로 삼을 만한 사람들의 행적으로 가득 차 있다. 비록 같은 범주에 들어 있지는 않지만 연예계 스타들의 인기 역시, 그들과 동일시 하는 사람들이 퍼뜨리는 추세에 의해 생겨난다. '투나이트 쇼'의 진행자 자니 카슨이 그가 번 돈을 담으려면 대형 트럭 한 대는 필요할 것이다. 하지만 텔레비전 화면에 나타난 그는 호감이 가고 고상하며 개방적이면서 감정 표현에 솔직한 사람으로 비쳐진다. 그의 기지는 그를 인간적으로 만들고 북아메리카

대륙에 있는 거의 모든 시청자들에게 감동적인 분위기를 전해준다.

동일시의 힘은 사업상의 거래나 정치활동을 포함한 모든 인간관계에 존재한다.

예를 들어 나는 가끔 몇 사람의 전문가들이 한 문제에 대해 여러 가지 측면으로 토론하는 자리에 참석한다. 나는 토론에 임하면서(사전 준비에 의존하는 것은 물론이지만) 보통 내가 알고 존경하는, 널리 알려진 사람의 말에 더 신뢰감을 갖고 따라 간다. 그리고 상황이 나아지면 나는 그 사람의 느낌이나 통찰력에 보조를 맞추어 움직일 수 있게 된다. 왜냐하면 나는 그 사람을 믿고 동일시하기 때문이다.

그러나 우리가 일상 생활 속에서 이 동일시에 대해 이야기하거나 그 가치를 인정하는 경우는 드물다. 가전제품을 사는 것에서부터 정치적 지도자를 지지하는 것까지 우리들이 의사를 결정하는 데 있어서 동일시는 중요한 요소가 된다. 자료나 사실이 충분하고 문제가 복잡하게 얽힌 상황일수록 우리는 동일시할 수 있는 사람에게서 영향을 받는다. 결과적으로 사람들은 가끔 한 후보에 대해 강하게 동일시함으로써 자신의 경제적인 이익과 어긋나게 투표를 하는 수도 있다.

동일시는 또한 반대로 작용한다. 한 문제에 대한 어떤 사람의 인식이 옳을 수도 있다. 하지만 그는 너무 독선적이고 고집불통이어서 우리가 그를 파고들 틈을 보여주지 않는다. 많은 사람들이 친밀감 때문이 아니라 B라는 후보를 인정할 수 없다는 이유로 A라는 후보를 찍는 경우가 있다. 이런 현상은 모든 거래와 의사결정 행위에서도 똑같이 나타난다.

이러한 원리에 대한 나의 경험을 얘기해 보겠다.

20여 년 전 내가 법대를 졸업했을 때이다. 미국의 경기는 침체기에 있었다. 그러나 아무도 나에게 경기침체에 대해 말해 주지 않았으므로 나는 일자리를 구하지 못했을 때, 그 원인을 내 자신에게 있다고 생각했다. 그러나 10년이 지난 다음, 그 당시에 경기침체가 있었다는 사실을 알았을 때 나는 기분이 조금 나아졌다.

나는 잠시 실업자 생활을 하다 법률구조협회에서 경범죄 혐의를 받고 들어온 가난한 사람들을 변호하는 일을 했다.

내가 처음 맡게 된 사람은 절도죄 혐의를 받고 있었다. 사건을 되짚어보면서 나는 아마도 그가 유죄일 거라고 믿게 되었다. 이유는 이렇다.

첫째, 그는 각기 다른 법 집행기관에 두 종류의 상이한 진술을 했다. 둘째, 범죄현장에 온통 자신의 지문을 남겼다. 셋째, 체포될 당시 그는 도둑맞았던 텔레비전을 보고 있었다.

이것은 누구든 변호할 만한 소송이 되지 못한다. 하지만 다른 잡다한 요인들을 무시하고라도 나는 젊었고 주도면밀 했으며 또 내 의뢰인이 법률상의 모든 권리와 혜택을 받도록 하려고 최대한 노력하고 있었다.

변론의 논리를 세우는 과정에서 나는 교도소에 있는 피고를 만났다. 면회가 있을 때마다 그는 진술 내용과 알리바이를 바꿨으므로 나의 의뢰인이 거짓말쟁이며 제대로 된 교육을 받지 못했을 거라고 굳게 믿게 되었다.

나는 그를 증언석에 내세우는 것조차 망설이게 되었다. 왜냐하면 그의 증언에 모순점이 드러날 것이라고 생각했기 때문이다.

어쨌든 그를 위해 증언해 줄 사람을 내세워야 했으므로 나는 그의 어머니를 모시기로 했다. 어머니들은 상황이야 어찌됐든 자식을 위해서 증언을 할 테니까. 그의 모친은 상당히 단아한 용모를 지니고 있었다. 회색 머리칼에 두꺼운 안경을 쓰고 지팡이를 쥐고 있는(누구나 길 건너는 것을 도와주고 싶은) 그런 모습의 노부인이었다.

그녀가 증언석에 안내되자 나는 질문을 하기 시작했다. 2분이 채 되지 않아 나는 내 의뢰인의 문제가 부분적으로는 그 집안의 내력에 있다는 것을 알게 되었다. 그의 모친 또한 어리석었고 거짓말쟁이였다. 그녀는 120초 동안에 진술을 네 차례나 번복했다. 나는 입 안이 마르기 시작했다. 그리고 소송에서 패배했다는 것을 인정하면서 자리에 앉았다.

그런데 무슨 이유에서인지 검사가 그 부인을 쉽게 돌려보내지 않았다. 그는 노부인에게 질문을 퍼붓고 아주 예리한 반대신문을 시작했다. 그는 그녀의 아들이 유죄라는 것을 밝히려고 했을 뿐 아니라, 피고가 아주 흉악한 죄를 저질렀으며, 소송 사상 유례없이 무도한 범죄자라는 것을 기어이 밝혀내려는 것 같았다.

그는 노부인이 증인으로서는 부적격하다고 말하면서 요즘 우리가 말하는 '과잉살육'이라고 칭하는 말들을 퍼붓기 시작했다. 노부인에게 유도신문을 하였으며, 소리를 지르고, 욕을 퍼부어 댔다. 노부인은 겁에 질려서 울먹이기 시작하더니 마침내 흐느끼며 눈물을 닦으려 하다가 안경을 떨어뜨렸다. 공교롭게도 뒤로 물러서던 검사가 그 안경을 밟았다.

판사는 서둘러서 휴정을 선언하고 제정신이 아닌 노부인을 증언대에서 내려오라고 손짓했다. 그렇게 하는 동안 우연히 배심원석을 보게 되었다. 그런 당황스러움 속에서도 나는 무슨 일이 일어나고 있는지 알게 되었다. 배심원들이 그 검사를 혐오하고 있다는 것을 확신할 수 있었다.

"저 노인이 범죄자를 자식으로 둔 건 분명 불행한 일이긴 해. 하지만 그렇다고 해서 저 못된 검사 녀석이 노인을 그렇게 심하게 다룰 수는 없는 거야!"

배심원들은 재빨리 무죄선고를 내렸다. 이 소송은 그 당시 내가 얻었던 몇 안 되는 승소 사건 중 하나였다.

그런 식으로 법이 오용되었다는 점에 대해서 나를 욕하지 않기 바란다. 엄밀히 말해 나는 승소한 것이 아니었다. 상대편이 진 것 뿐이다. 왜 그런가? 그 검사의 거친 언동으로 하여 기소 내용이 완전히 잊혀져 버린 까닭에 배심원들은 검사와 검사가 확실히 하려고 애썼던 정당한 요점 중의 어느 한 가지와도 동일시할 수가 없었다. 그렇기 때문에 배심원들의 투표는 제시된 증거와 반대되는 쪽으로 이루어진 것이다.

동일시는 사람들이 생각하는 것보다 훨씬 더 자주(좋은 쪽이든 아니든) 의사결정에 중요한 영향을 미친다. 바로 그 때문에 고상하게 처신하고 다른 사람들을 도우려고 애쓰는 것만큼 높은 효과를 거두는 것도 없다.

도덕성의 힘

서구 세계에서 자라난 사람들 대부분은 서로 유사한 도덕적, 윤리적 기준에 익숙해져 있다. 사람들은 그것을 학교나 교회에서 배웠거나, 가정에서 실천되는 것을 관찰했거나, 사회생활을 하면서 알게 된 사람들을 통해서, 혹은 길거리에서 배운다. 그런 이유로 공정함에 대한 우리의 개념은 매우 유사한 경향이 있다. 지금 하고 있는 일이 인류나 국민의 선善을 위해서라는 믿음없이 인생을 살아가는 사람은 거의 없다.

바로 이 점이 무조건 사람을 도덕적으로 대했을 때 먹혀드는 이유이다. 방어적인 태도나 가식없이 당신을 그들의 뜻에 맡겨두면 그들이 알아서 고개를 숙이고 들어올 가능성도 많다. 왜 그런가? 그들은 어떤 식으로든 관계가 맺어질 수 있고, 진실로 마음을 열고 대해주는 사람은 이용하려 하지 않기 때문이다.

어떤 사람이 자신에게 권한이 있어 이론상으로 당신을 깔아뭉갤 수 있다 해도 타인이 만일 "내게 무엇이든지 할 수 있습니다. 하지만 그게 옳은 일일까요?"라고 당신의 자비심에 대해 호소한다면 당신은 그에게 냉혹하게 하기 힘들다.

심지어는 이런 것이 법 앞에서도 가능하다. 어떤 피고들은 그들의 앞날을 완전히 법정의 판단에 맡겨 버리는데, 우리는 때때로 법정에서 자비를 베푸는 모습을 볼 수 있다.

예를 들어서 판사 앞에 서 있는 피고가 이렇게 간청한다.

"판사님, 저를 철창에 가둬두는 일이 옳은 일일까요? 저는 마누라와 아이들이 셋이나 있습니다. 저를 감옥에 보내면 판사님은 그들을 벌하게 되는 셈입니다. 제가 벌을 받는 것에 대해서는 전혀 개의치 않습니다. 하지만 판사님, 판사님의 판단이 제 가족에게 어떤 영향을 미칠지 한 번만 생각해 주십시오. 저도 제가 앞으로 오랫동안 이 죄값을 치러야 한다는 것을 잘 알고 있습니다. 하지만 그것이 죄없는 제 가족에게도 온당한 일일까요?"

이런 경우에 판사는 죄수의 형기에 대해 심사숙고해 볼 확률이 높아진다.

이러한 형태의 탄원이 다른 문화권에서, 다른 가치체계를 가지고 살아온 사람들에게도 영향이 미칠까? 반드시 그렇지는 않다.

회교도 원리주의자들처럼 우리에게는 생소한 방식으로 교육을 받는 사람들은 우리의 용서라는 개념이나 인내, 관용, 화해의 제스처를 이해하지 못한다. 그들이 이해하는 것은 힘과 기회와 복수뿐이다. 그런 사람들에게 속지말라. 당신은 그들의 틀을 기준으로 거래를 해야 한다.

하지만 당신이 접촉하게 될 대부분의 사람들은 당신과 비슷한 배경을 공유하고 있다. 만일 당신과 가까운 사람(부인, 상사, 하급직원 등)이 비열하게 당신을 속인다면 모르는 척 그들의 요구에 따라주거나, 아니면 그들이 요구하는 대로 하지 말고 그렇게 하는 것이 공정하고 옳은 일인지를 물어보라. 그런 질문을 받으면 가장 속물적이고 이기적인, 냉혹한 사람도 흔들리고 만다.

선례의 힘

앞으로 다룰 선례의 힘에 대해서는 시어즈 백화점에서의 상황과 관련해서 대부분의 사람들이 정찰가게에서는 협상할 수 없다는 생각을 하고 있다는 말을 언급했다. 내가 왜 협상을 할 수 없는가라고 물으면 그들은 오히려 이렇게 반문할 것이다.

"그렇지 않다면 왜 그곳을 정찰가게라고 부르겠소?"

나는 이렇게 반문 할 것이다. 한정된 경험이 보편적 진리를 나타내는 양 행동하지 말라고. 당신의 가정(추측)을 시험해 보면서 당신을 가둬두는 경험세계 밖으로 당신을 밀고나가 보라고, 고리타분한 일 처리 방식에서 자신을 묶어두지 말라고.

이렇게 먼저 자기 스스로를 제재한다면 그는 상대에 의해 쉽게 속박당한다. 왜냐하면 선례의 한 측면은 흔히 '잔잔한 수면에 파문을 일으키지 말라', '당신은 이런 논쟁에서 이길 수 없다', '이 일은 늘 이런 식으로 해왔다' 라는 식의 가치관에 근거하고 있기 때문이다.

이러한 양상은 어떤 일을 현재 진행되고 있는 방식으로만 하라는 강요에서, 아니면 이전에 그 일이 되었던 방식으로만 하라는 데에서 비롯된다.

현재나 과거의 관행이나 관습, 정책 등은 두려운 존재로 여겨져 왔으며 그것만이 일을 처리할 수 있는 유일한 방식으로 제시되었다. '변화' 라는 말은 아주 부담스러운 말이 되고 만다.

새로 백악관에 입성한 대통령이나 어떤 사업체의 총수, 유서 깊은 단체의 새 지도자가 집무를 시작하면서 해야 할 가장 어려운 일 중 하나가 뿌리깊게 박혀 있는 과거의 관행을 바꾸는 일이다.

1969년 선거 후 닉슨 대통령은 다음과 같이 선언했다.

"이제 거대한 정부라는 짐을 여러분의 등에서 내려놓고, 여러분의 주머니에서 떼어내 버릴 때입니다."

그러나 몇 주 후에 그는 역사상 유례 없는 가장 큰 규모의 연방예산을 제안했다.

선례의 힘에 대한 예가 하나 더 있다. 이것은 변화를 일으키기 위한 빌미로 이용될 수 있다.

미국의 자동차노조가 단체협약에서 7%의 임금인상 조건을 수락받아냈을 때, 캐나다의 자동차 노동자들도 미국의 경우를 정당한 근거로 삼아서 똑같은 임금인상률을 제안하여 따내는 데 성공했다. 여기에 담긴 논리는 간단했다.

"저기 우리의 선례가 있다. 그들이 얻어냈으니 우리도 가져야 한다."

테네시 주의 멤피스 시 시장은 공공연하게 파업을 하는 경찰관과 소방직원들은 모두 해고될 것이라고 공언했다. 그들은 파업을 일으켰고 해고당했다. 하지만 며칠 후 문제의 타결이 이루어지자 시장은 그들을 다시 복직시켰다. 결과적으로 시카고의 소방서 직원들도 해고당했다 해도 타결된 후에는 복직이 될 수 있으리라는 기대를 갖고 파업을 단행했다. 이후 진행된 사건의 추이는 이들의 생각이 옳았다는 것을 증명했다.

다른 말로 표현하면, 만일 A 지점에 있는 사람들이 어떤 일을 하여

B 지점에 있는 사람들이 이것을 알게 되면, 이것은 B 지점에 있는 사람들의 행동방식에 영향을 미친다. 정보는 매우 빠른 속도로 확산된다. 사람들은 모두 같은 텔레비전 방송을 보고 있다. 그러므로 어떤 상황을 통제하려고 애쓰고, A에서 일어난 일로 하여 B에 있는 사람들에게 그들의 상황 전개 양상이 A의 그것과 어떻게 다른지를 보여줄 준비가 되어 있어야 한다.

선례의 힘에 이용당하는 것을 피하면서 이 힘을 당신에게 이롭게 이용하라. 당신이 요구하는 것들을 정당화 시키기 위해서는 현재 처해 있는 것과 유사한 다른 상황을 언급하고, 어떤 다른 사람들이 이러이러하게 일을 해서 당신이 원하는 결과를 그들이 얻어냈다는 사실을 미리 언급하라.

예를 들면 이렇다.

가게에서 지갑에 든 돈을 전부 쓰지 않는 방향에서 물건 값을 흥정하려 할 때, 판매원이 "죄송합니다. 우리는 값을 깎아주지 않습니다"라고 말하면 당신은 어떻게 할 것인가? 이렇게 말해보라.

"잠깐만요. 당신들은 값을 깎아 주었어요. 난 이 철물점에서 망치 하나를 산 적이 있어요. 꼭 2주 전이지요. 그런데 그 망치에 흠이 있어서 2달러를 깎아준 적이 있다니까요."

비록 이제까지 해왔던 관례가 비논리적인 것이라 해도 유행하고 있는 관례의 구속력있는 논리를 이용하라. 만일 당신이 가구나 자동차를 사려고 한다면 "저는 올해 것보다는 작년도 모델을 찾는데요?"라고 말해 보라.

왜 이 말을 하는가? 작년도 모델이 아주 새것이라 해도 올해 모델보다 싸다는 것을 모두 알고 있기 때문이다. 당신은 2000년도 모델과 2001년도 냉장고 모델의 차이점을 알고 있는가? 아마도 이 중 하나에는 안정판이 부착되어 있을 것이다. 화폐가치를 놓고 보면 작년도 모델이나 가구가 사용되지 않았던 것이라면 이 개념은 아무런 의미가 없다. 하지만 통례적 믿음이나 선례는 당신에게 아주 밀접한 곳에 있다. 그것을 이용하라.

끈질김으로 인해 얻는 힘

끈질긴 힘이 얻는 관계는 탄소와 강철과의 관계와 같다. 아주 튼튼한 제방도 쥐 한 마리가 굴을 뚫음으로써 무너져 한 나라를 몰살 시킬 수 있다.

대부분의 사람들은 협상을 할 때 충분히 버티지 못한다. 당신이 만일 그런 성격의 사람이라면 나는 그 성격을 바꾸라고 말하고 싶다. 협상의 대상 하나 하나에 오래 매달리는 끈기를 배워라. 집요해야만 한다. 그것이 카터 대통령이 가지고 있었던 경탄스러운 성격 중의 하나이다. 그는 지긋지긋할 정도로 끈질겼다.

내가 보기에 카터 대통령은 아주 도덕적이고, 고상하며, 윤리의식이 투철한 사람이었다. 동시에 그는 미국 역사상 가장 지루한 대통령 중 하나였다. 당신이 그와 함께 15분 이상을 보낸다면 마치 진정제를 맞고 난 기분을 느낄 것이다. 언젠가 누가 나에게 이런 말을 한

적이 있다.

"카터 대통령과 난롯가에서 담소를 나눌라치면 대개는 불이 꺼져 버린다."

하지만 그는 이러한 '비카리스마' 기질을 메릴랜드의 한적한 대통령 전용 휴양소에 있을 때, 이집트의 사다트와 이스라엘의 베긴에게 아주 효과적으로 이용했다.

캠프 데이비드는 서구의 소돔과 고모라도 아니며, 쾌락주의자들을 위한 장소는 더더욱 아니다. 심지어 적당히 활기있는 사람들을 위한 장소도 아니다. 그곳에서 할 수 있는 가장 활동적인 일은 기껏해야 솔방울을 들어서 냄새를 맡아보는 것이 고작이었다.

카터 대통령은 이러한 사실을 알고 있으며 또 수긍할 만한 최소한의 결과를 얻어내야 한다는 것도 알고 있었다. 그리고 그곳에 온 열네 명을 위해 오직 자전거 두 대만을 마련해 두었고 다른 편의시설은 없애버렸다. 장기간 머물고 있는 사람들이 밤에 긴장을 풀기 위해서는 딱 한 가지, 재미없는 세 편의 영화 중 하나를 볼 수 있는 선택밖에 없었다. 엿새째 날이 되자 그들은 재미없는 영화를 두 번씩 보아야 했고 지루해서 견디기 어려운 정도가 되었다.

하지만 매일 오전 8시면 사다트와 베긴은 오두막 문을 두드리는 소리와 함께 무덤덤한 목소리를 들어야 했다.

"안녕하세요, 지미 카터입니다. 그 지겨운 얘기를 열 시간 동안 하실 준비가 되어 있으세요?"

이렇게 13일을 보냈다. 당신이 사다트와 베긴이었다 해도 그곳에서 나가기 위해서라면 어디에든 서명을 했을 것이다. 캠프 데이비드 평화협정은 카터의 인내와 끈기의 결과이고, 이 결과는 하나의 고전적 성과였다.

캠프 데이비드 평화협정과는 관계가 없지만, 당신은 여타의 여러 가지 상황에 이러한 힘을 개인적으로 적용할 수 있다.

가령 당신이 보험회사와 어떤 조항에 대해 의견이 다르다고 가정해 보자. 상태가 좋은 6년 된 당신의 차가 사고로 완전히 박살나 버렸다. 정부 고시 가격은 단돈 500달러밖에 되지 않는다. 하지만 당신은 800달러 아래로는 그 차를 교체할 생각이 없다. 당신은 장부에 가격이 얼마로 기록되어 있는지 상관하지 않는다. 당신에게 그 장부는 단지, 흰 것은 종이이고 검은 것은 잉크일 뿐이다.

무엇을 어떻게 해야 할까? 당신은 보험회사에 800달러 이하로는 죽어도 문제를 해결할 수 없다고 단호하게 밝혀야 한다.

"비용이 얼마가 들어가든 나는 소송을 제기할 생각이오."

이렇게 말해서 당신의 뜻을 확고히 밝혀둔다. 당신이 부대 비용과 홍보비 등에 대해서 한 말이 보험회사 중재인의 귀에 먹혀들었을까?

이 문제라면 당신이 가장 아끼는 포도주 한 병을 걸어도 좋다.

그는 소송이 지체되는 경우와 승패의 불확실성, 정부 당국과 보험 감독원의 심의, 그리고 여기에 더해서 회사가 청구인을 대하는 태도로 하여 회사에 끼칠 평판 등을 잘 알고 있다. 그는 또한 소송 비용을 포함하는 것은 물론 소송하지 않는다면 다른 식으로 투자해서 이익을 남길 수도 있는 보유금을 버린다는 것도 알고 있다.

여기에는 보험회사가 당신과 법정에서 마주치기를 꺼려하는 실질적인 사항들(증언자를 이용할 수 없다는 것부터 시작해서 그들의 법률고문이 감당해야만 할 엄청난 일거리에 이르기까지)이 포함된다.

800달러를 받아낼 수 있을까? 물론이다. 자동차가 전혀 문제가 없었다는 당신의 주장을 계속하고, 편지를 쓰면서 장부상에 기록되어 있지 않는 부분들을 증명하라. 수리비나 영수증 등의 부가적인 정보들을 함께 제공한다. 버티면 대가가 돌아오게 마련이다.

설득력의 힘

문명세계에 사는 우리들 중 대부분은 어떤 일을 진행시키기 위해 너무도 많이 논리의 힘에 의존한다. 우리들은 논리가 이긴다고 믿게끔 길들어져 있다. 그러나 논리 그 자체로 사람에게 영향을 미치는 일은 아주 드물다. 대부분의 경우, 논리는 당신의 생각처럼 그대로 작용하지 않는다.

만일 당신이 나에게 무엇을 믿게 하거나, 어떤 일을 하게 하거나, 또는 무엇을 사게 하도록 설득하고 싶다면, 다음 세 가지에 준하여 일을 추진해야 할 것이다.

1. 나는 먼저 당신이 무엇을 말하고자 하는지 이해해야 한다. 이 경우 당신의 논리를 쉽게 설명해서 그것이 나의 경험과 특별한 인식세계와 접촉할 수 있도록 해야 한다. 그렇게 하기 위해서는 당신이 나의 세계 속으로 들어와야만 한다(이 점이 바로 어리석은 사람이나 미치광이라고 생각되는 사람

들과 협상하기 어려운 이유이다).

2. 당신이 제시하는 증거가 나를 압도할 만한 것이어서 내가 감히 반론을 제
기할 수 없어야 한다.

3. 지금 내가 가지고 있는 요구 사항이나 욕구를 충족시켜줄 것이라는 나의
믿음이 있어야 한다.

이 세 가지 요소 중에서 나의 욕구와 필요를 충족시켜야 한다는 세 번
째 사항이 다른 무엇보다 중요하다. 그렇다면 나는 왜 이렇게 말하는가?

비록 당신이 내가 이해할 만한 압도적인 증거를 보여준다고 해도,
그 일이 추진된 후의 결과가 실망스러운 것이 될 가능성이 있다면 나
는 확실한 태도를 보이지 못한 채 망설이게 된다.

당신이 제시한 사실과 논리는 확고부동한 것일 수 있다. 그리고 내
가 그것을 받아들인다 해도 당신이 나의 필요와 욕구를 충족시켜주
지 못할 수도 있다.

10대의 자녀를 둔 부모들은 누구보다도 이러한 비논리의 논리성을
잘 이해한다. 하지만 바로 이것이 설득에 실패하는 가장 큰 원인이다.

행동을 유발시키는 것이 주업무인 광고산업은 소비자가 될 시청자
들에게 영향을 끼치기 위해 이 개념을 자주 이용한다.

많은 사람들이 텔레비전에 나오는 악취제거제 광고를 보았을 것이다.

"겨드랑이에 이 스프레이를 '치-익 치-익' 뿌리면 하루 스물 네 시
간 동안 당신 주위에는 보이지 않는 막이 형성됩니다."

광고주는 사람들이 그 광고를 이해하는지, 아니면 그의 주장을 뒷
받침할 만한 증거가 있는지의 여부에는 전혀 신경을 쓰지 않는다. 광

고주는 어떻게 해서든 이 스프레이가 대인관계에서 호감을 사려고 하는 당신의 필요와 욕구를 충족시키는가를 증명하고 싶을 뿐이다. 솔직히 나도 그 광고에 대해 전혀 이해하지 못한다.

나는 '보이지 않는 막'이라는 이론을 증명할 만한 과학적 근거가 없다는 것을 알고 있다. 그 보이지 않는 막을 만져 본적도 없고, 보았다는 사람도 없다. 이것은 그 막이 보이지 않기 때문만이 아니다. 하지만 나는 나를 감싸고 있는 보이지 않는 막이 있다고 믿는 것을 좋아한다. 막이 있다고 믿음으로써 나는 어떤 상황에서든 편안함과 자신감을 느낄 수 있기 때문이다.

가령 우리가 우연히 만나 은밀하게 말을 하려고 당신 앞으로 몸을 기울였다고 하자. 당신은 몸을 약간 뒤로 젖힌다.

내가 두 시간 전에 스프레이를 뿌리지 않았다면 당신의 동작은 내가 개인 위생에 문제가 있다는 암시로 받아들일 수 있다. 하지만 나는 최소한 스무 시간 이상 지속되는 보이지 않는 막에 둘러싸여 있기 때문에, 나 아닌 당신 옆에 있는 사람에게 문제가 있다고 생각하게 된다.

'문제'라는 말이 나왔으니 생각나는 게 있다. 수 세기 동안 사람들은 누구나 태양이 지구 주위를 돈다고 생각했다. 그 시대 사람들은 지구가 우주의 중심이라는 것을 전혀 의심하지 않았다. 그러던 중에 코페르니쿠스라는 총명한 젊은이가 나타나 태양계에 대한 새로운 이론을 내세우면서 예전의 통념을 뒤집어 엎으려고 했다. 그는 지구가 태양 주위를 돈다고 용감하게 주장했다.

그가 살던 시대의 영향력있던 사람들은 하품을 하면서 고개를 덕일 뿐이었다. 그들은 코페르니쿠스의 말을 일종의 지적인 방식으로만 추상적으로 이해했다. 그러나 결국에는 그의 논리가 지배하게 되었다. 그러나 누구도 그의 이론을 마음속 깊은 곳에서부터 이해하지는 못했다. 그의 발견이 어떤 사람의 삶에도 변화를 주지 않았기 때문이다.

오히려 사람들은 '아하, 그랬구나!' 하는 식의 반응이었다. 지구가 태양의 주위를 돈다는 사실이 고양이가 쥐를 잡아먹는다는 사실보다 중요한 게 없는 것처럼 보였기 때문이다.

그러던 어느 날 누군가가 나타나 이렇게 외쳤다.

"이봐, 잠깐 기다려 봐! 우리들은 이 모든 사실을 천문학이라는 새로운 학문에 이용할 수 있어! 알기나 알아? 우리는 저 대양 너머로 항해를 할 수 있게 되었다구! 사람들을 먼 곳에 보내서 이교도들을 만나고, 정복하고, 종속시키고, 착취함으로써 실업을 줄일 수 있게 되었단 말야! 우리는 많은 금과 은을 발견해서 가져올 수 있다구! 그렇게 되면 우리들의 시급한 욕구와 필요를 충족시킬 수 있다니까?"

하품을 하던 사람들이 모두 입을 다물었다. 그때 또 다른 사람이 말했다.

"옛날 것은 잊어버려. 이제 우리는 그 폴란드 녀석 코페르니쿠스와 함께 가면 되는 거야!"

그래서 과학은 또 한 번 진보하게 되었다.

일에 임하는 태도가 갖는 힘

협상하기에 가장 어려운 사람이 누구인가? 바로 당신 자신이다. 하지만 다른 누군가를 위해서 협상할 때 당신은 훨씬 잘 할 수 있다. 왜 그럴까?

그것은 당신이 관련된 어떤 상호작용에서 자신을 지나치게 의식하기 때문이다.

당신은 자신에 대해 너무 심각하게 고민한다.

그것이 당신을 긴장하게 만들고 고통스럽게 한다. 그러나 다른 사람을 위해서 협상할 때는 좀더 느긋해진다. 다시 말해 더욱 객관적일 수 있게 된다. 또한 지나치게 걱정하지도 않는다. 당신은 그 상황을 재미있는 게임으로 여길 수도 있고 실제로 그렇기도 하다.

우리는 무엇엔가 개인적으로 관련되어 있을 때, 지나치게 우려하는 성향을 갖고 있다. 최근에 나는 외국에 있는 한 은행으로부터 커다란 규모의 재정협상을 부탁받았다. 그 거래는 수 백만 달러가 왔다 갔다 하는 일이었으므로 나를 제외한 모든 사람들이 바짝 긴장하고 있었다.

그러나 나는 느긋하게 여행을 즐기며 상쾌한 기분을 만끽할 수 있었다. 그렇게 중요한 문제를 눈 앞에 두고 어떻게 그럴 수 있느냐고? 이 일의 이해 당사자는 은행이지 내가 아니기 때문이다. 만일 일이 잘못 진행되면 그들은 수 백만 달러를 잃게 된다. 그리고 내가 그들이라면 나 또한 걱정에 싸여 있었을 것이다. 나는 일당을 받기로 했기 때문에 일에 임하는 나의 태도는, "내일이 되면 또 내일치 돈이 들어오겠지"라는 식이었다.

나는 그 막대한 재정협상을 하나의 게임으로 보았다. 물론 나도 걱정은 되었다. 하지만 그들만큼 심각하지는 않았다.

하지만 나 또한 집으로 돌아와서 딸의 성적표를 보았을 때는 게임이니 재미니 하는 말들은 이미 물 건너 간 상황이 되고 만다. 식탁에 둘러앉아서 진행되는 가족회의는 심각하기 그지없고 나 자신이 너무 신경을 많이 쓴 까닭에 외국에서와 같이 가정에서도 잘 해낼 수 있으리라는 확신을 갖지 못한다.

직업을 포함해서 어떤 형태의 만남이나 특정상황을 하나의 게임, 가상의 세계로 보려고 노력하라. 한 발자국 뒤로 물러나서 그것을 마음껏 즐겨라. 최선을 다했지만 그것이 원하던 방식으로 진행되지 않더라도 낙담하지 말라. 세상은 결코 생각과는 다르다는 것을 기억하라. 그리고 오스카 르반의 말을 떠올려라.

"당신이 엉터리 금박을 한꺼풀 벗겨내면 그 아래에는 무엇이 있을까? 진짜 금박이 있다."

당신과의 협상에 관여한 모든 사람들에게 이렇게 말할 수 있도록 스스로 연습하라.

"설사 일이 잘못된다 해서 인생이 끝나는 것은 아니잖아?"

이 질문에 대한 답이 "아니오"라면 "그래? 누가 신경쓴대!" 그리고 나서 "그래서 어쨌다구?"라고 말하도록 스스로에게 확신시켜라. 관심을 기울이는 태도를 갖도록 애써라. 하지만 너무 지나치지는 말아라. 유진 오닐의 말대로 이 장면은 하느님 아버지의 쇼에 나오는 이상한 단막극에 불과하다.

만약 당신이 "이것은 한낱 게임일 뿐이야"라는 태도로 모든 협상에 임할 수 있다면 직업에 관계없이 세 가지 이점이 있다.

1. 언제나 즐겁게 일할 수 있는 활력을 갖게 되므로, 상대측보다 현저히 많은 힘을 지니게 된다. 녹초가 될 지경으로 일을 한 후 완전히 쓰러져 있다가도 당신이 게임이나 재미로 생각하고 있는 어떤 일을 하자고 했을 때, 그 피로가 금세 활력으로 바뀌는 것을 틀림없이 경험했을 것이다.

2. 긴장감이 줄어든다. 당신의 혈관 속 젖산은 더 적어질 것이고 고혈압도 안정될 것이다. 심지어 조깅 코스도 거뜬히 완주해 낼 수 있다(일이 재미있어지면 당신 정신의 긴장 정도는 탁구 게임을 할 때 쯤으로 뚝 떨어질 것이다).

3. 더 좋은 결과를 얻게 된다. 당신의 태도에서는 당신의 힘과 당신이 스스로의 삶을 잘 꾸려나가고 있다는 분위기가 풍겨나게 될 것이기 때문이다(당신의 자신감을 상대편이 느끼게 되고, 그렇게 되면 사람들이 당신을 따르기 시작할 것이다).

이러한 태도를 좀더 가시적으로 보여주는 사람이 있다. 아이크 목사는 텔레비전과 라디오의 스타인 셈이다. 그의 교조적이지 않는 말과 대화 솜씨는 수많은 추종자를 끌어들였다. 그는 '그린 파워'에 대해서도 설교하고, 가끔씩 그의 회중에게 "하느님께 박수갈채를 보내라"고 요구하기도 한다.

어느 날 그는 회중들 사이를 걸으며 이렇게 말했다.

"걱정하지 말라. 걱정할 게 아무 것도 없나니."

이때, 그의 교구에 사는 한 사람이 손을 들고 말했다.

"아이크 목사님, 목사님이 잘못 아신 겁니다. 저한테 아주 큰 문제가 생겼습니다. 걱정이 돼서 미치겠다구요."

목사는 침착하게 응했다.

"그럼 잊어버리게."

"안 됩니다. 그렇게 할 수가 없다구요. 이건 심각한 일이에요. 걱정이 돼서 죽을 지경입니다."

"그렇다면 도대체 무엇이 자네를 그토록 고통스럽게 하는지 말해보게."

"은행 때문입니다. 저는 은행에 6천 달러나 빚을 지고 있거든요. 내일까지 갚아야 하는데, 지금은 단돈 한 푼이 없습니다. 그러니 걱정이 안 되겠습니까?"

"이사람아, 왜 자네가 걱정을 하고 있는가? 진짜 걱정해야 할 쪽은 은행이 아닌가?"

나는 아이크 목사의 가르침이 전부터 전해오던 농담을 베낀 것이 아닌가 하는 의심도 했지만, 목사의 이러한 태도에 대해서는 충분히 생각해 볼 점이 있다.

이 시점에서 여러분들을 위해 협상의 세 가지 중요한 변수를 한 번 더 이야기 하겠다.

· 힘
· 시간
· 정보

Chapter 5

시간

이제 시간에 대해 알아보자.

'시간은 흘러간다'는 말은 누구나 알고 있는 진리이다. 시간은 우리가 무엇을 하든지 모두에게 똑같은 비율로 흘러간다. 시간은 우리가 조종할 수 없다. 그러므로 시간의 흐름이 협상 과정에 어떤 영향을 미치는지 검토해 봐야 한다.

대부분의 사람들은 협상을 마치 시작과 끝이 명확하게 구분되는 사건처럼 말한다. 만일 그렇다면 이것은 일정하게 고정된 시간표를 가지고 있는 셈이다.

당신은 회사의 상무와 지체되고 있는 임금인상에 대한 협의를 위해 상담 일정을 잡았다. 상담은 아마도 어느 날 오전 9시에 시작할 것이다. 상무는 당신과의 협의가 끝난 후 곧바로 다음 약속이 잡혀져 있다. 당신은 시간이 제한되어 있다는 것을 잘 알고 있다. 분명한 건 오전 10시가 되면 협의가 끝나야 한다는 것이다.

이제부터 협상이 시작되는 시점을 ①(당신이 그의 사무실에 들어

설 때), 끝나는 시점을 ⑤(상무가 당신을 문까지 배웅해 줄 때)로 표시하기로 하자. 이것이 바로 우리들이 흔히 마감시간이라고 부르는 협상의 완결시점이다. 정말로 섬뜩한 말이다.

이 상황이 실제 상황이라고 가정해보면 대부분의 양보 행위가 일어나는 시기는 언제쯤일까? ①시점? 아니면 ②, ③, ④시점일까? 실질적으로 모든 협상의 양보는 ④와 ⑤시점 사이, 마감 시간에 가까운 어느 시점에서 이루어진다. 게다가 거의 모든 협상의 합의나 해결책은 ⑤시점(아니면 ⑥도 가능하다)에 이르거나, 그 시점이 지난 어느 시기에 이르기 전까지는 이루어지지 않는다.

다르게 말하면, 상무가 당신의 협상안이 갖고 있는 설득력을 인정하고 결국 합의를 한다 할지라도 그것은 아마도 오전 9시 55분경에나 일어날 것이다. 이 사실, 모든 행동은 막판에서 일어난다는 사실은 다른 모든 독립적인 상황에서도 맞아떨어진다.

사람들은 언제 소득세를 내는가? 물론 기간이 꽉 차야 한다.

만약 비서에게 7일의 말미를 주고 보고서를 타이핑하라고 하면 언제 그 일을 마칠까? 학기말 보고서를 쓸 시간이 2개월이라면 학생들은 언제 원고를 제출(제출은 그만두고라도 언제 쓰기 시작)할까?

심지어 미국 의회 같이 교육을 잘 받은 책임감 있는 기관에서도 대부분의 법안은 폐회 직전에 통과된다.

그러므로 어떤 협상에서도 가장 중요한 양보행위나 해결 움직임은 바로 마감 직전에 이루어진다. 상황이 이렇다면, 나는 당신의 마감시간을 알고 당신은 나의 마감시간을 모른다면 누가 우선권을 쥐겠는가? 당신은 시간 엄수에 철두철미하고 나는 시간 엄수에 융통성이 있

다면 누가 유리한가? 답은 뻔하다. 왜냐하면 당신이 마감시간이라고
생각하고 있는 시점으로 우리의 협상이 진행되어 나갈수록 당신이
받는 압박감은 높아질 것이고, 당신은 자연스럽게 양보를 하게 될 것
이기 때문이다.

비록 나의 마감시간이 당신의 마감시간 바로 직후일지라도 나는
초조해 하는 당신의 모습을 지켜보면서 어느 것도 양보하지 않고 버
틸 것이다. 다음의 예는 내가 이 개념을 얼마나 뼈저리게 인식하게
되었는가를 알려준다.

30년 전 나는 어느 다국적 회사에 근무하고 있었다. 나는 회사의
중요한 부서 경영팀의 일원이었는데, 내 상관들은 "이보게 코헨, 커
피 한 잔 부탁하네"라는 말을 거리낌없이 했다. 로드니 데인저필드의
말대로 나는 전혀 회사 내에서 대접을 받지 못하는 신세였다.

고참들에게 커피를 날라다 주면서 나는 신비한 이야기를 잔뜩 가
지고 해외에서 돌아온 선배들을 보곤 했다. 가끔씩 나는 일하기 전
아침식사 시간에 그들을 만나 이렇게 묻곤 했다.

"거기 가선 뭘 했어요?"

한 사람은, "음, 방금 싱가폴에서 돌아왔는데, 9백만 달러짜리 큰
거 한 마리 낚았지 뭐!"라고 말했다.

다른 사람에게 물으면 "응, 나는 아부다비에 갔었어!"라고 대답하
는 식이었다.

나는 아부다비가 어디에 붙어 있는지도 몰랐다. 그들은 나에게도
"자네는 어디 갔었나?"라고 묻곤 했다.

나에게 무슨 할 말이 있겠는가? "저요? 그러니까, 동물원… 수족

관에 갔었는데, 나는 식물원이 보고 싶었는데…" 어쩌구 저쩌구 흐지부지 말을 흘리고 마는 식이었다. 내게는 아무런 이야깃거리가 없었다. 흔히 젊은이들에게는 '자랑거리'가 필요했기 때문에 나는 매주 금요일마다 상사의 사무실을 찾아가 그에게 간곡하게 부탁했다.

"좋은 일이 있으면 저에게도 맡겨보세요. 저를 그쪽으로 보내서 협상을 할 수 있게 해달라구요."

내가 그를 너무나 귀찮게 하자 마침내 그는 투덜대듯 말했다.

"좋아, 코헨. 자네를 도쿄로 보내서 일본인들과 상대하게 해주겠네."

나는 너무나 기쁨에 들떠서 속으로 이렇게 생각했다.

'이제 기회가 왔어. 행운의 여신이 내게 미소를 보낸 거야. 그 일본놈들 코를 납작하게 해주고 나서, 천천히 다른 곳도 행차해 보는 거야.'

일주일 후 14일간의 협상을 하기 위해 나는 도쿄행 비행기에 몸을 실었다. 물론 나는 일본인의 심리와 정신구조에 관한 온갖 책들을 가지고 갔다. '자, 진짜로 한 번 잘해보는 거야!'라는 말을 수도 없이 되뇌었다.

비행기가 도쿄에 도착했을 때 나는 비행기의 트랩을 제일 먼저 걸어나왔다. 좀이 쑤셨기 때문이다. 트랩 아래에서는 두 일본인이 공손히 절하며 나를 접대했다.

두 사람은 세관을 통과하는 것을 도와주고 커다란 리무진이 있는 곳까지 나를 안내했다. 나는 리무진 뒷좌석의 푹신한 자리에 편안히 기대 앉았다. 그들은 뻣뻣하게 접개의자에 앉아 있었다. 나는 친절한 마음으로 함께 앉자고 말했다.

"두 분께서도 나와 함께 앉으시죠. 자리는 충분합니다."

"아, 아닙니다. 당신은 귀한 손님이십니다. 또 휴식이 필요하기도 하실 거구요."

역시 기분이 좋았다. 리무진이 움직이기 시작하자 주최측의 한 사람이 물었다.

"그런데, 말은 할 줄 아시죠?"

"일본말 말씀입니까?"

"그렇습니다. 우리들은 일본에서는 일본말만 씁니다."

"글쎄요, 아뇨 모릅니다. 하지만 몇 가지 표현을 배울 수 있을 겁니다. 사전을 가지고 왔거든요."

그의 동료가 물었다.

"돌아갈 비행기를 타시는 데는 문제가 없으신가요?(그때까지만 해도 나는 아무런 걱정을 하고 있지 않았다) 원하신다면 저희들이 이 차로 모셔다 드리도록 조처하겠습니다."

나는 속으로 '참으로 배려가 깊은 사람들이구나' 생각했다.

그리고 주머니를 뒤져서 항공표를 꺼내 그들에게 건네주었다. 리무진이 언제 와야 할지 알려주기 위해서였다. 내가 그때 미처 깨닫지는 못했지만 그들은 그렇게 해서 나의 마감시간을 알게 되었고, 반면 나는 그들의 마감시간을 모르고 있었다.

협상이 곧바로 시작되는 대신 그들은 내게 일본인의 친절함과 문화를 경험하게 해주었다. 일주일이 넘게 나는 황궁에서 도쿄의 사원까지 그 나라를 여행했다. 심지어 그들은 나를 '선禪' 교실 영어 코스에 등록시켜 그들의 종교까지도 알게 했다.

매일 저녁 딱딱한 마룻바닥에 깔려 있는 방석에 나를 앉혀 놓고 네 시간 반 동안 그들의 전통식사와 여흥을 즐기게 했다. 그것은 끔찍한 고통이었다. 내가 협상할 뜻을 비칠 때마다 그들은 이렇게 말했다.

"아직 시간이 충분합니다. 그렇고 말고요."

결국 12일이 지난 후에야 협상을 시작할 수 있었다. 그 첫 협상도 골프를 치기 위해서 일찍 끝났다. 13일째 되던 날, 다시 협상이 시작됐다. 이번에는 환송 만찬 때문에 일찍 끝났다. 마침내 14일째 되는 날 아침, 우리는 진지하게 협상을 재개했다.

협상이 아주 중요한 대목에 이르려는 순간 나를 공항까지 데려다 줄 리무진이 도착했다. 우리는 모두 차에 타고 난 다음 거래를 마무리 하기로 했다. 차가 터미널에 도착해서 브레이크를 밟는 순간 거래는 끝이 나고 말았다.

이 협상을 두고 그후 몇 해 동안, 나의 상사들은 "진주만 공격 이후 일본인이 거둔 최초의 위대한 승리"라며 두고두고 핀잔을 주었다.

어디에서 문제가 시작되었을까?

일본의 협상 주최측은 나의 마감시간을 알고 있었고, 나는 그들의 마감시간을 몰랐다. 그들은 자연히 내가 빈손으로 귀국하지 않으리라고 믿고 협상하는 것을 미루었던 것이다. 더더욱 내가 드러낸 초조감은 귀국일자를 어길 수 없다는 나의 마음을 고스란히 그들에게 내비친 셈이 되었다. 그 비행기가 아니면 도쿄를 영원히 떠나지 못할 것처럼 말이다.

심지어 가장 노련한 협상 전문가들도 때때로 이와 유사한 계략에 말려든다. 미국이 베트남 전쟁에서 손을 떼려 했을 때의 일이다.

미국측은 월맹측을 협상 테이블로 끌어들이려고 수 개월 동안 노력했다. 여러 달 동안 미국측은 직접적인 호소와 중재인을 통한 접촉을 병행하면서 협상을 이끌어내려는 시도를 했다. 그러나 아무런 소용이 없었다.

그들은 늘 같은 반응이었다.

"우리는 지금까지 전쟁을 627년 동안이나 치러왔다. 앞으로 우리가 128년을 더 싸운다 한들 무슨 문제가 있겠는가? 사실 32년 전쟁은 우리에게는 대단히 짧은 시간이다."

미국인들에게는 도대체 믿기지 않는 일이었다. 32년이 짧다니!

월맹측의 생각이 정말로 그러했을까? 물론 아니다. 그들에게도 마감시간이 있었을까? 그렇다. 내가 도쿄에서 일본인들과 협상했을 때처럼 말이다. 그들이 적어도 그 갈등 국면을 마무리해야만 하는 압력을 받고 있었을까? 확실히 그렇다. 하지만 그들은 미국인들이 동남아시아의 밑도 끝도 없는 전쟁에 계속해서 참가할 수 없다는 것을 너무나 잘 알고 있었기 때문에 버틸 수 있었던 것이다.

수 개월의 적대관계를 거친 후 월맹측이 마침내 누그러들었다. 미국의 대통령 선거 바로 전에 파리에서 평화회담을 개최하기로 합의한 것이다. 미국은 즉시 애버럴 해리먼을 대표로 파견했고, 그는 도시 중심부에 위치한(플라스 반동이라는) 리츠 호텔에 일주일 단위로 계산을 치르기로 하고 방을 얻었다.

월맹은 어떻게 했을까? 그들은 파리 외곽에 있는 빌라 한 채를 2년

반 동안의 대여 계약을 맺고 세를 냈다. 당신이 생각하기에 이와 같은 월맹측의 시간에 대한 태도가(이후 협상 테이블에 누가 앉을 것인가를 두고 끊임없이 논쟁을 하는 와중에 혼란이 가중되었지만) 이후의 협상 결과에 어떠한 영향을 미쳤을 것 같은가? 되돌아보면 우리는 왜 파리평화협정이 성공적으로 해결하지 못했는가(미국측에는 적어도 만족스럽지 않는)를 이해할 수 있을 것이다.

겉으로 드러난 '무슨 상관이냐'는 식의 시간에 대한 그들의 태도와는 딴판으로 월맹측도 절박한 시간제약을 받고 있었다.

"모든 상대편은 항상 시간 제약을 받고 있게 마련이다"라는 말을 하나의 신조로써 마음에 새겨둬라.

그들에게 협상해야 할 만한 압력이 없다면 당신으로서도 그것을 발견할 수 없다. 하지만 반복해서 상대편이 무관심한 척 하려고 애쓴다면 바로 그 무관심한 태도 자체가 시간제약이 있음을 효과적으로 나타내는 것이다.

이렇게 되는 것은 당신이 자신의 시간제약에서 오는 압력을 느끼고 있기 때문이다. 또한 그러한 시간제약은 언제나 상대편보다 본인에게 더 많은 것으로 보이게 마련이다. 이것은 모든 협상에 대해서도 마찬가지다.

간혹 당신에게 와서 인사말을 하듯 "저, 손님 결정하셨어요?"라고 말을 건네던 시어즈 백화점의 냉장고 판매원을 기억하는가? 침착해 보이는 그의 표정 이면에는 바로 그날 아침에 주인에게서 "자네 오늘 냉장고를 한 대도 팔지 못하면 내일 당장 사표를 쓸 줄 알아!"라는 말을 들어야 했던 근심 가득한 한 인간의 모습이 감춰져 있었는지도 모른다.

여기서 당신이 신조처럼 새겨두면 좋을 또 한 가지 사항이 있다. 마감시간이라는 것(상대편 모두)은 자신이 생각하는 것보다 훨씬 신축성이 있다는 것이다. 누가 마감시간을 정해주었는가? 누가 그것을 강요하는가?

근본적으로 자기 자신이 그 규칙이나 시간 사용을 만들어 적용시킨 것이다. 마감시간 내에 모든 것을 끝내야 한다는 강박관념은 자신의 상사, 고객, 가족 그리고 정부 등도 어느 정도 관계가 있을 수도 있다. 하지만 무엇보다도 꼭 지켜야 한다고 생각하고 있는 그 마감시간은 자신이 정한 것이다.

사정이 이렇다면 맹목적으로 그 마감시간을 지킬 필요는 없다. 마감시간을 무시해도 된다는 뜻은 아니다. 그것을 분석해야 한다는 것을 말하고 있다. 이 마감시간이라는 것도 불가피한 협상의 결과이므로 그 자체가 협상의 대상이 될 수 있다.

항상 당신 자신에게 이렇게 질문하라.

"내가 마감시간을 넘기면 어떻게 될까? 불이익이나 범칙금을 내게 될 확률은 어느 정도인가? 처벌의 정도는 어디까지인가? 간단히 말해, 내가 지금 얼마만큼의 위험을 감수하고 있는가" 등이다.

우리들 모두는 미국의 소득세 신고기한이 4월 15일까지라는 것을 알고 있다. 신고가 늦어지면 어떤 일이 일어나는가? 누가 당신 집 문을 폭탄으로 부수고 들어와 철창에 집어넣으려고 끌고 가기라도 하는가? 아니다.

마감기일을 잘 분석해 보면 당신이 취할 행동의 기준은 아마도 "당신이 정부당국에 빚을 졌는가, 아니면 정부가 당신에게 빚을 졌는가"
하는 문제가 된다. 당신이 신고를 상당히 늦게 한 채무자라면 국세청
은 당신에게 유죄선고를 내릴 것이고, 빚진 돈에 대한 이자와 벌금을
부과할 것이다. 하지만 정부가 당신으로 하여금 그들의 돈을 쓰게 하
는 대가로 얻게 되는 세율과 같은 금액의 돈에 대해서 민간은행이 부
과하는 세율과 비교해 본다면, 정부의 계약조건이 은행보다 낮다는
것을 알게 될 것이다.

참으로 중요하게 고려되어야 할 문제는 다음과 같은 것이다.

"당신이 과연 누구와 사업에 대해서 얘기하기를 원하는가? 높은
이자율의 은행인가 아니면 적당한 이자율의 정부인가?"

나의 생각은 정부 직원과 함께 손잡고 일하라는 것이다.

정부가 당신에게 빚을 지고 있는 상태에서 당신이 소득신고를 늦
게 했다면 무슨 일이 일어날까? 상환을 비록 좀더 오래 기다려야 하
기는 하겠지만 그에 따른 처벌은 없다. 말이 나왔으니 말이지 국세청
입장에서는 당신이 그들에게 이자를 부과하지 않는 것도 다행스러운
일이 아니겠는가?

하지만 자신에게 상환채가 오리라는 것을 알고 있는 사람들은 4월
15일 0시 이전에 우체국 소인을 찍으려고 자신을 들볶게 된다. 그 중
몇 사람은 시간이 다 돼서 다급하게 일을 처리하느라고 계산도 엉터
리로 하게 되고 결국 돈 들고 시간 드는 회계감사를 받아야 하는 신
세가 되고 만다.

자기 자신에게 "정부가 나에게 빚을 지고 있는 마당에 내가 서두를
이유가 뭐야?"라고 자문한 다음 스스로에게 이렇게 인식시켜라.

"소득세 신고는 천천히 하고, 숫자 계산이나 한 번 더 해봐야지. 그리고 그걸 우체통에 넣기만 하면 돼."

지금까지 보아왔던 것처럼, 우리가 시간을 이용하는 방식은 성공에 필수적인 요인이 될 수가 있다. 심지어 시간은 인간관계에도 영향을 미칠 수 있다. 약속 시간보다 늦게 도착하는 것은 자신감이나 적대감의 표시일 수 있고, 일찍 도착한 것은 불안이나 상대에 대한 배려로 보일 수도 있다. 시간은 이처럼 상황에 따라 어느 한 편에 유리하게 작용할 수 있다.

협상의 분위기에 영향을 미칠 수 있는 앞의 설명을 무시하더라도, 이미 말했던 것 중 몇 가지를 다시 반복하면 다음과 같다.

1. 인내를 가져라. 양보행위나 문제의 해결은 협상 종료시간 가까이나 혹은 그 시간이 지나서 일어날 것이기 때문이다. 진정한 힘은 그 시간을 기다리며 놀라거나 다투지 않고 견지해 가는 능력에 있다. 당신의 자율방어 본능을 일관성 있게 통제할 수 있도록 하는 방법을 익혀라. 침착하게 행동할 적기를 파악하라. 일반적으로 인내함으로써 이득을 얻게 된다. 무엇을 해야 할지 모를 때, 당신이 할 수 있는 유일한 일은 아무 것도 하지 않는 것이다.

2. 적대관계에 있는 사람끼리의 협상에서 당신이 할 수 있는 최선의 전략은 마감시간을 상대에게 드러내지 않는 것이다. 마감시간 또한 협상의 산물이므로 보통 사람들이 생각하는 것보다 훨씬 더 신축성이 있다. 결코 맹목적으로 마감시간을 지키려고 하지 말라. 당신이 마감시간에 이르러 가거나, 넘어서거나, 혹은 그 시점에 이르렀을 그 순간에 따르게 마련인 득과 실을

잘 평가해 보라.

3. 상대측이 냉정하고 평온해 보일지라도 그들에게도 마감시간은 정해져 있다. 그들이 겉으로 내비치는 평온함은 대개 긴장감과 압박감에서 나오는 것들이 대부분이다.

4. 다급한 행동은 이익이 확실히 보장되어 있을 때에만 취해야 한다. 일반적으로 말해서 쉽고 빠르게 최선의 결과를 얻을 수는 없다. 오로지 천천히 그리고 참을성있게 행동할 때만 원하던 결과를 얻어낼 수 있다. 많은 경우 마감시간이 다가옴에 따라 아주 발전적인 해결책을 제시하거나 심지어는 상대편에 의해 협상의 진행 방향을 급선회 시킬 수 있는 힘의 변동이 일어난다.

다음 장에서는 정보에 대해서 알아보자.

Chapter 6

정보

정보는 아주 중요한 사항이다. 정보는 성공이라는 창고로 들어가는 문을 여는 열쇠이다. 이것은 현실에 대한 평가와 우리들이 내리는 결정에 영향을 준다.

그렇다면, 왜 우리들은 적절한 정보를 얻어내는 데 실패할까? 그것은 협상을 하기 위해 사람을 만나는 일 자체를 한정된 범위에만 영향을 미치는 해프닝이나, 나와는 동떨어진 별개의 작은 사건으로 치부해버리는 경향이 있기 때문이다. 우리들은(갖가지 기능 장애를 초래하는) 어떤 중요한 국면이나 핵심적인 사건에 직면하고 나서야 정보가 필요하다는 생각을 한다.

위급한 상황이나 압박해오는 마감시간에 이르러서야 드디어 협상을 시작했다는 실감을 하게 된다. 아무런 준비도 없는 상태에서 갑작스레 상사의 사무실로 불려가거나, 자동차 판매대리점에 들어가고, 시어즈 백화점에 있는 냉장고 판매원과 인사를 나누게 된다. 따라서 이런 상황에서 정보를 얻는다는 것은 매우 어려운 일이다.

우리는 시간의 중요성에 대해 이야기를 하면서 협상의 마지막 고비가 대부분의 사람들이 알고 있는 것보다 얼마나 유동적인가를 알수 있었다. 이와 마찬가지로 협상의 실질적 출발점 또한 주 단위 혹은 월 단위로 우리에게 전개되는 해프닝이 아니라는 것을 알았다. 이책을 읽어감에 따라 아직 일어나지 않은(그러나 조만간에 일어날 수도 있는) 여러 가지 협상의 '진행단계'를 보아왔다.

그러므로 하나의 협상(혹은 어떤 의미있는 상호작용)은 하나의 과정이지 사건이 아니다. 비유적으로 말하면, 하나의 협상은 명확하게 규정된 시간 구분이 없는 행위예술 감상이거나 정신질환 증세 같은 것이다.

예를 들어 한 정신과 의사가 6월 6일 금요일 오후 4시에 어느 환자가 정신질환을 앓고 있다는 진단을 했다면, 그 환자가 정확히 그 순간에 병을 갖게 되었다는 말일까? 그 환자가 3시 59분까지는 아무런 문제가 없이 정상적이었다가 60초 후에 갑자기 뒤죽박죽이 되었다는 말일까?

아니다. 그 환자는 진단이 내려지기 오래 전부터 증세를 키워왔다. 정신질환은 아주 오랜 기간에 걸쳐서 생겨나는 하나의 과정이다.

실제로 협상이 진행되고 있는 동안 어느 한편, 혹은 양쪽 모두가 그들의 진정한 관심사항과 필요, 그리고 우위점 등에 대해서 숨기는 것이 일반적인 전략이다. 그 이유는 정보는 곧 힘(특히 상대편을 완전히 믿을 수 없는 상황에서는 더욱)이기 때문이다.

옛날 말馬 장수들은 사고 싶은 말이 있을 때 진짜로 사고 싶은 말은 절대로 먼저 밝히지 않았다고 한다. 그 이유는 만일 그렇게 하면 값이 올라갈 것이 뻔하기 때문이다.

　말할 것도 없이 상대편이 진정으로 원하는 것이 무엇이고, 그들의 제약이나 약점이 무엇이며, 마감시효는 언제인지를 안다면 커다란 도움이 된다. 적대관계에서 일이 진행되는 동안 노련한 협상 전문가로부터 이런 새로운 정보들을 얻어낸다는 일은 매우 어려운 일이다.

　이런 정보를 어떻게 하면 얻어낼 수 있을까? 가급적 준비를 일찍 시작하는 것이 좋다. 빨리 시작할수록 정보를 얻어내기가 더욱 용이해지기 때문이다.

　당신은 인정된, 공식적인 만남에 앞서 많은 정보를 얻어내야 한다. 비유적으로 말해서 카메라 앞에 서기 전에는 스스럼없이 경계를 늦추고 속내를 털어놓기 때문이다. 일단 카메라가 작동하기 시작하면 그들의 태도는 방어적으로 변한다. 그들은 이렇게 말한다.

　"이것보세요. 이제 저는 아무 것도 말씀드릴 수가 없습니다. 지금은 협상을 하는 시간이니까요!"

　협상이 있기 전에 정보를 수집하는 동안 당신은 은밀하게 지속적으로 탐색해야 한다. 당신은 거드름을 피우는 신문관이 아니라 초라한 사람(주근깨나 여드름이 깨알같이 박혀 있는 보통사람)처럼 보여야 한다.

　어떤 사람은 위압적이고 단점이 없어 보일수록 상대방이 더 많은 얘기를 해줄 것이라고 생각한다. 그러나 실제는 그와 반대이다. 혼란스러워 보이고 무방비 상태에 있는 것처럼 보일수록 그들은 더욱 쉽게 당신에게 정보를 제공하고 충고도 해준다. 그러니까, 앞에서 말한 은행에 돈을 빌리러 갈 때 입었던 옷은 벗어버리고, 치장할 생각은 아예 하지 말라. 여드름이 한 두 개쯤 나 있는 것도 흠이 되지 않는다.

이런 식으로 접근할 때, 말하는 것보다 더 많은 것을 쉽게 듣게 된다는 것을 알게 될 것이다. 그리고 답을 해주기보다는 질문을 더 많이 해야 한다. 실제로 답을 뻔히 알고 있더라도 질문을 해야 한다. 그렇게 함으로써 상대편이 하는 말의 신뢰도를 시험해 볼 수 있게 된다.

그렇다면 누구한테서 정보를 수집할 수 있는가?

협상하면서 만나게 될 사람과 함께 일하거나 그를 위해서 일하는 사람, 아니면 과거에 그와 거래가 있었던 사람이면 누구에게서도 정보를 수집할 수 있다. 비서나 점원, 기술공, 수위, 부부, 전문가, 아니면 과거의 고객까지도 포함된다. 당신이 위협적인 접근방식만 쓰지 않는다면 그들은 기꺼이 당신의 말에 응해줄 것이다.

다년간에 걸친 협상 경험에서 사람들은 내게 알아두면 이로운 것들을 많이 들려주었다.

어느 해 여름, 나는 세일즈를 한 적이 있는데, 사적인 자리에서 한 공장장이 내게 이런 말을 한 적이 있었다.

"당신 제품만이 우리 회사의 시험을 통과하고, 우리가 요구한 사양에 들어맞는 유일한 것이었소. 그런데, 코헨 씨! 다음 달치의 협상은 언제쯤 마무리하는 게 좋겠습니까? 재고가 거의 바닥나고 없거든요!"

나는 이 정보를 모두 기억해 두었다가 구매담당자와 실제로 얼굴을 맞대고 협상을 할 때, 유용하게 써먹었다.

현실적으로 상대팀을 알고 있는 사람과 직접적인 접촉을 한다는 것이 늘 가능한 일은 아니다. 이럴 때는 전화를 이용한다거나, 전에 그들과 협상을 했던 사람들과 얘기를 나누는 등, 제 3자를 이용하면 좋다. 사람은 누구나 다 나름대로 가치를 가지고 있기 때문에 다른 사람의 경험을 타산지석으로 삼아 배울 수 있다.

또 하나의 정보원은 가격에 대해서 귀띔을 해줄 수 있는 상대편의 경쟁자이다. 만일 구매자로서 판매자의 가격만 알아낼 수 있다면 당신은 거래상 막강한 우위를 차지할 수 있게 된다. 이 정보를 얻어내는 것 또한 그렇게 어려운 일이 아니다. 왜냐하면 많은 출판물(사설 출판물에서부터 예를 들어, 자동차 도로 안내서, 정부발행 공보물 등)이 원하는 모든 자료를 충분히 제공하고 있기 때문이다.

협상에 관련해서 당신이 진정 알아야 하는 것은 상대측의 진정한 한계, 즉 그 단계를 넘어서면 더 이상 대화를 하지 않을 단계를 알아내는 것임을 기억하라. 상대의 재정상태, 우선권, 마감시효, 비용, 그들이 진정 원하는 것, 그리고 조직상의 압력 등에 대해서 더 많은 정보를 가지고 있을수록 그것을 얻기가 더 용이하다.

대부분의 경우, 겸손을 떨면서 "도와주세요"라고 간청하고 다니는 것보다 정보를 모으는 것이 더 낫다. 일반적으로 당신은 다음의 세 가지 이유 때문에 아주 선택적인 정보만을 차근차근 주어야 한다.

1. 성서에도 주는 것이 받는 것보다 더 복 받을 일이라고 적혀 있다.
2. 눈치가 빠른 사람들은 당신과 어떤 상응할 만한 진지한 대화를 하려 하지 않는다. 그들은 당신과 어떤 상응할 만한 정보를 공유하기 전까지는 정보

를 나눠주지 않을 것이다. 어떤 사람을 한 단계에서 다음 단계로 넘어가서 얘기하도록 설득하려면, 대화의 밝혀진 내용 정도가 외견상으로 보아 당신도 다른 단계의 정보를 주는 수준까지 나가야 한다. 이것이 바로 주도면밀한 상호 신뢰의 쌍방 통행로를 만들게 하는 상호간의 위험감수 행위이다.

3. '진행단계'에서 조심스러운 말로 취사 선택된 정보를 제공할 때 당신은 당신이 제공하는 정보에 대해 상대편이 이질감을 느끼지 않도록 해야 한다.

이 세 번째 사항은 특히 중요하다. 이것을 지키지 않는다면 당신이 새로운 주제를 느닷없이 꺼냈을 때, 상대편의 반응은 "그렇긴 해도… 저는 그런 얘기를 들어보지 못했습니다"일 것이기 때문이다.

만일 그 갑작스러운 발언을 대화의 막바지에서 하게 된다면, 당신은 지금까지 해온 협상을 난관에 빠뜨리게 될 가능성이 많다. 하지만 똑같은 새로운 개념을 '진행단계'의 초반부에 일찌감치 거론한 다음, 아주 솜씨있게 배려된 간격을 두고, 몇 차례 더 얘기를 덧붙여 간다면, 그 개념은 상대편에게 익숙해지게 된다. 이렇게 했을 때 이런 문제가 협상 도중에 발생했다 하더라도, 상대편의 반응은 "아 그거요, 그런 얘기가 얼마 동안 나돌기는 했었죠"라고 할 것이다.

본질적으로 어떤 새로운 개념에 익숙해지는 데는 얼마간의 시간이 걸리게 마련이다. 이제 이 개념에 익숙해졌으므로 이것은 받아들일 만한 것이 된다.

그러니까 협상 이전에 새로운 요구에 대해 처음에 거절을 당하더라도 놀라지 말라. "안 돼요"라는 말은 단지 그 상황에서의 반응일 뿐, 그 사람의 입장은 아니다. 당신의 제안에 부정적으로 반응했던 사람들도 그것을 평가해 보고 생각을 정리하기 위한 시간이 필요하다. 충분한 시간이 흐르고, 또 당신이 지속적인 노력을 기울인다면 거의 모든 '안 됩니다'라는 대답은 '글쎄요'에서 '좋습니다'로 바뀌게 마련이다.

만약 당신이 수용하는 데 필요한 충분한 시간을 주고 그들이 '안 됩니다'라는 생각을 했을 때, 듣지 못했던 새로운 정보를 제공할 수만 있다면 당신은 그들을 승복시킬 수 있다.

이것을 보여주는 한 예는 리처드 닉슨 대통령 탄핵에 대한 미국 국민들의 일차적인 반응이었다. 처음 이 여론이 부각되기 시작했을 때, 선거구민을 대표한다고 할 수 있는 1,600명에 대한 표본조사가 있었다. 그 결과 92퍼센트가 반대한다는 것이었다. 그들이 반대한 이유는 "난생 처음 들어본 소리다", "이렇게 되면 대통령의 위상이 약화된다", "후대에 나쁜 선례로 작용할 것이다" 등이었다.

3개월 후, 똑같은 사람들을 대상으로 다시 한 번 투표가 행해졌을 때, 그 안에 반대한 사람의 비율은 80퍼센트로 떨어져 있었다. 몇 달이 지났을 때에는 68퍼센트만이 탄핵을 반대한다는 결과가 나왔다. 그리고 시작한 지 채 일 년이 안 돼서 행해진 최종 인터뷰에서는 60퍼센트가 대통령의 탄핵을 찬성하게 되었다.

어떻게 이들 모두가 마음을 바꾸게 되었을까? 여기에는 두 가지 명백한 이유가 있다.

1. 계속해서 추가로 정보를 제공받았다.
2. 처음에는 생소했던 그 상황에서 점차 익숙해지게 되었다.

변화나 새로운 생각은 조금씩 조금씩 천천히 소개될 때에만 받아들여질 수 있다는 것을 명심하라. 어떤 사람의 관점이나 생각, 지각, 인식, 그리고 바람을 변화시키려고 할 때는 반드시 이 점을 기억하라. 대부분의 사람들은 일상의 틀 안에 머무는 것이 쉽고 더 편하기 때문이다. 일상의 습관의 차이가 정도의 문제 이상이 아니라는 사실은 그들에게는 아무런 문제도 일으키지 않는다.

오직 인내를 통해서만 당신은 그들을 변화시킬 수 있고, 당신의 목표에 다가갈 수 있다.

마침내 협상을 하게 되면, 효율적으로 경청하는 기술을 발휘하도록 자신을 훈련시켜야 한다(내 절친한 친구인 래리 킹도 이런 훈련의 중요성을 간파한 적이 있다).

현재 진행중에 있는 일에 관심을 집중시키면 상대편의 느낌과 동기, 그리고 진정으로 필요한 것이 무엇인가에 대해 많은 것을 알 수 있게 된다.

여기서 말하는 주의깊은 경청과 관찰이라는 것은 상대편이 말하는 것을 그저 듣는 것뿐 아니라 대화의 표면에서는 생략된 채 넘어가 버리는 것들까지 이해하는 것을 말한다. 대부분의 사람들은 공공연하게 거짓말하는 것을 꺼리지만, 그와는 반대로 말을 꾸며내고 말을 돌리거나 회피하는 것을 주저하지 않는 사람도 있다. 당신이 전반적인 얘기를 듣게 된다면, 그것은 바로 지금까지 실제로 얘기된 것들을 명확하게 해두기 위해 상세한 질문을 시작하라는 암시다.

최근 몇 년간 여러 가지 암시에 대해서 연구하고 해석하는 것이 인기를 모았다. 암시란 그 뜻이 애매해서 해석이 필요하게 되는, 간접적으로 보내진 메시지를 말한다. 근본적으로 메시지는 세 가지 범주를 포함한다.

1. **무심결에 내비치는 암시** : 행동이나 말은 무의식중에 메시지를 전하게 된다(프로이트가 말한 꿈에서의 무의식 노출이 그 한 예이다).
2. **언어적인 암시** : 말의 억양이나 강세가 실제로 발음된 단어들의 뜻과 모순되는 것 같은 메시지를 보낸다.
3. **행동에 의한 암시** : 동작이나 얼굴 표정, 눈맞춤, 손짓, 회담석상에 앉아 있는 위치, 누가 누구의 옆구리를 찔러서 주의를 끌고, 누가 누구의 어깨를 두드리는가(우리 문화에서 대개 두드리는 사람이 더 힘을 갖고 있다) 등, 보디 랭귀지에 의해서 나타나는 메시지이다.

행동에 의한 암시나 비언어적인 느낌이라는 것이 무슨 말인지를 보충설명하기 위해서 이런 장면을 설정해 보자.

한 남편이 사업상 출장을 가서 오랫동안 집을 비웠다. 그는 여행 중에 매우 금욕적인 생활을 했고, 마음속에는 가정에 대한 그리움이 깊다. 옷 가방을 손에 들고 집으로 향해 가다보니 웬일인지 자기의 집 조명이 은은한 분위기를 띠고 있음을 발견한다. 그리고 그가 집에 가까이 다가가자 집안에서는 감미로운 음악소리가 흘러나온다. 그는 문득 불길한 생각이 들어서 걸음을 빨리 한다. 그리고 투명한 가운을 입고 양손에 마티니 한 잔씩을 들고 문 앞에 서 있는 아내인 듯한 여인을 보게 된다. 그가 미심쩍은 생각을 하며, 묻는다.

"아이들은 어디 갔소?"

그녀가 대답한다.

"애들은 몇 시간 동안 집에 돌아오지 않을 거예요."

자, 이제 당신에게 묻겠다. 이것이 무엇에 대한 암시일까? 어떤 사람은 집을 잘못 찾아들었다는 암시라고 이해할지도 모르겠다.

중요한 것은 우리 모두 이렇게 비언어적으로 신호가 전달되고, 받아들여지는 세상에서 살고 있다는 것이다. 어떤 아내가 남편에게 "여보, 밤에 해야될 일이 있으니까 다른 계획은 취소하세요"라는 메모를 남길까.

어렸을 때부터 우리는 말이 아니라도 우리의 필요와 좋고 싫은 것들을 상대방에게 전하는 법을 배웠다. 이러한 능력은 여전히 우리에게 남아 있고, 이따금씩 치켜 올라간 눈썹이나 미소, 접촉, 찡그림, 윙크, 대화 도중에 시선을 맞추지 않으려는 태도 등의 형태로 나타난다. 이러한 것들은 모두가 행동에 의한 암시 혹은 일종의 보디 랭귀지에 속한다.

최근에는 이에 관련된 저작물의 출간이 증가하고 이 주제에 대한 강의가 늘어나는 것이 증거하듯 사람들은 비언어적인 메시지를 보내고 해석하는(행동에 의한 암시를 읽는) 기술에 매료 당하게 되었다. 정부 당국은 여기에(타인과 타인과의 사이에서 필요로 하는 공간 및 공간과 환경이나 문화의 관계를 연구하는) '근접학'이라는 명칭을 붙여줌으로써, 이 분야의 학문에 합법성을 부여했다. 협상에서 보여주는 이러한 말없는 언어의 가치를 본다면 이는 결정적인 한계를 갖고 있다.

대부분의 보디 랭귀지에 대한 해석은 명백하다. 그럼에도 불구하고 어떤 특별한 몸짓을 보고 정황을 무시한 채 어떤 보편적인 의미를 부여하는 것은 잘못된 것일 수도 있다.

비교적 해석이 명료한 상황 하나를 보자.

이른 아침에 예기치 않던 일이 일어나 회사에 늦게 출근하게 되었다. 숨을 헐떡거리면서 사무실에 도착해 보니 상사가 당신의 자리에 앉아 있다. 자리로 가까이 가는 동안 그는 깍지 낀 손을 머리 뒤로 돌려 베개를 벤 것처럼 하고 의자 등에 머리를 기댄다. 눈을 벽에 걸린 시계쪽에 고정시킨 채 그는 심드렁하게 말한다.

"지금 몇신 줄 알아?"

상사가 시간을 몰라서 묻는 것이 아님을 뻔히 아는 일이다. 당신은 이 상황에서 일이 어떻게 되어 가고 있는지를 알기 위해 애쓰지 않아도 된다.

모든 보디 랭귀지의 의미를 부여하고 분석해 내는 과정은 다음의 몇 가지 예 정도면 충분하다.

당신이 내게 어떤 서비스를 제공하거나 물건을 팔려고 할 때 얘기가 마악 본론으로 들어가려는 순간, 내가 엄지와 검지로 턱을 톡톡 두드리기 시작하는 장면을 생각해 보라. 그게 무얼 의미하는 것일까? 내가 물건을 사려는 것인가, 안 사기로 결정했다는 말일까? 나는 이런 동작이 무슨 의미를 갖고 있는지에 대해 어느 누구도 뾰족한 생각을 갖고 있으리라고는 생각하지 않는다. 프로이트도 그게 무슨 뜻인지 몰랐을 것이다.

이것은 내 얼굴에 여드름이 났다거나, 면도를 하다 베었다거나, 케리 그랜트처럼 흉터를 만들려고 한다거나, 이중턱을 감추려 한다거나 아니면 나도 모르는 신경질적인 습관을 가지고 있다는 것 등 여러 가지 것이 나타날 수도 있다.

위의 예는 비록 하나의 암시를 독자적인 것으로 해석하려는 노력은 쓸모 없는 행위라는 것을 말하고는 있지만, 사실 진정으로 전달되고 있는 것에 대한 민감한 감응력은 중요한 것이다.

어떤 사람들은 비언어적인 느낌을 알아채는 일에 편집증적인 증세를 보이지만 더 많은 사람들은 전적으로 사실에 충실하려고 한다. 이들은 오직 그들이 보고 들을 수 있는 것만 믿는 시청각 의존형이다. 이런 사람들은 거의 틀림없이 "우선 써놓고 보죠", "이 부분은 책을 참고하도록 합시다" 그리고 결국은 "내가 왜 이것을 아직도 모르고 있었지?"라는 식으로 밖에 말하지 못한다. 이런 식으로 자구字句에 구애받는 사람들이 '벽에 써 붙인 글'을 본다 치면 메시지가 무엇인지는 제쳐두고 이게 과연 누구의 필체인지를 면밀하게 조사하려 든다.

멩켄의 말을 빌리자면 이들 '직역주의자'들은 장미가 양배추보다 향기가 좋다는 사실을 관찰하고 나면, 차라리 장미 수프를 만들면 더 좋을 것이라고 결론을 내릴 부류들이다.

협상을 해야 하는 사람이라면 어떤 의사소통에서도 비언어적인 요소들에 민감해야 한다. 성 바오로조차도 이렇게 충고했다.

"법문의 자의字意는 사람을 죽이지만 그 정신은 생명을 준다."

그러므로 협상을 진행하는 중에는 한 발자국 물러서서 제 3의 귀로 듣고 제 3의 눈으로 볼 수 있도록 노력해야 한다. 이런 초연함만이 말을 그 자체로 적합한 비언어적 맥락에서 듣고 그 양상을 볼 수 있게 해준다. 협상에서의 암시는 그것이 전체의 일부라면 의미를 갖게 되는 것이고, 협상이 나아가고 있는 방향을 제시해 준다.

그것이 어떤 양상의 한 부분으로 보였을 때, 암시가 갖는 중요성을 보여주기 위한 적절한 예를 들어보겠다.

당신이 상사에게 좋은 아이디어를 제안했다. 설명을 시작하는데, 상사는 창 밖에 있는 공중전화 부스를 쳐다보고 있다. 이 암시는 그 자체만으로는 턱을 문지르는 버릇처럼 아무런 의미가 없을 수도 있다. 당신은 설명을 계속한다.

상사는 이제 의자에서 몸을 젖히고 손가락으로 삼각형을 만들어서 그 사이로 당신을 바라본다. 이것은 또 하나의 암시이다.

하지만 첫 번째 암시와 관련지어 보면 이것은 다른 의미를 갖게 될 수 있다. 그래도 당신은 계속해서 설명을 한다. 상사가 왼쪽 집게손가락으로 책상을 두드리기 시작한다. 이것 또한 하나의 암시는 앞의 두 번의 암시와 합쳐서 하나의 양상, 즉 유형을 만들어 간다. 손가락으로 책상을 두드리는 것이 무엇을 뜻하는 걸까?

"계속 잘해 보게. 아주 훌륭해!"라는 뜻일까?

그럴 리가 없다. 예의 그 직역주의자들은 아마도, "어라? 이 양반이 언제 라틴아메리카식 리듬을 배웠지?"라고 생각할 것이다.

이제 상사는 일어서서 당신의 어깨를 감싸고 문 쪽으로 데려간다. 이것도 여전히 하나의 암시이다. 만일 당신이 조금만 더 지각이 있다면, 이런 암시의 양상은 명확하게 보일 것이다(직역주의자는 "왜 이러시는 거지? 웬 친절? 지금 이 양반이 무슨 꿍꿍이 속이 있어서 이러지? 여태 가족이 있는 걸로 알고 있었는데?" 하는 식으로 의문을 가질 것이다). 나는 당신이 이런 사람이 아니길 바란다.

당신은 이제 문에 서있다. 하지만 내가 주지시키고자 하는 것은 암시를 읽어내는 일의 커다란 이점은, 한 연속된 사건으로 보았을 때 당신이 어떻게 목표를 향해서 전진해 가야 하는가에 대해서 지속적으로 피드백을 해준다는 점이다. 만일 그렇게 해서 인지하게 된 어떤 양상이 당신의 마음에 들지 않더라도(당신이 문으로 가는 일이 일어나기 전에) 필요한 조절을 하기 위한 완충시간을 벌 수 있게 해주기도 한다.

협상의 실제 상황에서 이 모든 것들을 어떻게 적용할 수 있을까? 어떠한 협상자라 해도 상대방에게서 얻고 싶어하는 핵심적인 정보는 진정한 마감시효나 거래를 성사시키기 위해서 그들이 얼마만큼의 희생을 감수할 것인가이다. 바꾸어 말하면 그 판매자가 제시할 가장 낮은 가격은 얼마일까, 혹은 구매자가 지불할 가능성이 있는 상한가는 얼마일까 등이다. 가끔 이러한 일은 상대편의 양보가 진척되어가는 양상을 유심히 관찰함으로써 알아낼 수 있다.

방금 시장에 선보인 새로운 첨단장비를 갖춘 고가의 스테레오 세트를 사기 위해 당신과 흥정을 한다고 가정해 보자. 설명의 편의상 내가 가진 총예산을 1천 5백 달러라고 하자. 이 제품은 신형이기 때문에 가능한 많은 돈을 받아내려고 한다.

내가 처음에 1천 달러를, 다음에 1천 4백 달러를 지불하겠다고 했을 때, 당신은 내가 얼마만큼의 돈을 가지고 있다고 생각할까? 우리의 관계가 신뢰도가 낮은 적대적 관계라면 당신은 내가 실제로는 1천 6백이나 1천 8백 아니면 그 이상의 돈을 가지고 있을 거라고 생각할 것이다. 왜냐하면 1천 달러에서 1천 4백 달러 사이의 증가분이 너무

커서 당신이 보기에 아마도 내가 1천 5백 달러 이상은 가지고 있을 것 같기 때문이다. 내가 가진 돈이 오직 1천 5백 달러 뿐이라고 맹세를 하더라도, 그것이 사실이라는 것이 밝혀져도 이런 상황에서는 믿으려 하지 않는다. 이런 의심은 우리 모두가 상대편의 주장을 무시하려 한다는 점을 감안해 보면 쉽게 이해할 수 있다.

이제까지의 경험을 통해서 보면, 양보행위에 있어서 그 정도의 증감 차이는 상대편 당사자가 부여받는 권한의 진정한 한계를 재는 척도라는 것을 알게 된다.

따라서 협상의 환경이 경쟁적이라면 당신은 나를 적으로 간주하게 될 것이고, 또한 도움이 되는 결과를 얻기 위해서 나는 경쟁적으로 게임에 임할 것이다. 이런 분위기에서는 내가 가진 돈이 전부 합쳐서 1천 5백 달러라는 것을 어떻게 당신에게 알려야 하는지의 방법이 문제이다.

나는 처음에 9백 달러를 부르고 당신은 거절한다. 두 번째 부르는 가격은 1천 2백 달러이다. 그 다음에는 1천 3백 5십 달러를 부른다. 그리고 잠시 지체하다가 1천 4백 25달러까지 부른다. 마지못해 하는 표정으로 마지막 인상액은 1천 4백 33달러 62센트로 한다. 이런 식으로 해서 나는 당신에게 내가 1천 5백 달러를 갖고 있다는 것을 믿게 하는 것이 더 낫다. 왜냐하면 나는 술취한 선원처럼 행동하지 않고 증액분을 계속해서 줄여나갔기 때문이다. 값을 조금씩 불려가는 것을 '돈 보태기'라고 부른다.

하워드 코젤을 좋아하는 사람 중에 이 책을 읽은 사람이 있다면 그 사람은, "나는 게임을 좋아하지 않습니다. 왜 사실을 있는 그대로 말하면 안 되나요?"라고 말할지도 모른다. 그렇게 하는 것은 당신의 자유이다. 하지만 경쟁적인 환경에서(당신의 삶에) 도움을 주는 좋은 결과를 얻으려면 게임을 해야만 한다. 이것이 싫다면 대안은 한 가지 뿐이다. 당신이 우리 사이에 신뢰를 구축할 수 있는 방향으로 관계의 성격을 변화시키는 것이다. 당신이 성공을 거두는 정도에 따라 게임적 요소가 끼어들게 되는 폭은 최소화될 수 있다. 이 문제의 답은 단순하다. 당신은 현실을 있는 그대로 받아들여야 하며, 그 현실과 조화롭게 행동해야 한다는 것이다.

그런 의미에서 또 한 번 앞에서 했던 말을 반복해야 하겠다. 경쟁적인 환경에서 승리하고, 좋은 결과를 얻으려면 우선 당신은 그 게임을 해야만 한다.

이 이야기를 하다 보니 내가 '돈 보태기'를 하지 않았던 어떤 사람과 겪었던 일화가 생각난다.

내 이웃 중에 '프로 근성이 강한' 의사 한 사람이 있다(여기서 '프로 근성이 강한'이라는 말의 정의는 돈 벌기를 좋아하면서도 정작 돈 얘기 하는 것은 싫어한다는 뜻이다). 그 사람의 집이 폭풍우로 재해를 입었을 때, 그는 우리 집 벨을 누르고 들어와서 이렇게 말했다.

"허브, 나 좀 도와주겠나? 보험 조사원이라는 사람이 돈 문제 때문에 집에 왔는데, 자네는 이런 일을 늘 해오지 않았나. 나 대신 말 좀 잘 해줄 수 없겠나?"

"그럼, 기꺼이 해주지. 그런데 자네는 얼마나 받기를 원하나?"

"글쎄, 보험회사에서 3백 달러는 주지 않을까?"

나는 고개를 끄덕이고 나서 물었다.

"폭풍우 피해로 자네 주머니에서 나간 돈이 얼마인지 말해 주겠나?"

"3백 달러는 훨씬 넘었네. 확실해!"

"좋아, 그렇다면 3백 5십 달러를 받게 해주면 되겠나?"

"그럼, 그렇다면 더 말할 게 없지!"

내가 이렇게 확인해 둔 이유는, 결과를 놓고 나중에 이러쿵저러쿵 하는 것을 막기 위해서였다. 즉 이 일에 그를 끌어들일 목적에서였다.

30분이 지나서 보험 조사원이 우리 집 벨을 누르는 소리가 들려왔다. 내가 그를 거실로 안내하자 그는 서류가방을 열며 말했다.

"코헨 씨, 나는 당신 같은 분들이 큰 숫자를 다루는 데는 능숙하다는 것을 잘 알고 있습니다. 하지만 유감스럽게도 제가 당신에게 줄 수 있는 돈은 그리 많지 않습니다. 딱 잘라 백 달러면 어떻겠습니까?"

나는 잠시 묵묵히 앉아 있었다. 하지만 내 안색은 싹 변한 상태였다. 물론 나는 첫 번째 제안 액수가 얼마든 간에, "도대체 제 정신으로 하는 말입니까? 말이 되는 소리냐구요? 절대로 그 액수는 받아들일 수 없습니다!"와 비슷한 방식으로 대응해 줄 요량이었다. 게다가 나는 일찍이, 첫 번째 제안은 거의 언제나 두 번째나 세 번째 제안으로 이어지리라는 암시를 전제한다는 것을 알고 있었다.

그런데 여기서 그는 '딱'이라는 말을 썼다면, 이는 그렇게 보잘 것 없는 금액을 들먹이는데 대해서 자기 자신도 내심 불편해 하고 있다는 것을 의미하는 것이다. 헌데 내가 어떻게 그런 제안을 받아들일 수 있겠는가. 내가 말도 안 된다는 반응을 보이자 그 조사원은 새로운 제안을 해왔다.

"좋습니다. 아까 말은 잊어버리십시오. 죄송합니다. 그렇다면 2백 달러 정도면 어떻겠습니까?"

"조금 올라갔군요. 그렇다 해도 절대 받아들일 수 없습니다."

"그렇다면 좋습니다. 3백 달러면 되겠습니까?"

잠시 여유를 둔 뒤 나는 말했다.

"3백 달러라… 글쎄 생각을 좀 해봐야겠는데요."

그는 침을 삼키더니 이렇게 말을 했다.

"자 그럼, 4백 달러면 된 겁니다. 그렇죠?"

"4백 달러라… 글쎄, 모르겠는데요."

"좋습니다. 그렇다면 5백 달러로 합시다."

"5백 달러요? 글쎄요. 그것도 좀….'

"예. 예. 알았습니다. 알았다고요. 그럼 6백 달러에 결정하죠."

이제 당신께 묻겠다. 이 상황에서 내가 무슨 말을 해야 할 것 같은가? 그렇다 당신도 그렇게 추측했을 것이다.

"6백 달러라고요? 글쎄요… 모르겠는데요."

바로 이 말이다. 어째서 내가 계속해서, "글쎄요… 잘 모르겠는데요"라는 말을 했겠는가? 글쎄… 나도 잘 모르겠다. 하지만 이 말을 마치 마술처럼 잘 먹혀들었다. 더 효과적인 말이 또 있을까 싶을 만큼!

배상 청구액은 결국 9백 5십 달러로 결정되었고 나는 서류에 서명을 받으러 친구를 찾아갔다. 친구가 나를 맞아들이며 물었다.

"어떻게 됐나?"

나는 대답했다.

"글쎄… 잘 모르겠는데."

지금까지도 나는 내가 그 협상을 잘 한 건지 확신이 서지 않는다. 왜냐하면 그 협상의 성과란 조사원이 무심결에 내비친 암시가 내 마음을 부추겨 주었기 때문에 이뤄진 일이기 때문이다.

▶뛰어난 협상을 위한 충고
양보행위의 증감률 추이를 열심히 관찰하라. 그것이 상대가 부여받은 권한의 진정한 한계를 강력하게 시사해 주기 때문이다.

part 3

어떻게 승리할 것인가

높은 곳의 공기를 마시고 있는 소수의 사람들은
피라미드 바닥에 있는 사람들 보다
더 유연하고 실용주의적이다.

Chapter 7

무슨 수를 쓰든 이긴다, 소비에트 스타일

서양문화가 지배하는 세상은 치열한 경쟁사회이다. 많은 사람들은 성공을 자기 잠재력에 비해 얼마나 성취했는가 보다는 얼마나 많은 사람을 능가했는가 하는 잣대를 들이댄다.

말하자면 '좋은 대학'에 가기 위한 경쟁까지도 맥도널드와 버거킹의 투쟁만큼이나 거칠기 짝이 없는, 죽느냐 사느냐의 극단적 경쟁 상황이 널리 지배하고 있는 사회에서 살고 있는 것이다.

어떤 사람은 이런 상황을 예시하면서 모든 삶은 이기고 지는 '투쟁의 연속'이라고 해석하기도 한다. 그들은 세상이 자신의 지위와 신분, 돈, 승진, 좋은 환경을 갖춘 집, 배우자, 하다못해 주차 장소에 이르기까지 빼앗아가려는 적 또는 경쟁자들로 우글거린다고 생각한다.

그리고 이렇게 세상이 경쟁자로 우글거린다고 생각하는 사람들은 거의 경쟁적인 협상을 한다. 이것은 이들이 거의 모든 것을 이기고 지는 투쟁의 연속으로 보기 때문이다. 그들은 다른 사람의 필요와 승인에 신경을 쓰는 대신 어떻게 해서든 자신의 필요를 충족시키기 위해 칼을 휘두르는 전사들이다. 그들은 자신의 신념과 접근법이 옳다는 데에 대해 조금도 의심치 않을 뿐더러, 승리할 때마다 점점 더 의기양양해진다.

그런 입장과 전략이 적용되는 데 한계가 있음에도 불구하고, 어떤 사람은 동료와 적을 구분하지 않는 이런 방식을 계속 채택하고 있다. 그런 사람은 자신이 이기는 데에만 관심을 기울인다. 하지만 그 결과를 뒤집어보면 다른 쪽에는 패배하는 사람들이 있음을 의미한다. 만약 양쪽이 지속적인 관계를 맺고 있는 상대라면 이런 협상의 결과는 당사자들 미래의 관계에 악영향을 미치게 될 것이 뻔하다.

이런 경쟁적인(이기고 지는) 접근법은 어떤 사람이나 집단이 눈에 띄는 적을 희생시키고서 자기들의 목적을 달성하려고 할 때 생긴다. 경쟁자를 눌러 버리려는 이런 시도는 '위협'이라는 뻔한 책략에서부터 미묘한 형태의 '조종'에 이르기까지 전 영역에 걸쳐 벌어질 수 있다. 이런 자기 중심적인 전략을 나는 '소비에트 스타일'이라 부른다. 이 말은 다른 누구보다 해체되기 이전의 구 소련 지도자들이 다른 나라나 집단을 희생시키고서라도 계속 이득을 취하려 했던 데서 따온 말이다.

그렇다고 내 말을 오해할 필요는 없다. 나는 어느 특정 국가나 민족을 폄하하기 위해 이런 용어를 사용하는 것이 아니다. 나는 이념이나 지리적 위치와는 상관없이 협상 방식만을 얘기하는 것이다. 우리가 쉽게 마주칠 수 있는 뛰어난 혈통을 지닌 사람 중에도 이 '소비에트 스타일'로 움직이려는 사람들이 있다.

그렇다면 이런 이기고 지는 식으로 협상을 하는 사람들을 어떻게 알아낼 수 있을까? 그들은 결코 자기들의 움직임을 드러내지 않는다. 그들은 겸손하고 사려 깊은 듯 행동하며, 상대방의 필요에 관심을 기울이는 척 한다.

그들은 미소를 짓고 눈을 반짝이며 당신을 상대한다. 비유적으로 말한다면 그들은 왼손에는 성경을 들고 뒷주머니에는 포켓용 위스키 병에 성수를 담아 가지고 다닌다. 오른손으로 당신을 축복하면서 "잘 가거라, 내 아들아!"하고 자비롭게 속삭인다. 당신은 그들이 떠난 뒤에야 발바닥이 피로 젖고 있음을 깨닫게 되고, 등에 꽂힌 칼 때문에 외투를 벗는 데 애를 먹는다. 그때서야 당신은 이렇게 투덜댈 것이다.

"깡패 같은 소비에트 새끼!"

그들이 떠나고 그들에게서 입은 상처를 알아차린 뒤에는 이미 손 쓰기가 힘들다. 버스는 이미 떠났다. 결국, 다시 이런 질문에 봉착한다. 도대체 어떻게 소비에트 스타일을 알아볼 것인가?

그것은 그들의 특이한 행동으로 구별해 낼 수 있다. 모든 '소비에트 사람'은 모스크바에서 멤피스에 이르기까지 자기들 협상의 춤가락에 똑같은 여섯 단계를 사용하기 때문이다.

1. **극단적인 초기 입장** : 그들은 항상 상대의 기대치를 무너뜨릴 만한 심한 요구나 어처구니없는 요구로 협상을 시작한다.

2. **제한된 권한** : 협상은 하지만 그들에게는 협정에 허가를 할 권한이 거의 없거나 아예 없다.

3. **감정 전술** : 그들은 얼굴이 벌개져서 목소리를 높이며, 분노한 듯(즉 이용

당할까봐 공포에 질려서) 행동한다. 때때로 그들은 분개한 듯 회담장 밖으로 성큼성큼 걸어나갈 것이다.

4. **상대방의 양보는 약함의 표시로 인정한다** : 교착상태를 타개하기 위해 물러나 무엇인가를 양보한다 해도 그들은 거의 답례를 하지 않을 것이다.

5. **양보에서 인색함** : 그들은 어떤 종류든 양보하는 것을 미루며, 양보한다 해도 그때는 이미 그들의 입장이 약간 변했을 때이다.

6. **최종기한 무시** : 그들은 끈질기다. 시간은 전혀 문제가 안 된다는 듯 행동하는 경향 또한 그들의 특징이다.

여섯 단계의 소비에트 스타일을 요약했으니, 이제 이 각 단계들을 구체적인 보기와 비슷한 예를 들어 자세히 알아보자.

극단적인 초기 입장

그들은 비싼 물품을 구입할 때에라도 처음에는 얼마 되지 않은 금액을 제시한다. 그리고 다른 구매자들이 입찰하지 못하도록 대개 비밀리에 밀실에서 협상할 것을 요구한다. 이 전략은 파는 측이 자신들과 거래하는 수밖에 다른 대안이 없다고 믿게 하기 위한 술수이다.

예를 들어, 구 소련이 캐나다나 미국의 밀을 구입하는 일에 대해 우리가 알게 되는 것이 언제인가를 생각해 보라. 대개는 밀을 싣기 위한 특수탱크가 선박에 꽉 차고 난 뒤이다. 일부 지역에서는 이런 거래를 가리켜 '곡물 대량 약탈(The Grain Robbery)'이라고 한다.

러시아 사람들이 구매자로서 어떻게 움직이는지에 대한 또 다른 예가 있다.

약 40여 년 전, 그들이 롱 섬 북부 해안에 위치한 꽤 넓은 땅을 확보하는 데 관심을 쏟은 적이 있다. 대사관 직원을 위한 레크레이션 센터를 세우기 위한 부지였다. 당시 그만한 넓이의 그 지역 땅값은 36만 달러에서 50만 달러 사이로 매매되고 있었으며, 그들이 사려고 하는 땅값은 42만 달러로 평가되고 있었다.

빈틈없는 러시아인들이 42만 달러, 아니 36만 달러라도 주겠다고 했겠는가? 절대 그렇지 않다. 그들은 낮춰 던지기의 명수이다. 그들은 처음에 터무니없는 가격인 12만 5천 달러를 불렀다. 그러나 아무도 웃지 않았다.

그렇다면 소비에트 사람들이 이 일을 어떻게 처리했을까? 그들은 구매할 때 늘 하던 방법을 그대로 했다. 즉 비밀리에 협상해서 경쟁의 가능성을 제거하는 방법이었다. 그들은 구매를 비밀로 한다는 단서를 붙여 구매 협상이 벌어지는 일 년 동안에는 독점적인 지위를 갖는다는 조건에 대해서 약간의 돈을 지불했다.

소유주들은 12만 5천 달러가 터무니없는 가격임을 알고 있었다. 그러나 비밀로 한다는 조건 때문에 다른 제안은 받아들일 수가 없었다. 석 달 동안 형식적으로 입씨름을 하고 좌절을 거친 다음 소유주들은 결국 이렇게 투덜댔다.

"우린 그들이 제시한 가격이 웃기는 값이란 걸 알고 있지만, 우리가 조금 높은 가격으로 불렀는지도 모를 일이지."

그래서 소유주들은 요구가격을 42만 달러에서 36만 달러로 낮췄다. 심리학적으로 보면 구 소련 사람들은 소유주들을 장기판의 졸로 만든 셈이다(이 예에 대해서는 뒤에서 다시 얘기하도록 하겠다).

반대로 구 소련 사람들이 무언가 실속있는 것을 팔려고 할 때는 반대 방식으로 행동한다. 과다한 요구를 하고는 입찰 경쟁을 장려하기 위해 문을 활짝 열어놓는다. 여러 입찰 후보자들이 서로 이기려고 기를 쓰고 싸우도록 적절히 요리를 한 후, 막판엔 협정가격을 천정부지로 치솟게 만든다.

이런 방식의 생생한 예는(미국이 모스크바 올림픽을 보이콧하고 그 문제를 학술적으로 만들기 전인) 1980년 모스크바 올림픽의 텔레비전 방영권 판매에서 볼 수 있다.

1960년 로마 올림픽 때 CBS가 지불했던 액수에서부터 1976년 몬트리올 올림픽 때 ABC가 지불한 액수를 훑어보면 매번 상당한 수준으로 올라가고는 있었지만 대개가 전번의 두 배에서 못 미치는 정도였다. 그 대략적인 가격은 다음과 같다.

1960년 - 150만 달러
1964년 - 300만 달러
1968년 - 500만 달러
1972년 - 1,300만 달러
1976년 - 2,200만 달러

그러나 구 소련측은 그들 특유의 술수로 이러한 예상 상승가격을 뒤엎고 말았다.

몬트리올 하계 올림픽이 벌어지고 있을 때, 미국의 3대 메이저 방송사의 고위직 인사들은 세인트루이스 강에 정박하고 있던 알렉산더 푸시킨 호 선상에서 벌어진 성대한 파티에 초대를 받았다.

각 방송사는 별도로 접촉을 했고, 구 소련측의 요구를 들었다. 구 소련측은 현찰로 2억 1천만 달러를 요구했다. 그들의 요구액은 기하급수적인 상승비례조차 따르지 않은 것이었다.

앞에서 내가 말한 바와 같이 세 방송사는 서로 목을 따려는 싸움을 하기 시작했다. 구 소련측이 입찰 경쟁을 장려했던 것이다. ABC, NBC, CBS의 대표들을 구 소련의 수도로 초대한 다음, 콜로세움에서 도끼를 마구 휘두르는 로마식 검투사로 만든 것이다.

당시 ABC 방송의 스포츠 담당 책임자였던 룬 알리지는 쓴 입맛을 다시며 당시의 상황을 이렇게 말했다.

"그들은 우리를 병 속에서 싸우는 세 마리 전갈 신세로 만들었다. 싸움이 끝났을 때, 둘은 죽어 있었고, 승자는 기진맥진해 있었다."

나도 모스크바의 앞잡이와 맨해튼의 거물들이 벌이는 이 격투의 일부분을 본 경험이 있다. 당시 나는 어떤 협상에 말려들어 구 소련에 있었는데, 그때 검투사들의 투지를 북돋아주기 위해 개최된 칵테일 파티에 참석했다. 나는 그때처럼 좋은 보드카를 마시고, 그보다 맛있는 캐비어를 조금씩 뜯어 먹어본 적도 없으며, 그보다 더 긴장되고 단호한 표정들을 본적도 없다.

세 방송사가 최후의 접전에 돌입하여 제시한 입찰가는 다음과 같다.

'NBC 7천만 달러, CBS 7,100만 달러, ABC 7천 300만 달러'

당시 일반적인 견해는 이전에 개최된 올림픽 10회 중 8회를 방영해낸 ABC의 노련한 경험이 강점이 될 것이라는 추측이었다. 그러나 CBS가 독일 무니히 출신의 프로 중개인 로타르 복을 고용하면서 이야기가 달라지기 시작했다. 복의 도움으로 1976년 11월, 구 소련 협상가들과 CBS 사장 윌리엄 S. 팔리 사이에 회담이 이루어졌다.

이번에는 CBS가 입찰가를 또 한 번 올리는 것으로 양보하면서 거래를 타진했다. 모두들 CBS가 승리하리라고 추측했다. 그러나 구 소련측은 다른 두 곳으로 하여금 '입질'을 계속 시켜보고 싶은 마음을 억제할 수 없었다.

구 소련측은 1976년 12월, 또다시 입찰을 받겠다고 선언했다. CBS 집행부는 기분이 상했으나 12월 15일에 벌어질 막판 대결을 위해 모스크바로 향했다. 그러자 의기양양해진 구 소련측은 그것이 세 방송사에게 경매의 마지막 단계에 들어갈 자격을 주는 것일 뿐이라고 공표했다.

그들의 뻔뻔함에 소름이 끼친 미국인들은 그들의 위협에도 아랑곳하지 않고 모두 도중하차하고 고국으로 돌아왔다. 이 때문에 상대편 협상가들은 빈손이 되고 말았다. 구 소련에서 빈손으로 남게 된다는 것은 큰 곤경에 빠짐을 의미한다. 미국의 관리들은 협상에 실패하면 그들의 생계가 타격을 받는다. 그러나 구 소련 관리들이 협상에 실패하면 생명에 타격을 받을 수도 있다.

따라서 구 소련측은 새로운 경쟁국면을 만들기 위해 필사적인 네 번째 카드를 선택했다. 그들은 올림픽 방영권이, 뉴욕에 사무소를 둔 SATRA라고 불리는, 정체를 알 수 없는 미국의 한 무역회사에 넘어

가게 되었다고 공표했다.

SATRA는 매스컴 연합이라 부를 만한 기업이 아니었다. SATRA에게 방영권을 주는 것은 폴라로이드 카메라를 가진 아이에게 "잘 해봐라, 얘야. 올림픽은 네 거다"라고 하는 말과 같았다.

마침내 구 소련측은 SATRA라는 지레의 힘을 영리하게 이용해서 방송사들과 다시 접촉하기 위해 로타르 복을 끌어들였다. 복은 마침내 NBC에게 그의 연결망과 용역을 주겠다고 제의했다. 결국 로타르 복은 감언이설로 속이고, 요리조리 조종하고 거래를 하며, 모스크바와 맨해튼 사이를 왔다갔다 하더니 마침내 방영권을 NBC에게 8,700만 달러에 팔았다. 그 금액 외에도 NBC측은 복에게 서비스의 대가로 약 600만 달러를 지급하고, 다른 흥행 전문가들에게도 돈을 주는 데 동의했다.

물론 그 뒤에 일어난 사건들로 해서 엄청난 타격을 입은 NBC측은 다른 경쟁자들을 이기고 승리한 것에 대해 땅을 치며 후회를 하게 되었다(구 소련측은 진심으로 2억 1천만 달러라는 터무니없는 가격을 요구한 것이 아니었다. 후에 알게 되었지만 그들은 그 방영권이 6천만 달러 내지 7천만 달러 사이에서 팔릴 것이라고 예상했었다).

지금 인용한 예들이 실제로 구 소련 연방이 한 일이기는 하지만, 미국 사회 역시 비슷한 전략이 오랫동안 사용되어 왔다.

아주 오래 전에 나는 큰 생명보험회사에서 일한 적이 있다. 그 회사는 '모든 정당한 요구에 대해서는 정중하고, 최선을 다해 즉각적이고 공정하게 해결한다'는 서식화된 문구를 사훈으로 내걸고 있었다. 하지만 이런 고매한 철학에도 불구하고 그 조직은 크렘린 같은 전통에 따라서 보잘 것 없는 액수로 첫 제안을 하여 보험 수령인들의 기대치를 낮추는 조정자들에게 특별한 혜택을 주고 있었다. 이런 전략이 먹혀 들어간 이유는 보험 수령인들이, 다른 선택의 여지가 없이 회사를 대표하는 그 조정자들과 일을 처리할 수밖에 없다고 잘못 생각하고 있었기 때문이었다.

물론 수령인에게는 다른 선택의 여지가 있었다. 그 주州의 보험 부서에 불만을 신고한다든지, 보험회사 회장에게 편지를 쓴다든지, 조정자들의 우두머리를 건너뛰어 청구 담당자를 개인적으로 방문한다든지, 이 문제를 소액 청구 재판에 부친다든지, 본인을 대리할 수 있는 법정 대리인을 둔다든지, 심지어 시간의 압박이 적들에게 조종을 울리도록 마냥 기다리든지 할 수 있었다.

또다른 예를 들어보자. 요구액이 과다하고, 유망한 구매자들의 사이에서 심한 경쟁이 생기는 상황 역시 낯익을 것이다. 이러한 장면은 입찰자들이 맹렬한 가격다툼을 하는 경매가 벌어지는 곳이면 어디서나 볼 수 있다. 희귀한 물품이나 물자, 용역을 가지고 있을 때면 파는 쪽은 언제나, 자기들 필요를 즉시 만족시킬 수 있는 유망한 구매자들의 탐욕을 이용할 줄 안다.

여러 해 전, 일본 자동차 마쓰다 RX7의 수요열기가 뜨거워지자, 일부 대리점들은 쇄도하는 입찰을 잘 지휘하여 자동차의 판매가를 정가보다 2천 달러도 훨씬 넘게 받을 수 있었다.

왜 이런 이기고 지는 구 소련식의 전략이 효력을 발휘하는 것일까? 그것은 우리가 효력을 발휘하도록 방치하기 때문이다. 협상 초기에 상대방의 어처구니없이 과도한 요구에 영향을 받거나, 협상하는 상대가 협상을 타결하여 마무리할 권한이 없는 사람들인 경우 이와 같이 당황스러운 일이 벌어진다.

제한된 권한

내가 국제 수확기계회사의 대표가 되어 구 소련 연방에 트랙터를 팔기 위해 모든 결정권을 위임받고 모스크바로 날아갔다고 하자. 만약 구 소련측이 이 일에 관심이 있다면 나는 그 나라 정부의 외무성 기구 중 하나에서 보낸 억세고 경험 많은 협상가 몇 명과 만나게 될 것이다. 이들은 내 상품의 성능을 점검할 사람도 아니고, 구매 여부를 결정할 사람도 아니다. 구 소련 연방의 관료조직의 특성으로 볼 때, 선택된 소수가 모든 것을 결정한다. 그러므로 나와 석 달간이나 마주 앉아 있던 사람들은 협상에서 어떤 양보나 동의를 할 아무런 권한이 없다.

이 궁지의 효과는 무엇인가? 나는 거래를 끝까지 끌고 갈 권한이 있는 사람이지만, 나의 상대는 협상 테이블에 참석하지 않은 몇몇 인민위원들에게 그 의견을 물어보아야 하는 사람들이다.

권한이 없는 상대와 한동안 밀고 당기고 할 때, 무슨 일이 일어날까?

나는 제안하고 양보를 할 수 있지만 그들은 보드카와 동료애를 줄 수 있을 뿐이다. 얼마간의 시간이 지나고 나면 나는 어떤 형태든 협상의 진척을 보고 싶어 계속 제안을 하게 된다.

내가 무엇을 하고 있는가? 나는 결국 나 자신하고 입찰을 하고 있는 셈이다.

그렇기 때문에 권한을 완전히 가지고 있지 않은 사람하고는 결코 협상하지 말아야 한다. 단 하나의 예외는 당신이 아주 외로울 때이다. 그러나 그때에는 이 책에서 다루는 범위를 벗어난 뭔가 다른 것이겠지만.

이런 요술장치는 전시판매장에서 일하는 판매원들에게 제한된 권한만 주는 자동차 대리점에서도 종종 볼 수 있다.

아주 오래 전, 시카고에서 있었던 일이다. 어느 추운 겨울날이었다. 나는 구입할 만한 중고차를 찾기 위해 중고차 전시장에 갔다. 날씨가 너무 추웠기 때문에 나는 서둘러 거래를 끝내기 위해 노심초사하고 있었다. 그때 재미있었던 것은, 나를 상대하고 있던 사람이 "잠깐만요, 저는 가격에 대해 결정권이 거의 없거든요. 저쪽 허름한 가건물 안에 있는 사람에게 이야기해 봐야겠는데요"라고 말했다는 사실이다.

당신에게 묻겠다. 당신은 그런 허름한 가건물 안에 실제로 누가 있다고 믿는가? 시카고의 살인적인 겨울을 그런 가건물에서 보내고도 살아남을 사람이 있을까?

그러나 거기에는 동전의 뒷면처럼 감추어진 사실이 있다. 당신이나, 당신과 협상하는 사람이 제한된 권한을 갖게 허용하지 말라는 것이다. 다음과 같은 유명한 말이 있다.

"당신이 하는 것은 무엇이든 좋다. 권한은 전적으로 당신에게 있다."

당신은 레빌 챔벌린이 무제한의 결정권을 가지고 뮤니히로 히틀러와 협상하러 갔던 일을 기억할 것이다. 그러나 챔벌린은 협상가로서의 역할을 제대로 하지 못했다.

권한을 다른 사람에게 위임하려면, 위임받은 사람이 책임을 다할 수 있도록 믿음직한 목표를 제시하라. 위임받은 사람들은 그들이 이루도록 기대하는 것을 위임받았다고 느껴야 한다. 협상가들은 심부름꾼이 아니라 권한을 '어느 지점까지' 가져야 할 책임있는 사람이다. 최종적으로 그들에게 이렇게 말하라.

"가서 그 가격에 협상을 하도록 해보게. 그렇게 할 수 있다면 대단한 것이고, 그렇게 할 수 없다면 돌아와서 우리 둘이 좀더 논의해보자구."

하지만 모든 권한을 가지고 있을 때의 위험성도 있다. 앞에서 나는 최악의 협상 상대자는 자기 자신이라고 말했다. 너무 감정에 말려들게 되면 전체를 보는 시야를 잃는다. 게다가 당신 자신의 일을 협상할 때는 당신이 권한을 모두 지니고 있기 때문에 시간을 충분히 활용하지 않고 급작스레 결정을 내려 버리기 쉽다.

어떻게 하면 이것을 피할 수 있을까?

오직 스스로를 점검하고 평정을 유지함으로써만 피할 수 있다. 적어도 일정 시간 동안만이라도 자신의 권한을 사려 깊게 제한해야 한다. 당신이 협상하거나 밀고 당기러 가기 전에 이렇게 맹세함으로써 가능하다.

"나는 그 TV 캐비닛에 1,200달러 이상은 주지 않겠다. 바로 그 가격이다. 단 1센트도 더 줄 수 없다. 오늘 그 가격에 살 수 없다면, 나는 그냥 집으로 돌아가는 거다."

다시 말해서 당신 자신의 독재에 순종함으로써만 가능하다. 협상에서 권한을 너무 많이 지니는 것이 장애 요인이 될 수 있다면, 어떤 조직에서든 최악의 협상가는 우두머리가 되고 만다. 시를 대표하는 최악의 협상가는 시장이며, 주를 대표하는 최악의 협상가는 주지사, 나라를 대표하는 최악의 협상가는 대통령이라는 사실이다. 이런 사람들은 뛰어나고 인내심있는 전문가일지는 모르지만 너무 많은 권한을 가지고 있기 때문에 협상에서 실패할 확률도 그만큼 높다.

구 소련식 접근법의 또 다른 면을 보자. 가택침입으로 보이지는 않는 감정의 사용이다.

감정 전술

지난 여러 해 동안 구 소련측은, 아무런 도발을 받지 않았음에도 테이블 위에 놓여 있는 서류를 쓸어버리고는 회담장 밖으로 발걸음 소리를 쿵쿵 울리며 걸어나가곤 했다. 이처럼 그들은 적을 도발시키거나, 주의를 분산시키거나, 협박하거나 심지어 한 개인의 감정을 상하게 하는 행동을 한다.

니키타 후루시초프가 유엔 총회에서 구두로 탁자를 두들겨댄 일을 어찌 잊을 수 있겠는가? 그 사실이 알려지자 충격을 받은 일부의 사람들은 "오, 하느님 맙소사! 그 사람, 야만인이군. 세계적인 단체를 그런 짓으로 더럽히다니…. 내 자식이 그런 짓을 하면 난 짜증이 나서 미쳐버릴 거야"라며 분통을 터뜨렸다.

이 일이 있은 지 몇 달 후, 다음 어떤 사람이 후루시초프가 구두로 탁자를 두드리고 있는 사진을 확대하여 돋보기로 연구를 했다. 그런데 놀랍게도 테이블 밑으로 보이는 구 소련 지도자의 발에는 두 개의 다른 구두가 고스란히 신겨져 있었다.

이게 무슨 말인가? 내가 보기에는 세 가지 가능성이 있다.

1. 후루시초프의 발이 셋이다. 이런 식으로 보는 것은 본질과 동떨어진 것일지도 모르겠다.
2. 그날 아침에 옷을 입으면서 그는 그로미코에게 말하길 "동지, 갈색 종이 가방에 신발을 싸시오. 그걸 오후 세 시 정각에 사용하게 될 테니…."
3. 그 회의 도중에 그가 인민위원 이바노비치를 불러서 이렇게 말한다. "자네 신발 좀 이리 주게. 몇 분 뒤에 그게 필요하게 될 거네."

지금 우리가 이 일에 대해 얘기하고 있는 것은, 특정한 반응을 얻기 위해 미리 치밀하게 계획한 계산된 행동에 대해 알아보기 위해서이다. 그 계산된 행동이 효과가 있었는가? 아마 그랬을 것이다. 사람들은 자신을 위협하는 불합리한 폭력과 마주쳤을 때는 불안해지기 마련이다. 다치지 않으려고 위협에 굴복하기 쉽다.

고전적인 농담 하나가 생각난다.

"4백 파운드 나가는 고릴라는 어디서 잠을 잘까? 자기가 자고 싶은 곳이면 아무 데나 자는 거지 뭐."

이것이 바로 구 소련측이 원하는 반응이었는지 모른다.

물론 '감정 전술'을 펴기 위해 탁자를 두드려댈 필요는 없다. 감정을 일상적인 방식으로 보여주는 것만으로도 상대방을 조종할 수 있다. 정신없이 울고 고함지르는 사람과 협상해 본 적이 있는가? 아마도 정신이 나가고 말 것이다.

이런 면에서 당신의 경험을 한 번 살펴보자. 당신이 배우자나 부모, 자식과 상대를 하게 되었다고 가정해 보자. 당신은 자신의 입장에서 볼 때, 모든 사실과 논리를 입증할 완벽한 준비가 되어 있다. 당신이 입증한 자료들은 압도적으로 유리해서 그들은 막다른 길로 몰리게 되었다. 그런데 갑자기 그들의 눈에서 눈물이 솟구치더니 뺨을 타고 뚝뚝 떨어지기 시작한다.

이때 당신은 어떻게 반응할 것인가?

"좋다, 내가 이겼다. 어디 죽든 살든 해보자"라고 할 것인가?

그렇게 하면 지옥을 만드는 것이다. 당신이 보통사람이라면 아마도 한 발짝 물러서서 이렇게 말할 것이다.

"이런, 울려서 미안하다. 내가 너무 심하게 했구나."

어쩌면 당신은 거기서 더 후퇴하게 될지도 모른다.

"네가 원하는 대로 해줄게. 아니 네 눈물에 대한 보상도 해주겠다. 자, 현금카드를 갖고 시내로 가서 뭐 사고 싶은 것 좀 사거라."

나는 여자들이 우는 것만 말하는 것이 아니다. 내 개인적인 의견인지는 모르지만 남자의 눈물이 여자의 눈물보다 더 효과적이다. 내가 이런 말을 하는 것은 덩치 크고 쉰 목소리를 가진 팀장을 해고하려고 열두 달 이상이나 애썼던 어떤 회사를 알고 있기 때문이다. 이런 일은 아주 신중해야 한다. 옷을 벗으라는 뜻으로 수영 팬티를 건네주거나, 당사자를 불러서 "당신은 해고됐소"라고 말할 수는 없다.

대신 인사과장이 해고할 사람을 데리고 나가 '회사의 벽에 갇힌 생활이 아닌 다른 삶'이나, 다른 직업 선택에 관해서 잡담처럼 이야기할 수 있는 자리를 만들었다. 대부분의 사람들은 이런 미묘한 힌트에 반응을 보이고 스스로 그만두어 회사의 해직수당을 절약해 주기도 한다.

그러나 여기에 함정이 있었다. 지난 한 해 동안 인사과장은 그 팀장과 네 차례나 만났다. 그때마다 그는 팀장의 일하는 방법이 회사에서 볼 때 별로 바람직한 것이 아니었다는 힌트를 주었다. 그리고 인사과장이 다른 선택의 가능성에 대해 이야기를 꺼내려는 찰나, 그 덩치 큰 남자가 흐느끼기 시작하더니 마침내는 발작적으로 울부짖었다. 우는 것 또한 기교적인 연기일 수 있으나 그의 울음으로 인사과장은 마음이 불편해져서 나중에 동료에게 이렇게 중얼거리곤 했다.

"그 사람을 해고하고 싶으면 자네가 한 번 나서서 해보라고. 난 못하겠네."

최근에 나는 그 회사가 팀장과의 면담을 포기했음을 알게 되었다. 그리고 내가 아는 바로는 이제 팀장은 집에서 쉬고 있다.

자연스러운 것이든 연극이든, 눈물이 효과적일 수 있다면 화를 내는 것도 마찬가지다. 여기 가상의 상황을 한 번 만들어보자.

당신과 내가 협상을 하고 있다. 우리 둘은 당신 사무실에서 내 회사 컴퓨터에 쓸 소프트웨어 프로그램에 관해 얘기하며 오전을 보냈다. 당신은 소프트웨어 프로그램을 내게 팔기 위해 안달을 하고 있다. 소프트웨어 성능에는 어느 정도 만족해서 우리는 가격에 대해 이야기를 시작할 참이었는데, 마침 점심 때가 되었다. 당신이 시계를 보더니 이렇게 말한다.

"우리 잠깐 짬을 내서 점심이나 합시다. 요 모퉁이에 멋진 곳이 있는데, 거기 있는 사람들은 나를 잘 알죠. 그러니 예약할 필요도 없어요."

당신이 평소에 잘 앉던 식탁으로 안내되어 우리는 비싼 메뉴들을 훑어보고는 마실 것과 음식을 주문한다. 내가 마티니를 홀짝거리며 당신에게 묻는다.

"당신은 이 소프트웨어를 얼마에 생각하고 계시오?"

당신이 대답한다.

"글쎄요, 코헨 씨. 솔직히 말해서 24만 달러쯤 생각하고 있어요."

당신의 말이 끝나자 마자, 나는 폭발한다. 졸도한다. 목소리를 높이면서 소리친다.

"당신 지금 뭐라고 했소? 미쳤소? 24만 달러라는 천문학적인 금액을? 내가 봉으로 보입니까?"

다른 사람들이 우리를 보고 있기 때문에 당신은 당황해서 손을 입술에 대며 작은 소리로 말한다.

"쉿! 조용히 좀 말씀하시죠."

하지만 나는 기어코 한 마디를 더 한다.

"당신, 정말 정신 나갔군! 이건 완전 노상강도 아냐!"

이쯤되면 당신은 이제 식탁 밑에 숨고 싶어질 것이다. 그 식당 손님들 중 많은 사람이 나는 몰라도 당신을 알고 있기 때문이다. 주인이 어쩔 줄 몰라하며 당신을 쳐다볼 것이고, 우리에게 시중들 웨이터조차 번쩍이는 나이프를 들고 우리에게 다가올까말까 망설인다. 가까이 있다가 봉변이라도 당할까봐 겁을 먹은 것이다. 당신은 직감적으로 구경꾼들이 이렇게 말하는 것을 알 수 있다.

"저 사람, 화가 단단히 났군. 저 친구가 무슨 말을 했기에 저렇게 화가 난거지? 저 사람에게 사기라도 치려고 했나?"

자, 나는 공개적인 장소에서 구 소련식으로 성난 기색을 연기하여 당신을 위협하고 있는 것이다.

이제 나는 당신이 구 소련식의 협상 상대와 협상을 하게 된다면 공개적인 자리에서는 절대 하지 않을 것이란 것을 안다. 하지만 만약 당신이 공개적인 자리에서 다시 협상하게 된다면 틀림없이 24만 달러보다는 훨씬 적게 받을 각오를 해야 할 것이란 것도 말해줄 수 있다.

눈물이나 분노, 공격적 행동보다 더 쉽게 행할 수 있지만 효과는 비슷한 감정 전술로 침묵이 있다. 내게는 이 모든 감정전술 중에서 침묵이 가장 강력한 영향을 미친다.

내 아내와 나는 22년 동안을 행복하게 살아왔지만 우리 사이에 다툼이 있을 때 그녀가 취하는 으뜸가는 전술이 바로 침묵, '내가 흔히 표현하는 말로 절제'였다. 당신은 집을 떠나 오랫동안 여행을 해야 하는 경우가 많은 나의 취약한 입장을 이해할 수 있을 것이다. 내가 2주일 동안의 해외여행에서 돌아와 사랑과 애정을 갈망한다고 해보자.

나는 아내와의 따뜻한 대화를 그리워하며 집에 들어선다.

"여보, 여보! 나 돌아왔어. 다들 어디 있지?"

침묵.

반응을 기다린 다음, 다시 해본다.

"여보, 나야. 나 왔단 말야. 집에 아무도 없나?"

침묵.

마침내 영원히 지체되는 듯 느껴지는 순간에 아내가 나타난다. 그녀는 아무런 말도 하지 않을 뿐 아니라 내 귀환에도 무관심하다. 그럼에도 나는 그녀에게 달려가서 다시 한 번 말한다.

"여보, 나야! 나. 나 돌아왔단 말야!"

침묵.

"여보, 무슨 일이야? 어디 아파? 누가 죽었나? 무슨 일 있어?"

침묵.

그녀의 얼굴은 무표정하고 그녀의 눈길은 나를 꿰뚫고 지나간다. 그때 내가 무슨 생각을 하겠는가?

'아, 아내는 내가 모르는 무슨 일을 알고 있는 거야. 내가 어떻게 해야 할지 알겠어. 고백해야지.'

내가 잘못해서 다른 것을 고백하면 어떻게 될까? 완전히 엎어진 데 덮친 격이 되는 것이다.

누군가에게 침묵으로 대하는 것은 상대를 불편하게 만들고 무언가 말을 해야 할 것 같은 강박증을 가지게 된다. 즉 말을 하도록 강요하는 것이다. 그는 당신이 침묵하면 주지도 않았을 정보까지도 털어놓게 되고, 결과적으로 당신은 유리한 입장에 서게 된다.

이밖에 다른 많은 두드러진 감정적인 술책들이 있다. 웃음도 그 중에 하나이다. 어떤 것을 진지하게 결정을 내리고 싶지 않거나 화제를 바꾸고 싶을 때, 비웃음 한방이면 사무라이가 휘두르는 칼만큼이나 상대의 혼을 뺄 수 있다.

어느 주말, 당신이 노상판매를 하고 있을 때, 내가 잠깐 들렀다고 하자.

당신은 손으로 대충 쓴 듯한 '희귀한 골동품 입찰판매'라는 종이가 붙은 낡은 썰매를 가지고 있다. 나는 '시민 케인'이라는 영화를 가장 좋아하므로 이 '묘령의 미녀'를 내 것으로 만들고 싶다. 그래서 당신이 내게 다가오자 나는 "저 썰매를 7달러에 팔겠소?"라며 불쑥 말한다.

그때 당신이 무슨 이유에서인지 갑자기 웃어젖히기 시작한다. 이때 내가 무슨 생각을 하겠는가?

'뭐가 우습다는 거지? 내 바지 지퍼라도 열렸나? 아니면, 이런 귀한 진짜 골동품을 그런 낮은 가격으로 흥정하려고 하는 게 아니라는 말인가!'

사실 정말로 오래된 썰매를 원했다면 값을 올리지 않기 위해서 그 썰매에 대한 자기 지식과 식견을 숨겼어야 했다.

걸어나가 버리는 것도 선수를 치는 또 다른 방법이다. 특히 뜻밖에 갑작스럽게 나가 버리는 것은 남아 있는 측을 깜짝 놀라게 만들고 당황하게 하는 행동이 될 수 있다. 그것은 또 다른 문제를 일으키는 것이며, 미래를 불확실하게 여기도록 만들기 때문이다.

이런 상황을 상상해 보자.

남편과 아내가 일을 마친 뒤에 저녁을 먹으려고 조용한 레스토랑에서 만났다. 식사 도중에 아내가 봉급을 50퍼센트 인상해 주겠다는 멋진 승진 제의가 다른 지역으로 이사하는 조건으로 들어왔음을 알린다. 그의 표정으로 보아 남편은 아내의 자부심과 흥분에 공감하지 않고 있음을 알 수 있다.

남편이 말한다.

"그럼 나는? 내 직장은?"

"걱정 말아요. 나와 같이 가면 되잖아요. 당신의 그런 직장은 어디서든 구할 수 있어요!"

그때 남편이 아무 경고도 없이 갑자기 퉁명스레 말한다.

"미안."

그리고 그는 일어서서 문 쪽으로 걸어나간다.

남편이 갑자기 나간 지 5분쯤 지나자, 여러 가지 상반되는 감정 속에서 아내는 지금 무슨 일이 일어났는가를 생각하며, 자기의 현재 상황을 요모조모 따져보기 시작한다.

'화가 나서 가버렸을까?'

'그이에게 별일 없을까?'

'아마 주차 미터기에 돈을 넣어주러 간 것 뿐일 거야.'

'아마 화장실에 있거나 전화를 걸고 있을 거야.'

'내가 그의 감정을 상하게 하는 말을 했나?'

'그가 낙심했을까? 아니면 그냥 샘이 났을까?'

'내가 식대를 지불할 만한 현찰이 있나?'

'그에게 사고라도 난 건가?'

'그가 나를 두고 영영 떠나버린 건가?'

'그가 돌아올까?'

'난 어떻게 집에 가지?'

아내의 걱정을 더 부채질하는 것은 웨이터의 질문이다.

"손님, 지금 두 분 음식을 갖다 드릴까요? 아니면 친구분이 오실 때까지 식지 않게 보관해둘까요?"

더 걱정시키는 일로 말하면 겉으로 드러나지 않는 위협이 강력한 무기가 된다. 그런 위협은 상대편의 상상력을 이용할 수 있다. 일어날 가능성이 있는 일이라고 상상하는 것은 항상 실제로 일어날 수 있는 일보다 더 끔찍하기 마련이다.

말하자면 상대방이 볼 때 누군가가 위협적인 행동을 취할 수 있다고 믿는다면, 가상의 위협은 실제 행해진 위협적 행동보다 더 끔찍한 것이 된다.

예를 들어 내가 당신과 적대적인 협상을 하고 있을 때, 당신에게 더 강한 스트레스를 주고 싶다면, 교묘하고 애매 모호한 말이나 일상적인 말을 쓸 것이다. 나는 결코 "당신의 오른손 엄지손가락을 다치게 하겠다"라고 말하지는 않는다. 그런 말은 너무 구체적일 뿐 아니라 유치하고 촌스럽다. 그대신 나는 당신 눈을 똑바로 바라보면서 "나는 상대의 얼굴을 잊어버리는 일이 절대 없고, 빚은 꼭 갚는 사람이다"라고 말하는 편을 택하겠다.

이 말이 무슨 뜻인지 모를 사람이 있겠는가? 당신이 내게 그럴 능력과 결단력이 있고 또 그럴 정도로 화가 났다고 생각한다면, 당신의 잔잔한 마음은 흔들리게 된다.

물론 철저히 구 소련식인 사람이 위협적인 행동을 실제로 행하는 경우는 거의 없다. 즉 자기 힘을 인식시키는 정도로만 행한다. 왜냐하면 일단 위협적인 행동을 실제로 행하고 나면 자신의 스트레스는 줄어들고 상대편은 그것에 적응해서 이겨내기 때문이다.

1970년 뉴올리언즈에서 경찰들의 파업이 벌어질 가능성 때문에, 연례행사인 사육제의 마지막 날 행사가 취소될지도 모를 상황이 되었다. 이런 일이 실제로 일어날 듯한 위협이 있는 한, 노조나 노조원들은 시 당국의 인정을 받는 협상에 있어서 최대한의 세력을 발휘할 수 있었다.

그런데 그들이 실제로 파업을 하는 실수를 저질러서 사육제 마지막 날 행사가 취소되자 여론이 그들에게 적대적인 것으로 바뀌어 그들은 교섭 주도권을 완전히 잃게 되었다. 결과적으로 조합원들이 경찰노조를 조직하려던 시도 역시 좌절되었다.

몇 해 전, 나는 시카고 북쪽 교외에서 여름마다 벌어지는 음악축제인 라비냐에 참석한 적이 있었다. 주차를 하는 일은 늘 어려운 문제였다. 나는 행사장에서 그리 멀지 않은 곳에 있는 개인 소유의 조용한 비어 있는 공간을 찾아냈다.

내가 차를 주차시키고 막 자동차 문을 잠그고 있을 때, 바로 내 뒤에 있는 차 유리창에 광고전단 같은 종이가 붙어 있는 것이 보였다. 가까이 다가가 읽어보니 이런 내용이었다.

이 차는 사유지에 주차했습니다. 차량 모델과 차번호를 기록해 놓았습니다.

이런 불법 주차를 두 번 반복하면 이 차는 클램프너 브러더스 사로 견인되어 내부장식은 불태워지고 차체는 약 1.5×3피트의 고철로 압축될 것입니다. 그 고철은 화물 수송으로 차 주인의 집에 보내져 커피용 탁자로 쓰이게 되어 사유지에 주차해서는 안 된다는 것을 깨우쳐 줄 것입니다.

이것은 두 말 할 것 없이 농담이다. 그러나 글 쓴 사람이 어떤 사람인지 확신할 수 없고, 차는 커피용 탁자보다 더 필요한 것이기 때문에 나는 다른 주차공간을 찾아보기로 했다.

이밖에 아주 많은 다른 감정적 전술들이 있지만, 낯익은 예로써 이런 본보기를 보여주는 것으로 마칠까 한다.

장성하여 독립한 자식과 어머니가 주고받는 다음 전화 대화를 자세히 들어 보라.

어머니 : 여보세요, 팻! 나 누군지 아니? 바로 너의….

팻 : 아, 어머니. 안녕하세요? 전화하려고 했었는데….

어머니 : 그건 아무래도 좋다. 나에게 전화할 필요는 없어. 난 네 에미일 뿐이잖니. 네가 왜 동전을 낭비해야 되겠냐?

팻 : 어머니, 그런 말씀 마세요. 일이 너무 바빠서요. 심기가 어떠세요?

어머니 : 내 나이에 심기는 무슨 심기? 얘, 잘 들어봐라. 이번 토요일 밤에 내가 네 스물 아홉 번째 생일날 클럽의 내 친한 친구들에게 너를 만나게 해주려고 초대했단다. 멋진 케이크도 준비했고, 네가 좋아하는 음식들도 준비했다. 그리고….

팻 : 그렇지만 어머니, 저는 이번 주말에 약속이 있는데… 어머니에게 말씀드

렸잖아요.

어머니 : 그러니까 네 말은, 일정이 바빠 나를 위해 몇 시간도 내줄 수 없다는 게냐?

팻 : 아니, 그런 말이 아니구요. 제 말은 이 여행을 계획해서 준비를 이미….

어머니 : 알았다, 팻. 무슨 말인지 알겠어. 귀찮게 해서 미안하다. 당장 내 친구 들에게 네가 날 위해 시간을 내기엔 너무 바쁜 사람이라고 말하마.

팻 : 제발, 어머니… 제 말은 그런 뜻이 아니라….

어머니 : 됐다. 잘 알겠다. 내게 신경쓰지 마라. 내 어떻게 해볼게. 자식이 어미 를 만나러 와야 된다고 법으로 정해진 것도 아니니까.

아마도 대략 이런 상황을 그려보는 것은 멜로 드라마 같이 들릴 수 도 있다. 그러나 여기 쓰인 술책이 '죄의식 주기' 라는 것은 쉽게 알 수 있을 것이다.

〈2천 살 먹은 남자〉에서, 멜 브룩스는 죄의식을 이용하는 것에 대 해 아주 잘 묘사하고 있다.

어머니와 아버지가 자식을 방문하려고 비를 맞으며 터벅터벅 걸어왔다. 도착 하자 그들은 따뜻한 환대를 받고 안으로 들어오시라는 말을 듣는다. 그러나 그 들은 겸손하게 밖에 서서 이렇게 말한다.

"괜찮다. 우리 처지에 빗속에 서 있는 것으로도 충분하지. 우린 비 같은 건 상 관없단다."

죄의식을 주는 것은 친밀한 사이에서 일어난다. 그러나 때로는 친구나 가족의 범위를 벗어나서도 이용된다.

당신은 사장에게 봉급인상을 요청하다가 "자네는 불만이 있다고 말하지만 내가 짊어져야 할 십자가를 조금이라도 생각해 본 적 있는 가"라는 말을 들은 적이 있는가? 당신이 받는 불공평한 대우가 어떻 든 간에 최고경영자로서의 그의 번민과 비교할 때 당신의 불평은 무 색해지고 만다. 선수를 뺏긴 것이다. 당신은 순교자와 있다가 떠나면 서 당신의 사소한 불평으로 그를 괴롭힌 것에 대해 자신이 이기적이 라고 느끼기조차 할 것이다.

사람들은 왜 이런 감정적 술책을 쓸까? 그것은 나름대로 효과가 있 기 때문이다. 그런 술책은 실제로 어떤 일이 일어나고 있는지 인식하 지 못할 때 성공한다. 우리는 이렇게 혼잣말을 할 때가 있다.

"저 사람은 늘 저래. 어쩔 수 없어."

그 사람이 태어날 때부터 그런 염색체를 타고난 듯 그렇게 말한다. 하지만 대부분의 사람들은 이런 연극을 하려고 계획을 세우지는 않 는다. 그들은 우위를 유지하려고 무의식적으로 이제까지 성공했던 방법에 의지할 뿐이다. 그럼에도 자비와 죄의식을 자기들의 정식 레 퍼토리로 사용하는 사람이 많다.

감정적 술책을 과학적인 방법으로까지 완성한 사무용품 외판원 이 야기를 들은 적이 있다. 방문판매를 할 때, 그는 재킷 밑 셔츠 오른쪽 윗주머니에 계속 작동하도록 조정된 스톱워치를 넣어둔다. 쾌활한 표정으로 그는 문에 들어설 때부터 멈추지 않고 계속 말한다. 그러다 팔릴 가망성이 조금도 없다는 것을 눈치채면 그는 마치 작별인사를 하려는 듯 일어서서 고객에게 다가간다. 그리고 그는 낙담하여 고개를 떨군 채 악수를 하며 오래도록 멈춰 서있곤 한다.

아주 가까이 서있고 둘 사이에 침묵이 흐르고 있기 때문에 그 유망한 고객은 '틱-틱-틱-틱' 하는 약간 째깍거리는 소리를 들을 수 있게 된다. 그 소리를 듣고 고객은 이렇게 묻는다.

"이게 무슨 소리요?"

외판원은 놀라는 척, 자기 가슴을 어루만지며 말한다.

"아, 이거요? 제 맥박조정기일 뿐이에요. 그런데 물 한잔 청해도 되겠습니까?"

내가 들은 바로는, 그는 늘 물을 얻어먹을 수 있었고, 대개는 거래가 성사되었다고 한다. 내게 이 얘기를 한 사람은 그런 술책의 희생자 중 하나였다. 그는 이렇게 말했다.

"그 외판원이 들고 다닌 물건들은 구멍 뚫는 펀치와 호치키스, 전자계산기 따위였죠, 게다가 맥박조정기가 소리를 내지 않는다는 것은 나중에야 알게 되었구요."

대부분의 사람은 이런 짓거리에 대해 윤리적인 관점에서 이의를 제기할 것이다. 하지만 나는 이런 짓을 모방하라거나 용서하라는 것이 아니라 잘 깨달으라고 예시하고 있을 뿐이다.

물론 이런 '죄의식 주기 전술'이 명백한 위선을 제거하고, 고매한 이상을 위해 쓰이면서 찬사를 받게 되는 경우도 종종 있다.

마하트마 간디는 일반적으로 비폭력의 실천가로 존경을 받지만 그의 전술도 이 전통적인 '죄의식 주기'의 한 변형에 지나지 않는다. 이 비쩍 마른 고행자는 실제로 대영제국을 향해 다음과 같이 말했다.

"당신 나라가 인도에 독립을 주지 않으면, 나는 공적인 단식 투쟁을 계속할 것이다. 나는 갈수록 쇠약해질 것이고, 내 죽음에 대한 책임은 당신들 영혼 위에 떨어지게 될 것이다."

그의 목적은 고매한 것일지 몰라도, 그 수단은 오래 묵은 술책인 바로 죄의식 주기에 지나지 않았다. 하지만 그 술책은 결국 효과가 있었고, 세계의 양심을 움직여 영국으로 하여금 식민지 정책을 철회하도록 만들었다.

당신은 내가 왜 이 구 소련식 감정전술을 이렇게 상세히 전술하고 있는 것이라고 생각하는가? 나의 목적은 한 가지 뿐이다. 그것은 당신에게 이 술책을 사용하라는 것이 아니라 그 술책을 잘 알아보고 속아넘어가지 말라는 뜻이다.

아무리 베일에 싸인 방법이라도 잘 이해하고 살펴보게 되면 거기에 오염되지 않는다. 악을 알아보는 것은 죄가 되지 않는다. 죄가 되는 것은 아는 것에다 동기와 행동이 더해져야 한다. 나는 그런 술책을 빈틈없이 알아채야 한다고 조언하고 있다. 절대로 그것을 채택하라고 조장하는 것이 아니다.

상대방이 어떤 술책인지 알아보게 되고, 완전히 꿰뚫어 보게 된 술책은 효과가 없음을 잊지 말라. 당신이 그 술책을 꿰뚫어 보기만 한다면, 당신의 적이 권총을 갖고 있을지는 모르지만 이제 그 총은 탄창이 없는 것이나 마찬가지다. 간단히 말해서 발각된 술책은 더 이상 술책이 아니다.

'입질'에 대해 다시 한 번 더 알아보자. 내가 남자 양복점에서 옷을 맞추는 절차를 완전히 끝냈다고 하자. 멋지게 한 벌을 차려입은 내가 "넥타이는 끼워주쇼!" 라고 한다.

그 판매원이 이 술책을 알아채면 어떻게 될까? 그는 크게 웃으며 이렇게 말할지도 모른다.

"그거 아주 멋진 입질인데요. 당신 솜씨가 너무 좋군요. 이런 걸 나만 보기가 아깝군요. 다른 사람들에게도 보여주는 게 좋겠습니다."

판매원은 자기 동료 판매원들을 소리쳐 불러서는 "이봐, 아놀드, 래리, 어브, 이리와 보게. 이런 멋진 입질 솜씨는 처음 보네 그려! 까무러칠 정도야"라고 말하면서, 여전히 웃음 띤 얼굴로 나를 돌아보며 이렇게 말한다.

"저 사람들에게도 한 번 해보세요. 처음부터 말이죠. 모두들 완전히 반할 거예요!"

이런 소동 속에 내가 어떻게 하겠는가? 당황하여 얼굴이 빨개지면서 아마 이렇게 중얼거릴 것이다.

"이보쇼, 농담 좀 해본 걸 가지고 뭘 그러쇼. 두 벌 주시오. 물론 정가대로 말이오!"

이 '입질'에 대해 다른 상황에서 한 번 더 살펴보자. 당신은 상점의 판매원이거나 거래에 많은 투자를 한 사람이다. 누가 당신에게 입질을 하려고 한다고 가정해 보자. 그런 사람의 코를 납작하게 해줄 간단한 세 가지 카운터 펀치가 있다.

1. **권한 없음** : 도와주고 싶지만 그런 요구에 응할 권한이 없다는 걸 분명히 한다. 이렇게 말하라. "죄송합니다. 지난번에 그렇게 해준 사람은 해고 되어서 지금은 사우스 브롱스에서 집을 보고 있거든요."

2. **합법성** : 다음과 같은 표어를 벽에 붙여 효과를 보라. '이 가게는 정찰가 대

로 판매하고 있습니다.'

3. **다 알고 있음을 알리는 웃음** : 가볍게 그 책략을 인정해 주고 그렇게 해낸 손님의 솜씨를 칭찬하라. 손님을 비웃는 것이 아니라 손님과 함께 웃어 넘기는 것임을 잊지 말라.

감정전술에 반격을 가하는 법에 대해 말하다 보니 최근에 자주 듣던 질문 하나가 생각난다. 질문한 사람은 대부분 사업체나 정부 부처의 여자 집행관들이다. 이런 문제는 동료나 상사를 만날 때 주로 생긴다. 그 중 한 여자 경영자의 말에 의하면, 자신의 의견을 말하거나 보고서를 제출할 때 남자 참모 중 하나가 테이블을 탕탕 치며, 목소리를 높이거나, 심지어는 소리를 지르며 거만하게 군다고 했다. 그녀는 이렇게 질문했다.

"당신이라면 이런 식의 위협을 어떻게 처리하겠습니까?"

나는 그 질문에 대해 다음과 같이 충고했다. 근본적으로, 협박자나 '어린애 같은 어른'은 문제가 있는 사람이다. 상대가 이런 도발적인 행동을 한다고 해도 그 짓을 당하는 측은 조용하고 차분해야 한다. 상대의 행동을 결코 위협으로 받아들이지 말고, 물러서지도 말라. 대신 당신이 추론한 아이디어를 자신있게 진술하라. 그가 위협적인 행동을 계속한다면 보통의 목소리보다 더 낮추어 말하라. 그가 계속 목소리를 높여 호통을 친다면 당신의 목소리는 들리지 않을지 모른다.

그러나 당신의 자제력은 그의 유치한 행동과 예리하게 대조된다. 그러면 참석한 사람들은 모두 당신을 알아보게 될 것이고, 반대로 공연히 호통을 치던 사람은 곤경에 빠지게 되므로, 그의 호통은 더 이상 먹혀들게 되지 않는다.

호통과 같은 이런 감정적 술책을 행하는 사람은 대부분 어린 시절에 이런 행동을 습득한 경우가 많다. 어쩌면 그런 행태는 역할 모방이나 시행착오를 통해 습득되었을지도 모른다. 한 번 보상을 받은 술책은 계속해서 행하게 되고, 벌이나 고통을 받게 된 술책은 그만두게 되기 때문이다.

얼마 전에 나는 백화점에서 어린애가 자기 부모에게 떼를 쓰며 말하는 것을 엿듣게 되었다.

"장난감을 사주지 않으면 에스컬레이터에 누워버릴 거야!"

한 5분쯤 지나 그 어린애는 팔에 장난감을 하나 끼고 만족한 미소를 지으며 나를 지나쳐 갔다. 위협이나 떼쓰기로 보상을 계속 받게 된다면, 이런 술책은 그 어린애가 다른 사람을 조종하려고 할 때 사용하는 방법으로 깊게 뿌리를 내리게 된다.

어른인 협상가가 때때로 폭언을 할 때, 즉 말로 공격할 때 그것은 대개 무의식적인 행동이라고 볼 수 있다. 이런 상황을 이겨내는 가장 좋은 방법은 그 폭언이 끝나기를 기다린 다음, 의견을 그렇게 명확하고 강력하게 표현해 주어서 고맙다고 그에게 감사의 말을 하는 것이다.

대부분의 경우 이런 반응은 상대로 하여금 폭언에 대해 뉘우치게 만들며, 보다 쉽게 고칠 수 있게 해준다.

경쟁적인 구 소련 스타일에 남아 있는 세 단계는 이미 앞에서 말한 것과 연결되기 때문에 앞으로는 이야기 속도를 좀더 빨리 하겠다.

상대방의 양보는 약함의 표시로 인정한다

러시아인들은 짜르 시대 이래로 항상 힘을 존중해 왔고, 편집증에 가까울 정도로 외국인에 대해서 불신감을 보여왔다. 그들은 지금도 다른 사람의 협조를 얻는 최선의 방법은 압도적인 힘을 거침없이 사용할 수 있음을 과시하는 것이라고 믿는다. 이런 점에서 그들의 데탕트 철학은 무력을 사용할 태세를 자주 보임으로써 팍스 로마나를 유지했던 로마 제국의 철학과 닮았다.

서방 외교관들이 협상의 개념을 상충되는 두 입장 사이에서 서로 양보를 하는 것이라고 생각한다면, 크렘린 사람들은 협상을 이기기 위한 싸움으로 본다. 비유적으로 말해 크렘린측은 협상을 길거리의 싸움 정도로 생각하며, 상대방이 퀸스베리 규칙(Quensberry Rules, 영국의 스포츠 애호가 퀸즈베리 후작에 의해 1865년부터 시행된 현대 권투의 규칙-역자 주)에 집착한다면 그들은 그 상대방의 실제 힘에 대해 의심하기 시작한다.

어떻게 하든 이겨야 한다는 태도가 우리 사회의 모든 분야에 걸쳐 퍼져 있다고 할 수는 없지만, 강력한 경쟁적 태도가 널리 퍼져 있는 분야도 꽤 있다. 대통령 선거, 경쟁적인 스포츠, 적대적인 법률체제 하에서의 소송, 그리고 '경쟁자를 두들겨 패는 것이 승리의 지름길' 이라고 인식하는 일부 사업에서는 말이다.

생각해보면 '소비에트 스타일'의 사람들은 무자비한 경쟁이 신성한 섭리의 일부분이라고 믿고 있었으며, 그들은 그런 관점을 일반화

했음을 알 수 있다. 하지만 이와 같이 이기느냐 지느냐 하는 사고방식을 가진 소수가 있음에도 불구하고, 우리 대부분은 자신의 길을 고집하기보다는 모두에게 좋은 해결책을 받아들이게 마련이다. 한발 더 나아가 우리는 상대방도 우리와 같은 동기와 철학을 갖고 있다고 잘못 생각하는 수도 있다.

이는 전형적인 미국인이나 서방의 협상가들이 협상 중 교착 상태에 빠졌을 때, 사태를 진전시키기 위해 기꺼이 먼저 양보하는 것을 보면 알 수 있다. 상대방도 이런 허심탄회한 마음과 협조적인 태도를 존중하고 보답할 것이라 생각하기 때문이다. 그러나 당신이 실제로 구 소련 스타일의 사람을 상대하고 있다면 상황은 그 반대가 되고 만다.

한국전쟁을 끝내기 위한 휴전협상에서 양측은 휴전선의 위치를 최종 결정하기 위해 초기의 요구사항을 제시했었다. 양측의 입장은 상당한 이견을 보이는 가운데, 팽팽하게 맞섰다. 그때 국제연합측에서 갑자기 적합한 협상전략을 포기한 채 성급하게 중요한 양보를 했다. 북한에서 온 구 소련식 사람들과 절충을 하려다가 우리의 최종 양보선을 노출하고 말았던 것이다.

하지만 그들은 이 양보 안을 합리적이라고 생각하기는커녕 약함의 표시로 받아들였고, 더욱 완고해진 협상 자세를 보였다.

휴전협정에서 UN측을 대표했던 미국의 터너 조이 장군은 아무런 보답도 받아내지 못한 이 성급한 양보가 공산주의자들에게 막대한 이익을 주었다면서 다음과 같이 술회했다.

"교착상태에 몰린 문제는 상호 양보하며 해결해야 한다는 우리 미국식 성향 때문에 공산주의자들은 그들의 지연전술을 쓰는 데 유리한 고지를 확보하게 되었다. 본질적으로 족보야 어떻든 간에 구 소련식인 사람들과의 협상에서는 그들에게 무언가를 양보했다 해도 그에 상응하는 보답을 받지 못하게 되기 쉽다."

롱 섬의 북쪽 해변 땅을 구입할 때의 구 소련 사람들을 기억하라. 앞에서 우리는 그들이 42만 달러 짜리 토지에 12만 5천 달러를 제시했던 방식을 살펴보았다. 그 당시 파는 측이 석 달 뒤에 요구액을 36만 달러로 낮췄을 때, 구 소련측의 반응은 어떠했을까?

그 질문에 답하기 전에 먼저 나는 이렇게 묻고 싶다.

"구 소련측과 같은 구매자의 입장에 있다면 당신은 어떻게 할 것인가?"

아마도 당신은 '주고 나서 받아라' 나 '한 손이 다른 손을 씻는다' 라는 속담에 잘 나타나 있는 것처럼 낮춰 부른 처음의 가격에서 조금 올려 그에 상응하는 제안을 할 것이다.

하지만 구 소련 연방의 협상가들은 북한 사람들이 그랬듯이 그런 양보를 하지 않는다. 그들은 12만 5천 달러에서 조금도 양보하지 않았다. 그들은 파는 측이 6만 달러를 양보한 것을 우호적인 제스처로 본 것이 아니라 약함의 증표나 신호로 여겼다. 결과적으로 그들은 8개월 동안 자신들이 처음 제안한 액수에서 조금도 물러서지 않았다가 8천 달러를 올려 13만 3천 달러를 불렀다.

이것은 별로 뜻밖의 일도 아니다. 그들의 전술 패턴의 다음 단계가 바로 그런 것이기 때문이다.

양보에 인색함

구 소련 사람들은 그 나라의 체제 때문에 미국과 협상하는 데 있어서 처음부터 두 가지 유리한 이점을 지니고 있다.

1. **더 많은 정보** : 그들 사회의 폐쇄적 특징과 대조되는 우리의 자유 때문에 그들은 우리가 필요로 하는 것과 중요시하는 점, 최종 기한 등을 우리가 그들에 대해 아는 것보다 더 잘 알고서 출발한다. 그들의 대표부와 관리들은 우리의 매체를 읽어 보고 우리의 과학서적까지 구독한다. 그러나 우리가 그들에 대해 아는 것은 그들 관료체제가 우리에게 말해주는 것뿐이다.

2. **더 많은 시간** : 대체로 크렘린 상층부에서 일어나는 변화란 아주 미미하다. 지도자가 후루시초프든 브레즈네프든 그로미코든 그들의 임기는 제한이 없어 보인다. 그러나 미국은 비교적 그들보다 짧은 정치 사이클에 따른 정기적인 지도자 교체가 이루어진다. 게다가 시간을 더욱 효과적으로 사용할 수 없도록 만드는 것은 끊임없는 인기투표와 우리 사회의 동적인 성격이다. 그런 성격은 인사이동을 강행하게 할 뿐 아니라 신속하게 확인할 수 있는 결과를 내도록 강요한다.

주 장관이었던 딘 애치슨은 40년 전에 이렇게 말했다.

"러시아인들을 상대하는 일은 길고 긴 임무이다."

관제 언론과 책임 소재 불명이라는 구 소련 체제 성격상 그들은 인내심이라는 사치스러운 능력을 부여받게 되었다.

이런 이점으로 하여 그들은 원하는 것을 얻기 위해 보다 장시간 포석을 둘 수 있다. 이 기간 동안 그들은 결별되었다가 이어지는 끝없는 지연과 '불가함'의 남발, 별 볼 일 없는 양보 등으로 우리의 진을 뺀다.

대부분의 미국인에게는 '시간은 돈'이고 이런 태도는 일정과 최종기한을 준수하고 존중하는 조건반사를 일으키도록 만들어 왔다. 이런 태도와 관련하여 우리는 효율을 존중하도록 교육받았고, 이것은 우리가 명확하고 짧은 협상을 선호한다는 것을 뜻한다.

백 년 전에 알렉시스 토크빌은 미국인의 성격에 대해 이렇게 말했다.

"일시적인 정열을 만족시키기 위해 신중한 설계를 포기하는 경향이 있다."

협상의 가장 효과적인 결과를 위한 결정적 요소 중 하나는 상대편에 비하여 한편에서 행한 양보의 규모와 횟수이다. 어디 출신이든 간에 교활한 구 소련 스타일의 중재자들은 늘 당신에게 먼저 양보하라고 한다.

그러고 나서 그들은 그에 대한 어떤 보답도 회피한다. 당신이 그들에게 무언가를 준다면 보답으로 얻게 되는 것은 상대적으로 가치없는 것이 될 가능성이 높다.

경쟁적인 협상가들은 끝없는 인내심을 발휘하여 당신이 양보하는 범위와 횟수가 자신보다 훨씬 많도록 할 것이다.

최종기한 무시

이기고 지는 경쟁적 협상 스타일에 대한 이번 이야기에서 나는 구 소련식 술책을 모델로 이용했다. 그들이 상대편을 지렛대로 쓰는 주요 전술의 요소는 의심의 여지없이 시간이다.

우리가 이제까지 보아왔듯 구 소련 스타일의 사람과 협상할 때는 언제나 인내심이 우선되어야 한다. 그들은 시작만큼은 제시간에 하지만, 마냥 시간을 끈다. 당신이 이야기를 빨리 끝고 나가려고 하면 당신의 요구사항은 토론과 논쟁을 거치게 된다. 그러나 결과적으로 변하는 것은 아무 것도 없다. 그들은 결말에 도달할 때조차 결코 서두르지 않는다. 왜냐하면 최종기한이라는 것 또한 협상의 산물이란 것을 그들은 잘 알고 있기 때문이다.

그들에겐 최종기한도 협상할 수 있는 것이 된다. 그들은 당신에게 원래의 최종기한이 진짜라고 설득하겠지만 그들 자신은 결코 거기에 설득되지 않는다.

롱 섬의 북쪽 해변 땅을 구매하던 예로 돌아가 보자.

우리가 그 얘기를 중단했을 때는 구 소련측이 요구한 제한기간이 만료되기 넉 달 전이었다. 구 소련측은 상대편 요구가격 36만 달러에 대해 8개월이 지난 뒤에야 13만 3천 달러를 제시했다. 그 이후로 러시아인들은 아래와 같이 질풍처럼 움직였다(왼쪽은 최종기한 전에 그들이 제안한 때이고, 오른쪽은 제시한 액수이다).

- · 20일 전 - 145,000달러
- · 5일 전 - 164,000달러
- · 3일 전 - 176,000달러
- · 하루 전 - 182,000달러
- · 최종일 - 197,000달러

이 수치로 볼 때 실제로 모든 구 소련식 행동은 최종기한 마지막 닷새 전으로 압축되었다는 것을 알 수 있다. 최종기한이 지나갔을 때 양측 모두 절망적인 막다른 길에 봉착한 듯 보였다. 그들은 여전히 상당히 떨어져 있었다. 구 소련측은 19만 7천 달러를 제안했고, 파는 측은 36만 달러를 요구하고 있었다.

부동산 중개인은 이 큰 땅덩어리를 다시 시장에 내놓으려고 했는데, 기한에 대한 제한조건이 만료된 하루 뒤, 구 소련측은 다시 접촉해왔다. 또다시 한 주일 동안 미친 듯이 협상한 뒤에 구 소련측은 21만 6천 달러를 소유주에게 현찰로 지불했다. 소유주는 그때 '빚 청산 문제' 때문에 미칠 지경이었으므로 그 돈이 필요했다.

구 소련이 구매한 가격이 당시 시세보다 훨씬 낮았다는 것은 분명하다. 그리고 이 협상의 모습이야말로 구 소련 스타일의 협상 행동을 가장 극적으로 잘 묘사하고 있는 것 또한 사실이다.

그 파급효과도 재미있다. 토지를 소유하게 된 구 소련측이 그 토지를 자신들의 목적에 맞게 사용하기 위해서는 용도 변경 절차가 필요했다. 그 절차를 처리하기 위한 자리에서 그들은 아직도 부글부글 끓는 가슴으로 분노에 떨고 있는 전주인과 마주쳤다. 그리고 수정된 계획서를 수없이 제출했음에도 유별나게 이것의 처리가 지체된 후, 구 소련측은 그들이 요구하는 변경사항을 실행할 수 있는 허가를 받아내지 못하리라는 사실을 알게 되었다.

결국, 구 소련측은 구입한 지 거의 일 년 뒤에 그 땅을 37만 2천 달러에 되팔았다. 그리고 그들은 낮춰 부르는 협상 전술로 얻은 이익으로 그 오래된 구겐하임 저택에서 그리 멀지 않은 롱 섬의 킹스 포인트에 새로운 땅을 구입했다.

나는 다시 한 번 이 구 소련식의 경쟁적인 스타일을 아주 상세하게 제시했다. 이것은 당신이 이런 방식으로 움직이기를 바라서가 아니다. 앞에서 말했듯 당신이 이런 전술을 잘 알아차려서 그들의 희생양이 되지 않기를 바라는 것이다.

상대가 알아차린 술책은 더 이상 술책이 아니다.

구 소련식 술책을 써먹기 위해서는 다음의 세 가지 조건이 모두 구비되어야 한다.

지속적인 관계가 없어야 한다

그런 협상은 가해자가 자기의 희생물이 다시는 필요없을 것이라고 확신할 수 있는 한 번뿐인 거래여야 한다. 관계가 지속적으로 이어질 것이라면, 당신은 미래를 저당 잡히는 대가로 많은 희생을 치르고 로마군을 이긴 피로스 왕(BC 318~272)의 승리와 같은 결과를 얻게 될지도 모른다.

예를 들면, 내가 구 소련식 협상가로서 당신을 '찌르고' 빚도 갚지 않고 가버렸다고 하자. 당신은 봉이 됐다는 깃을 알아차릴 것이다.

아마 그 즉시는 아니겠지만 결국 무슨 일이 벌어졌는지 깨닫게 된다. 당신이 이런저런 이유로 신발에 묻은 피를 무시한다 하더라도, 누군가가 당신 어깨를 치면서 정중하게 말할 것이다.

"실례합니다. 당신 등에 금속으로 만든 칼이 꽂혀 있군요. 그리고 당신은 아, 피를 흥건하도록 흘리고 있네요."

이쯤 되면 아무리 형광등인 사람이라도 무슨 일이 벌어졌는지를 알아차리게 된다. 하지만 당신이 아무리 기분이 상했다 해도 그때는 이미 어디에다 호소할 곳조차 없다. 그러나 우리가 다시 만나게 된다면, 당신은 기다리고 있었다는 듯이 나를 대할 것이다. 두 번째 만났을 때에도 여전히 내가 힘이 센 경우라면 당신의 태도는 어떨까.

"결국 이번에도 내가 쓰러지겠지만, 나는 당신과 함께 쓰러지게 될 거야. 나는 우리 두 사람 머리 위에 모두 벼락이 떨어지게 만들고 말 테니까."

당신은 내게 복수하기 위해서라면 자기 자신까지도 기꺼이 희생하려 할 것이다. 당신이 행하는 것은 "우리 둘 모두 피를 흘리리라" 라는 표현에 잘 나타나 있듯이 '둘 다 지는 전략'을 채택하게 되는 것이다.

시간이 지난 뒤에도 양심의 가책을 받지 않아야 한다

윤리든, 도덕이든, 종교적 양육의 결과이든 우리들 대부분은 페어플레이라는 개념을 지니고 있다. 따라서 당신의 양심은 이런 승리를 획득하기 위해 사용한 온갖 술책과 함께 살아가야 한다. 시간이 지난 뒤에 죄의식과 회한에 싸이게 된다면, 그 승리가 가치가 있는 것일까?

고故 재니스 조플린은 이렇게 말했다.

"품위를 떨어뜨리지 말라. 왜냐하면 그게 당신이 가진 전재산이기 때문이다."

그럼에도 불구하고 목적이 수단을 정당화시킬 수 있다고 믿는 사람들은 이런 윤리 문제 때문에 어려움을 겪지는 않는다.

희생자가 알아차리지 못해야 한다

잠재적인 희생자는 적어도 그 순간만이라도 순박한, 즉 순진하고 상황을 깨닫지 못하는 사람이어야 한다. 사냥감이 사냥 규칙을 알아 버리면 사정권 안에 머물러 있지 않는다. 그러므로 사냥꾼의 솜씨야 어떻든 상대가 의심하지 않아야 자신에게 유리하다.

오직 이런 이유 때문에 이 경쟁적인 이기고 지는 스타일을 알아 볼 필요가 있는 것이다. 많은 사람들이 이런 지식을 충분히 지니게 된다면, 교활한 구 소련식 사람들이 우리가 의심하지 않는 사실을 이용해서 값싼 승리를 얻을 수 있는 기회를 미연에 방지할 수 있다.

사실상 이런 지식이 널리 알려진다면 우리는 경쟁적인 술책들의 독을 중화시켜서 사냥당하는 사람을 최소한으로 줄일 수 있다.

독자들이여, 이제 당신과 토론해 보자.

어떻게 하면 당신 등에 칼이 꽂히지 않게 자신을 보호할 수 있을까? 또 어떻게 하면 당신의 등에서 흘러내린 피가 발을 적시는 일을 막고, 자신을 보호할 수 있을까? 그 해답은 이런 스타일을 예측하고 알아볼 수 있는 능력뿐이다.

덫을 놓기 위한 구 소련식 전술의 첫 번째 조건은 한 번으로 끝나는 거래여야 함을 잊지 말자. 중고차가 고장났을 때 뉴욕이나 로스앤젤레스 혹은 필라델피아의 번화가에 있는 중고상에서 당신은 어떤 술책과 마주치게 될까? 이들의 태도를 지속적인 거래와 생존을 위해서 신용을 절대적인 모토로 삼고 있는 빌링스, 몬타나, 라인랜더, 위스콘신에 있는 새차 중개상들과 비교해 보라.

당신이 어디에 있든 간에 상대측의 행동이 당신의 안테나에 '이기고 지는' 식이라는 것이 감지되면, 당신에게는 세 가지 선택의 여지가 있다.

1. 선택의 여지는 얼마든지 있으니 발길을 돌려 다른 데로 가보라. 인생이란 너무 짧은 것이어서 그 책략가에게 당신과 한 번 협상해보라고 말하고 싶게 될지도 모른다.
2. 시간이 있고 또 마음이 내킨다면 한 번 싸움을 시작해 보라. 악마와의 게임에서 당신의 반격으로 악마를 때려눕히는 것도 좋다.
3. 이기고 지는 경쟁적인 싸움에서 양자가 다 필요한 걸 얻을 수 있는 협조적인 만남이 되도록 그 관계를 솜씨있게 변화시켜 보라.

다음 장에서 나는 이런 변화가 왜, 그리고 어떻게 해서 일어나게 되는지 보여주겠다. 그리고 양자가 모두 이길 수 있는 협상에 대해 설명할 것이다.

Chapter 8

서로에게 이익이 되는 협상

우화처럼 전해 내려오는 협상에 관한 이야기 하나가 있다.

먹다 남은 파이 한 조각을 가지고, 오누이가 서로 큰 조각을 먹겠다며 다투고 있었다. 두 사람 모두 상대방에게 속지 않고 큰 조각을 차지하려고 다투었다. 결국 오빠가 칼을 잡고 자기가 먹을 큰 조각을 잘라내려 할 때, 마침 부모님이 들어오셨다.

상황을 이해한 부모님은 솔로몬의 지혜를 빌려 이렇게 말했다.

"잠깐! 나는 누가 파이를 두 조각으로 나누는지는 상관하지 않겠다. 그러나 자르는 사람은 상대방에게 원하는 쪽을 먼저 고를 권리를 줘야 한다."

이렇게 되면 자기 이익을 보호하기 위해 오빠는 파이를 똑같이 자를 수밖에 없다. 이 이야기의 출처가 어디인지 모르겠지만, 이 이야기에 담긴 교훈은 오늘날에도 여전히 가치가 있다. 그리고 양측의 필요가 실제로는 서로 상충되지 않는 경우도 많다. 다른 사람에게 이기겠다는 생각에서, 문제를 해결하겠다는 방향으로 초점을 전환한다면 모두 다 이익을 얻을 수 있을 것이다.

둘 다 이기는 협상, 즉 상호 협조적인 협상이란 받아들일 수 있는 이익을 양편 모두에게 주는 결과를 만들고자 함이다. 우리는 갈등을 인간 환경의 자연스러운 한 부분으로 보고 있다. 서로간의 갈등이 반드시 풀어야 할 문제로 인식된다면, 양측이 모두 이익을 볼 수 있는 창조적인 해결책을 발견할 수 있게 되고, 그렇게 되면 양측의 관계는 더욱 가까워질 수도 있다.

우연의 일치인지는 모르겠으나 노사간의 협상에서는 위에서 말한 파이의 비유가 습관적으로 통용되고 있다. 그러나 한 쪽에서는 종종 이렇게 말한다.

"우리는 우리 몫의 파이만을 원할 뿐이다!"

그러나 파이가 고정액수의 돈이라면, 한 쪽이 얻는다는 것은 다른 쪽 입장에서 보면 필연적으로 잃는 것이 된다.

다음 상황을 한 번 곰곰이 생각해 보라. 교섭이 막다른 길에 이르게 되면 노조는 파업을 계속한다. 노조가 이기면 파업 기간 동안 받지 못한 임금이 새로이 얻게 될 이득보다 많아지게 된다. 반대로 사용자측은 파업으로 잃은 것이 파업 전에 요구를 수락하는 것보다 더 많이 잃게 될 것이다. 그러니 양쪽 다 파업으로 손해를 보는 것이다. 따라서 상호 신뢰하여 파업을 하지 않게 되면 그들은 양쪽이 원하는 것을 모두 얻을 수 있는 해결책에 이르게 된다.

이런 논리에도 불구하고 노사 모두 손해일 뿐만 아니라 공공부문과 경제, 심지어는 국가 이익에까지 손상을 미치는 갖가지 파업들을 목격하게 된다. 왜 이런 일이 일어날까?

그 원인 중의 하나는 파이 이야기에 비유된다. 우리가 고정된 액수에서 만나서 요구와 요구를 거듭하다가 최후통첩으로 밀고 당기며 논쟁하기 시작한다면 창조적인 결과는 나오지 못한다. 대신에 우리는 진짜 이익을 상호 보완적인 것으로 보고 서로에게 효과적인 질문을 던져야 할 것이다.

"어떻게 하면 파이를 더 크게 만들어서 골고루 돌아갈 분량이 더 많아지는 길에 도달할 수 있을까?"

이것은 분명 노동 문제에만 국한되는 것이 아니라, 관계를 지속적으로 유지하는 상황에서 벌어지는 모든 협상에서도 마찬가지다. 쉽게 생각해 봐도 이것이야말로 거의 모든 협상문제의 포인트라는 것을 알게 될 것이다.

신은 모든 인간을 똑같이 만들지는 않았다. 따라서 당신이 필요로 하는 것과 내가 필요로 하는 것은 다르기 마련이다. 그러므로 우리 둘 다 만족하게 되는 것은 충분히 가능한 일이다.

적어도 지적 수준이라는 면에서는 각 개인의 특성이 이미 받아들여지고 있는 듯 하다. 그러면 우리는 왜 대부분의 협상을 자신의 만족이 상대의 희생으로 이루어지는 상황, 즉 적과 맞붙는 것으로 생각할까? 그 이유는 대부분의 협상이나 토론이 대개 돈이라는 '정해진 액수'에 관한 것이기 때문이다.

그렇다면 협상은 왜 늘 돈이나 그와 유사한 종류, 즉 가격 · 비율 · 봉급 · 빵 같은 문제에 관한 이야기가 되어 버릴까? 돈은 당신에게 필요한 다른 것들을 충족시켜줄 수 있는 되먹임 회로(feed back)를 만들어 준다. 돈은 당신의 득점을 유지하게 도와준다. 돈은 진보를 재는 도구다. 일부 주부들이 너무나 잘 알다시피 돈은 가치를 재는 척도이다. 심지어 돈은 불쾌한 메시지를 읽어내는 수단이기도 하다.

내가 사장에게 가서 이렇게 말한다면 어떻게 될까?

"이런 초라한 환경에서 당신 같은 얼간이를 위해 일하려면 돈을 더 받아야겠소."

그런 정직함으로는 상사에게 잘 보일 수 없다. 그러므로 나는 나의 진짜 감정과 좌절감을 암호로 바꿔 그저 이렇게 말하는 것을 터득하게 된다.

"나는 돈을 더 받을 만한 가치가 있다고 생각하는데요."

이런 메시지가 구미에 더 맞을 뿐만 아니라, 사장은 당신의 어깨를 팔로 휘감으며 감탄하기조차 할 것이다.

"나는 야망있는 사람이 좋네. 자네와 나, 우리 함께 정상으로 가보세."

우리들 대부분은 어릴 때부터 조건 반사적으로 돈을 화제로 삼을 수밖에 없도록 길들여져 왔다. 일부 사람들은 자기들이 애호하는 색깔을 녹색(달러의 색)이라고 믿을 정도로 말이다. 사람들이 말하는 것을 들어보면 때로 그들이 살아 있는 달러 표시등이라는 생각이 들 것이다.

하지만 대부분의 협상이 돈을 중심으로 돌아가고 있다고 믿는다면, 당신은 실수를 하고 있다. 사람들은 자기들이 그렇다고 공언하는 대로도 아니고, 겉으로 보이는 그대로도 아니다. 그들이 필요로 하는 다른 것들을 무시하고, 돈으로만 만족시키려 한다면 당신은 결코 그들을 행복하게 해주지 못할 것이다. 이것을 가상의 상황을 통해 증명해 보자.

어느 날 저녁, 잡지를 뒤적이다가 같이 살고 있는 두 사람, 말하자면 부부가 광고에서 소품으로 쓰였던 골동품 시계를 보았다고 하자.

아내가 남편에게 말한다.

"이 시계 말이에요, 당신이 본 것 중에 제일 아름답다는 생각이 들지 않아요? 우리 집 복도 중간쯤이나 거실에 걸면 얼마나 멋질까?"

"맞아, 정말 그래! 값이 얼마나 될까? 광고에는 가격표가 없구만…."

그들은 골동품상에 가서 그 시계를 찾아보기로 한다. 그리고 그것을 찾아내더라도 500달러 이상은 주지 말자고 서로 합의한다. 석 달이나 찾아다닌 후 그들은 마침내 그 시계가 골동품 가게 진열장에 전시되어 있는 것을 발견한다.

"저기 있네!"

아내가 흥분하여 소리친다.

"맞아, 저거야!"

남편이 맞받아 소리치더니 덧붙인다.

"하지만 잊지마. 우리는 500달러 이상 주면 안 돼!"

진열장으로 다가간 아내가 중얼거린다.

"오, 이런! 시계 꼭대기에 750달러라고 가격표가 붙어 있네요. 우리, 집으로 돌아가는 게 좋겠어요. 우리는 500달러 이상은 지출하지 않기로 했는데 말이에요."

"어쨌든 한 번 찔러나 보자구. 우린 너무 오랫동안 저걸 찾아왔잖아."

그들은 의견을 모아 500달러 선을 확보하는 조건으로 남편을 협상대표로 보내기로 한다. 남편은 용기를 내어 시계판매원에게 말을 건다.

"저 작은 시계를 팔려고 내놓은 것으로 알고 있는데요. 정가가 붙어 있군요. 그리고 그 가격표 주위에 골동품임을 표시하는 먼지가 좀 앉아 있는 것도 봤죠."

기회를 보다가 남편이 다시 말한다.

"내가 어떻게 할 건지를 당신에게 말하겠소. 나는 저 시계에 대해 오직 한 번, 오직 한 번만 제안을 하겠소. 바로 그 한 번뿐이오. 그 제의가 당신을 아주 흥분시킬 거요. 마음의 준비가 됐죠?"

그러더니 그는 자신의 말에 대한 효과를 주기 위해 잠시 멈춘다.

"자, 여기 있어요. 250달러."

시계 판매원은 눈도 꿈쩍 않고 말한다.

"좋소. 당신 거요. 팔겠소."

남편의 첫 반응이 어땠을까? 의기양양? 그는 속으로 이렇게 생각할까?

'난 정말 잘했어. 상대방을 적당한 가격으로 휘어잡은 거야.'

절대 아니다. 왜냐하면 우리는 모두 비슷한 상황에 처해봤으므로, 그의 첫 반응을 너무도 쉽게 상상할 수 있다. 그는 이렇게 생각할 것이다.

"난 정말 바보짓을 했어! 저놈에게 150달러를 제의했어야 하는 건데!"

당신은 그의 두 번째 반응도 잘 알 것이다.

'시계가 뭔가 결함이 있음에 틀림없어!'

남편은 시계를 자기 차에 실으면서 속으로 이렇게 말한다.

'이거 확실히 좀 가벼운데? 내가 그리 힘센 사람도 아닌데, 왜 이리 가벼운 거지? 내부 부속이 빠진 거 아냐?'

그럼에도 불구하고 그는 현관 입구에 시계를 세워둔다. 시계는 아주 끝내준다. 작동에도 아무런 문제가 없다. 그럼에도 불구하고 그와 그의 아내는 마음이 편하지가 않다.

귀가 후 그들은 한밤중에 세 번이나 일어난다. 왜? 시계가 제대로 작동해서 종소리를 울렸는지 아닌지 확신할 수 없기 때문에…. 그들은 급속도로 야위어 가고 신경과민이 되고 만다.

왜 그렇게 되었을까?

판매원이 시계를 아무런 흥정도 없이 250달러에 팔았기 때문에, 판매원이 바보천치임이 틀림없기 때문이다. 판매원이 점잖고, 합리적이며 자비로운 사람이었다면, 그들에게 시계값이 497달러가 될 때까지 돈을 깎는 만족감과 즐거움을 갖도록 해주었을 것이다. 그들에게 247달러나 더 절약하게 해줌으로써 결국 그들은 신경쇠약 치료비로 세 배의 돈을 지불해야 했다.

이 협상에서 볼 수 있는 고전적인 실수는 모든 관심이 단순한 국면, 즉 가격에 집중되었다는 것이다. 그 부부가 일차원적인 사람이어서 돈만 필요했다면 그들은 환희에 찼을 것이다. 그러나 그 부부도 우리와 마찬가지로 다차원적인 사람이고, 무의식적이고, 인정받지 못한 심리적 필요를 아주 다양하게 지닌 사람이다.

이 부부에게 가격에 대한 요구만 만족시켜주는 것으로 그들을 행복하게 만들지는 못한다. 그들이 시계를 원하던 가격으로 구입하는 것만으로는 충분치 않다. 그 협상은 너무 빨리 끝났다. 그들에게는 신뢰를 세울 수 있는 약간의 잡담과 토론, 심지어 흥정까지도 필요했다. 만약 남편이 재치를 발휘하여 흥정을 성사시켰더라면, 그런 협상의 과정으로 인해서 그 구매와 자신에 대해서 훨씬 기분이 흡족했을 것이다.

앞에서 나는 협상이란 양측이 자신의 필요를 충족시키려 하는 활동이라고 말했다. 그러나 그들이 진짜 필요로 하는 것을 겉으로 드러내는 경우는 거의 없다. 왜냐하면 협상가들은 필요를 감추려 하거나 인식하지 않기 때문이다. 결론적으로 협상가들에게는 가격, 서비스, 물품, 영역, 양보, 이익배당률, 돈 등이 자기들이 드러내놓고 이야기하거나 주장하는 것의 전부는 아니다. 토론한 내용과 그 내용을 검토하는 태도가 심리적인 필요를 만족시키는 데 쓰인다.

협상은 물질적인 것들을 교환하는 것 이상의 무엇이다. 바르게 행동하고 처신하는 방식만이 이해와 믿음, 수용, 존중, 신뢰를 발전시킬 수 있다. 그 방식은 바로 다가가는 태도와 목소리의 높낮이, 의사 표시를 하는 태도, 쓰는 방법들, 상대방의 감정과 필요에 보여주는 관심이다.

이 모든 것이 바로 협상의 과정을 구성한다. 그러므로 목적을 이루기 위해 움직이는 방식 그 자체로 상대방의 필요들 중 일부를 만족시켜줄지도 모르는 일이다.

이제까지 우리는 협상이 왜 불필요하게 양측 모두에게 이익이 될 수 없는 적대적인 투쟁과 갈등의 수렁에 빠져왔는지를 탐구해 왔다. 만약 협상이 필요의 만족을 요구하는 것이라면, 우리는 그 과정 자체, 즉 우리가 갈등을 해결하려고 움직이는 방식이 협상에 참가하는 사람들의 필요를 충족시킬 수도 있다는 것을 깨닫게 될 것이다. 더욱이 사람들은 모두 독특한 개성이 있으므로 서로 대립된 필요들을 조화시켜 화해를 이룰 수도 있는 것이다.

이제 협상 과정과 상대의 필요를 어떻게 절충시키는 것이 양쪽 모두 이기는 결과를 이룰 수 있는지 상세히 살펴보자.

필요를 충족시키기 위한 과정 기록

협상의 출발점에서는 늘 비단결 같이 부드럽게 다가가야지 사포처럼 거칠게 다가가서는 안 된다. 당신의 입장을 말할 때는 정중하게 해야 하고, 머리를 긁적이며 실수를 저지를 수도 있다는 것을 인정하라. 그리고 이런 말을 잊지 말라.

"실수하는 것은 인간적이고, 용서하는 것은 신성한 것이다."

또 이렇게 말하는 것을 주저하지 말라.

"나는 무지하기 때문에 이 문제에 관해 당신의 도움이 필요하다."

상대방의 권위에 대해 배려하면서 솜씨있게 말을 걸어라. 비록 그들이 불쾌하고 부정적이며 적대적이기로 악명이 나 있다 해도, 긍정적인 태도로 다가가면 누그러질 것이다. 기회가 주어지면 대부분의 사람은 상대방이 넌지시 제시하는 역할을 수용하려고 한다. 바꾸어 말하면, 사람들은 그렇게 행동하리라고 기대하는 대로 행동하는 경향이 있다.

당신의 관점에서가 아니라 그들의 관점이나 용어의 틀로 문제를 보려고 하라. 감정이입을 하면서 들어라. 즉 그들이 말하고 있는 동안에는 반박하지 말라. 상대방을 몰아세우지 말라. 상대에게 반응할 때, 절대적이며 단정적인 용어를 쓰지 말라.

대답은 이런 말로 시작하는 것이 좋다.

"제가 생각하기에, 당신이 말씀하신 것은 이런 뜻으로 들리는데요…."

이 '윤활유 같은 태도' 는 당신의 말을 부드럽게 할 것이고, 행동을 정화시켜 마찰을 최소화 한다. 이런 지침을 따르면 쌍방이 서로 받아들일 수 있는 해결점에 쉽게 도달하게 된다.

내가 몇 해 전에 잠깐 마주치게 된 어떤 일에서 이런 접근법을 어떻게 적용했는지를 얘기해 보겠다.

당시 나는 동료와 함께 사업차 맨해튼에 있었다. 우리는 그날 아침 약속시간까지 좀 여유가 있어 푸짐한 아침식사를 즐기기로 했다. 주문을 하고 내 동료는 신문을 사러 밖으로 나갔다. 5분 뒤에 그가 빈 손으로 돌아왔다. 그는 머리를 설레설레 젓더니 거친 숨을 뿜으며 욕설을 내뱉었다.

"무슨 일인가?"

내가 물었다.

"빌어먹을 놈들! 길 건너 신문 판매대로 가서 신문 하나를 집어들고는 10달러를 주었지. 헌데, 그 놈이 거스름돈을 주는 대신 내 손에서 신문을 다시 빼앗아 가는 거야. 난 황당해서 멍하니 서 있었지. 그놈 말이, 이런 러시아워에는 거스름돈을 바꿔주지 않는다고 일장훈시를 시작하더군."

아침식사를 끝내며, 우리는 그 일에 대해 이야기를 나누었다. 내 동료는 거만한 '그 원수 같은 놈은 비열해서 누구에게도 10달러를 바꿔주지 않을 것'이라는 입장을 취했다.

나는 그의 그런 도전을 받아들여서 그 친구가 식당 밖에서 지켜보고 있는 가운데 길을 건넜다. 신문 판매원이 나를 돌아보았을 때, 나는 온순하게 이렇게 말했다.

"저, 선생님… 실례지만 저를 도와줄 수 있을런지요. 저는 이 도시에 처음 와보는데, 〈뉴욕 타임즈〉가 한 부 필요하거든요. 근데 10달러 짜리 밖에 없어요. 어쩌면 좋죠?"

신문판매원은 아무 망설임없이 내게 그 신문을 건네주며 이렇게 말했다.

"여기 있소. 가서 잔돈을 교환해서 나중에 주시오."

나는 의기양양했다. 그리곤 손에 '우승컵'을 든채 기세 등등하게 성큼성큼 길을 건넜다. 동료는 내가 하는 것을 보고 섰다가는 혀를 내둘렀는데, 그는 나중에 그 일을 '54번 가의 기적'이라고 부르곤 했다.

동료가 "자네, 그 빌어먹을 놈에게 무슨 수를 썼던 거지?"하고 물었을 때, 나는 별 생각없이 이렇게 말했다.

"상대방에게 점수를 후하게 주라구. 그게 접근법의 묘수야."

필요를 조화시키고 융화시키기

대부분의 사람들은 불행히도 서로를 적으로 보면서 서로 팔을 내밀면 닿을 만한 거리에서도 제 3자를 통해서 흥정한다. 이런 거래에서 그들은 요구와 또 그 요구에 따른 요구를 말하고, 결론을 내리고, 서로 최후통첩을 한다. 양측 모두 자신의 상대적인 힘을 늘리려 하기 때문에 중요 자료, 수집된 사실과 정보들이 쌓이게 된다. 진짜 필요한 것들은 물론, 당사자의 감정이나 태도까지도 상대방에게 이용당할까봐 두려워 숨기려 한다.

이런 분위기에서 서로의 필요를 만족시키기 위한 협상을 한다는 것은 실질적으로 불가능하다. 그러나 인간이 보잘 것 없는 존재라는 것을 깨닫게 되면, 그들의 목표가 서로 배타적일 수 없다는 것도 깨닫게 된다. 그리고 이런 분위기가 조성될 때 공정함과 신뢰가 세워질 수 있고, 태도와 수집된 사실들, 개인적 감정, 필요들이 교환될 수 있다. 이런 자유로운 상호작용과 교류를 통해서 양쪽 모두 승자가 될 수 있는 창조적인 해결책을 발견할 수 있는 것이다.

1940년대 중반에 고 하워드 휴즈는 〈무법자The Outlaw〉라는 영화를 제작했다. 그 영화의 주연 여배우는 가슴 선이 인상적이며 피부와 머리와 눈빛이 검은 아름다운 제인 러셀이었다. 시간이 흐르면 아마 그 영화는 잊혀질 수 있겠지만 〈빌보드〉지에 나왔던, 제인 러셀이 하늘을 향해 건초 더미 위에 벌렁 누워 있는 광고사진만큼은 결코 잊혀지지 않는다. 내 머리 속에는 어린 시절, 펄쩍 펄쩍 뛰어오르며 한

참 동안 그 광고를 보았던 기억이 아직도 남아 있다.

시간이 지남에 따라 휴즈는 러셀을 아주 좋아하게 되어 그녀와 전속계약을 맺으면서 1년 동안 100만 달러를 지불할 것을 계약서에 서명했다.

일 년이 지난 뒤, 제인은 효과적인 표현을 써서 이렇게 말했다.

"난 그 계약에 준해서 돈을 받고 싶은데요."

휴즈는 제인에게 다른 자산은 많지만 당장 현금으로 바꿀 자산이 없어 지불할 수가 없다고 말했다. 이에 제인은 변명이 듣고 싶지 않고, 오직 자기 몫의 돈만을 내놓으라고 요구했다. 휴즈는 계속 자기의 일시적인 현금 유통 문제를 들먹이며 지불을 미뤘다. 제인은 일 년 후에 지불한다고 명확하게 적혀 있는 법적인 계약서를 계속 언급했다.

양쪽의 요구는 절충할 수 없는 듯 보였다. 그들은 경쟁 상태에 있는 적처럼 법정 대리인을 통해 흥정하고 있었다. 친밀한 동반자 관계였던 이들 사이에 이기고 지는 투쟁이 시작된 것이다. 그 문제가 법정투쟁으로까지 발전할 것이라는 소문도 무성했다(하워드 휴즈는 TWA의 경영권을 위한 투쟁에서 부대소송비로 1,200만 달러를 쓴 사람이라는 것을 잊지 말라). 이 투쟁이 소송으로까지 이어진다면 누가 이기겠는가? 아마 이기는 사람은 변호사들 뿐일 것이다!

이 갈등이 어떻게 해결되었을까? 결과적으로 제인과 휴즈는 슬기롭게 협상을 시작했다.

"보라구, 당신과 나는 서로 다르지만, 우리의 필요는 상충되는 게 아닐 거야. 우리가 신뢰의 분위기 속에서 정보와 감정과 필요를 한 번 나눠보자구."

실제로 그들은 그렇게 했다. 그러자 협조자로서 행동을 취하여 그들은 양쪽 모두를 만족시키는 쪽으로 문제를 해결했다.

그들은 원래의 계약을 일 년에 5만 달러씩 20년 동안 주는 내용으로 바꿨다. 이 계약은 총액이야 같지만 이제 다른 형태를 취하게 된 것이다. 결과적으로 휴즈는 자기의 '현금 유동성' 문제를 해결할 수 있었고, 원금에서 나오는 이익을 계속 지킬 수 있었다.

한편, 제인은 일시불로 받았을 경우에 징수될 엄청난 세금을, 수입을 여러 해로 나누어 받음으로써 줄일 수 있었다. 그리고 20년 동안 연금에 해당하는 액수를 받음으로써 그녀는 안정적으로 재정문제를 해결할 수 있었다. 연기자 생활은 그리 안전한 것이 아니었으므로 그 조건은 그리 나쁘지 않았다. 더욱이 그녀는 '체면을 유지' 했을 뿐만 아니라 승리까지 한 것이다.

하워드 휴즈처럼 별난 사람과 흥정할 때는 당신이 아무리 옳다고 해도 결코 승리할 수 없다는 것을 잊지 말라. 그리고 서로 다른 필요라는 관점에서 제인과 휴즈는 둘 다 큰 승리를 거둘 수 있었다.

갈등

우리의 삶에서 갈등은 피할 수 없는 부분이다. 파이를 나누는 것에서부터 백만 달러를 분배하는 것에 이르기까지 그 형태가 어떻든 간에 양쪽이 원하는 것에 동의할지라도 갈등은 종종 일어나게 마련이다. 양측이 같은 것을 원하지만 그것을 어떻게 얻느냐, 즉 얻는 방법에 따라 갈등이 일어나는 예를 들어보자.

미식축구 경기가 끝날 즈음, 홈팀이 터치다운 라인에서 2야드 정도 떨어진 거리까지 진출했다. 타임아웃 시간 동안 작전을 짜면서 쿼터백은 터치다운을 주장했지만 코치는 달랐다. 안전한 필드골을 시도하는 것이 낫다고 주장했다. 양쪽은 같은 목적, 즉 경기에 이긴다는 목적을 가지고 있다. 의견이 다른 것은 그 방법, 즉 접근법이다.

이와 같이 목적이 다르든, 접근법이 다르든 갈등이 일어났을 때 우리는 그 갈등을 어떻게 극복해야 하는가?

우선 개인과 개인 또는 집단 사이의 갈등이 어떤 것이든 그 갈등이 왜 일어나고, 언제 일어나는지 이해하는 것이 중요하다. 어떤 문제가 있을 때, 기본적으로 상대의 입장이 어떻고 나의 입장이 어떤지를 알아차리는 것이 상대의 협조를 끌어내는 첫 단계가 된다.

서로의 의견이 정확히 일치하는 부분은 어디고, 어디에서 차이가 나는지, 왜 그런 차이가 일어나는지 분석하라. 이 차이가 도표로 그릴 수 있을 정도로 명확하게 분석되고 그 원인이 진단되면, 양쪽 모두가 승리하는 협상을 위해 힘을 모으기가 쉬워진다.

일반적으로 어떤 문제에 대해서 서로 의견이 일치하지 않는 이유는 다음 세 영역에서 차이가 나기 때문이다.

· 경험
· 정보
· 역할

경험

우리는 사물을 있는 그대로 보지 않고 각자의 안경을 통해 본다. 개개인이 갖는 관점은 분명히 자기 경험의 산물이다. 어느 누구라도 두 사람 다 똑같은 마음을 가지고 있지 않다.

일 년 터울의 한 형제가 같은 부모 밑에서 성장했다고 해도 각자 다른 렌즈로 세상을 본다. 한 지붕 아래에서 성장한 이 두 형제가 그러하다면, 완전히 다른 환경에서 자란 사람들은 어떠하겠는가? 언론인인 월터 리프먼의 말을 인용하자면, "우리는 모두 머릿속에 있는 그림, 즉 우리가 경험해 온 세계가 실제의 세계라는 믿음의 포로"이다.

그러므로 만약 내가 한 사건에 대해 당신이 어떻게 생각하고 어떻게 해석하는 지를 알고 싶다면, 나는 당신의 세계 속으로 들어가야 한다. 당신의 행동을 이해하기 위해서는 당신의 감정과 태도, 소신을 알아야만 하기 때문이다. 당신이 '어떤 경험, 어떤 배경'을 가지고 있는 지를 알아야 하는 것이다.

정보

일반적으로 사람들은 서로 다른 자료들을 접하고, 살아온 인생을 통해 서로 다른 사실들을 수집한다. 연설문을 비유하자면 '내 원고'에는 당신 원고에는 없는 내용들이 늘 있게 마련이고, 마찬가지로 당신의 경우에도 그렇다. 우리가 가진 이런 정보들로부터 우리 개개인은 연역과 결론과 문제의 틀을 만들고, 행동 진로를 결정한다.

그러므로 우리가 서로 다른 정보를 토대로 일을 한다면, 우리는 분명히 남극과 북극만큼이나 간격이 벌어지게 된다. 따라서 갈등을 최소화하기 위해서는 우리가 기꺼이 이런 지식과 정보를 서로 나누는 방법뿐이다. 여기서 말하는 정보에는 그저 재정적인 세부사항뿐 아니라 협상과 관련된 의도, 감정, 필요들도 포함된다.

당신이 상대에게 자신의 관점을 이해시킬 수 있는 유일한 길은 상대에게 당신의 입장이 형성되는 데 쓰인 자료들을 제공하는 것이다. 본질적으로 그 일은 배움의 문제이지 논쟁의 문제가 아니다.

역할

의견 차이란 흔히 협상이라는 드라마에서 각자가 맡게 된 역할의 산물이다. 당신의 역할이나 직업이, 그 상황을 어떻게 볼 것인가에 영향을 미치고, 공정한 해결책이 무엇인지에 대한 당신의 관점에 색칠을 한다. 이것은 하나의 사실을 두고, 피고와 원고의 법정 대리인들이 아주 다른 입장을 주장하는 것과 마찬가지이다.

누구를 대표하든 간에 당신은 자신을 도덕적으로 인정받고 있다고 생각한다. 즉 "천사들은 내 편이다. 나는 악의 힘에 대항하는 선의 힘을 대표한다"라고 믿는 경향이 있다. 물론 이런 자세는 웃기는 것이다. 이것은 스스로 패배하는 자세이기도 하다.

성공적으로 협상하려면, 이런 감정적 자기 도취 중 일부는 버려야 한다. 양쪽이 다 이렇게 말하는 것을 배워야 한다.

"내가 그들의 입장에서 저런 체제를 대표한다면 나도 아마 비슷한 입장을 취할 것이다."

나의 말을 믿으라, 이런 태도야말로 당신을 상대에게 패배당하지 않게 하는 관건이 된다.

상대의 입장에서 문제를 바라본다면, 당신은 상대방의 압박감과 문제점들, 진짜 필요한 점들을 쉽게 알아차릴 수 있을 것이다. 이런 관점을 취하는 것이 창조적인 문제 해결책의 열쇠이다.

다음 장으로 나가기 전에, 먼저 이번 장에서 제시했던 협상의 접근법을 요약해보자.

중요한 사실은, 협상은 술책을 써서 상대편을 조종하는 것이 아니라 양측이 모두 승리할 수 있도록 신뢰를 바탕으로 진정한 관계를 만드는 점이다.

나는 모든 사람이 다 개성이 있다고 말했지만, 모든 사람이 다 복잡하다고는 말하지 않았다. 다시 말해서, 사람들은 모두 자기의 필요를 충족시키고 싶을 뿐이다. 설령 나의 필요와 당신의 필요가 다르다 해도 실제로 우리는 적이 아니다.

그러므로 내가 당신에게 다가갈 때 올바른 방법과 태도를 취하고, 서로의 필요를 만족시킬 수 있도록 창조적인 시각을 가지고 해결점을 찾는다면 우리는 모두 승리할 수 있다.

성공적이고 협조적인 협상은 상대방이 실제로 필요로 하는 것을 찾아내는 일이다. 그리고 자신이 원하는 것을 얻으면서, 상대방 역시 그의 필요를 만족할 수 있는 길을 보여주는 데 있다.

Chapter 9

서로 이익이 되는 협상 테크닉

서로 협조적인 스타일의 협상, 즉 협상 당사자 양측 모두가 만족하는 결과를 얻어내기 위해서는 다음의 세 가지 주요 활동에 역점을 두어야 한다.

1. 신뢰 형성
2. 지지 획득
3. 반대자들 다루기

신뢰 형성

이젠 당신도 알아차렸겠지만, 나는 사람들이 불가피하게 탐욕스럽다거나 사악하다는 냉소적인 견해에 공감하지 않는다. 물론 경쟁사회에서 신뢰감을 형성한다는 것은 매우 어려운 일이다. 나는 그것의 어려움을 과소평가하지 않는다. 하지만 그 동안의 경험을 통해서 신뢰 형성이 가능하다는 것 역시 많이 보아왔다.

지속적인 관계를 맺고 있는 상대라면, 당신이 상대를 신뢰하면 할수록 그 역시 당신의 믿음을 더욱 확신시켜 줄 것이다. 당신이 상대방의 정직과 신뢰성에 대해 믿음을 보여주는 것은 그들이 당신의 기대에 부응해서 살도록 그들을 격려하는 셈이 된다.

이와 다른 대안은 무엇인가? 의심과 불신에서 출발해 보라, 틀림없이 의심과 불신을 바탕으로 했던 예언은 성취되지 않을 것이다.

우리를 최악의 사태에서 구해내는 단 하나의 길은 '최선을 기대하는 것'일지 모른다. 최선은 서로를 신뢰하는 관계이고, 그런 관계에서 양측은 상대편의 정직함과 신뢰성에 확신을 가지게 된다. 그 관계는 상호 의존적인 것, 즉 불가피한 의견충돌을 서로 만족하는 방향으로 해결할 수 있는 잠재력을 지닌 동맹관계를 말한다. 바로 이런 분위기가 갈등을 만족스러운 결과로 바꾸는 기초를 만든다.

이러한 상호신뢰는 양쪽 모두가 이기는 협조적인 협상의 주요 흐름이다. 이제 언제 어떻게 이런 관계가 성립될 수 있는지를 논의해 보자. 신뢰를 형성시키는 활동을 시간에 따라 '사전 진행 단계'와 '공식적인 사건'이라는 두 단계로 나누어 설명하겠다.

사전 진행 단계

앞에서 사전 진행 단계와 공식적인 사건을 구별하면서, 나는 정신질환을 한 예로 들어 비유했다. 이런 질병은 지속적인 기간을 두고 전개된다(또는 진행된다)고 말했다. 즉 사전 진행 단계는 환자가 정신질환이 있다고 의사가 진단하는 '공식적인 사건'에 앞서 정신병이 계속 진행되고 있는 그 기간과 마찬가지다.

협상도 이와 마찬가지다. 중요한 것은 협상이 당사자 사이에 이루어지는 공식적인 상호 작용에 따라 결말지어지는 지속적인 과정이라는 점이다. "협상이 5월 5일 오후 2시에 벌어질 것이다"라고 한다면, 그것은 공식적으로 드러난 사건만을 말하고 있다.

협상에서 이 마지막 단계는 대개 당사자들이 직접 대면하는 형태로 일어나기는 하지만, 전화나 서신으로도 가능하다. 대부분의 사람들은 협상이라고 하면, 실제 협상의 전 과정에서 이 마지막 단계만을 의미하는 것으로 오해하거나, 거기에 얽매여 있다. 그러나 어떠한 협상에서도 결론에 해당하는 '공식적 사건'은 협상의 진행 단계에 포함되는 몇 주일이나 몇 달의 선행 시간이 지난 다음에 일어나는 것이다.

공식적인 사건은 긴 과정 중에서 결론 부분에 지나지 않는다고 보는 이런 관점은 일상생활에서도 광범위하게 적용될 수 있다.

맛있는 과자를 집에서 만드는 일이든 기말 시험을 치르는 것이든 간에 이 사건의 성공, 즉 맛있는 과자가 만들어졌다든지 좋은 성적을 받는 것은 앞서 있었던 선행 과정에 달려 있다. 즉 반죽을 잘하고 여러 가지 과자를 만드는 과정을 성공적으로 완수하거나, 시간을 투자해서 열심히 공부를 하는 것에 달려 있다.

이를 잘 보여주기 위해서 다른 비유를 하나 더 들어 보자.

당신 딸과 사위가 될 사람이 교회에서의 공식적인 예식과 그 뒤에 성대한 피로연을 하려고 한다. 당신은 신부의 행복한 부모로서 결혼식 준비를 하고 그 비용을 치러주는 데 동의한다. 이 공식적인 사건은 일곱 시간 안에 끝나지만, 준비하는 과정에서는 여섯 달 정도의 시간이 소비될 수 있다.

'행운아'는 단어의 의미만으로 보면, 행운이 돌봐주는 사람이지만, 알고 보면 이 진행 단계에서 그들이 힘든 시간을 효과적으로 썼기 때문에 돌봄을 받는 것이다. 케이크를 굽고, 기말시험을 치르고, 결혼을 계획하는 데는 이전의 노력이 마지막 결과를 결정하는 요인이 된다.

똑같은 식으로 우연이 아니라 선택이 협상의 최종결과를 결정한다. 환경은 우연히 좋아지지 않는다. 좋지 않은 환경은 대개의 경우 사전 진행 단계에 아무런 행동을 하지 않음으로 해서 초래되는 것이다.

실제 흥정이 이루어지기 전인 바로 그 진행 단계에서 태도가 형성되고, 신뢰가 서고, 기대치들이 생긴다. 협상이라는 사건에서 합의라는 수확을 얻는다면, 그것은 사전 진행 단계에 씨를 뿌려서 경작을 한 결과이기 쉽다. 벤자민 디즈레일리가 "우리는 우리 스스로 운명을 만들고는 만들어진 것을 운명이라고 부른다"고 말했듯이 말이다.

그러므로 행운은 힘든 시간에 신뢰의 분위기라는 씨를 뿌리고 그 공식적인 사건이 자라서 익을 수 있게 하는 사람을 찾아간다. 미래를 바라보면서 현재를 활용하는 이런 능력이 차이를 만든다.

갈등이 공식화되기 전이야말로 상대방의 태도에 가장 효과적인 영향을 줄 수 있는 때이다. 내가 지적한 대로 방송 카메라에 일단 빨간 불이 켜지고 나면 상대방은 경계하게 마련이고, 약점이 될 수 있는 어떤 것도 드러내기를 꺼리게 된다.

사태의 진행이 공식적인 사건이 되기 전에는 당신의 행동과 처신이 자연스럽고 솔직하게 보여질 것이다. 그러나 일단 사건이 결정되면 당신의 행동은 특히, 경쟁적인 환경에서는 종종 책략이나 술책·속임수로 보이게 된다.

이 점에 대해서 더 상세하게 말하기 위해 좀더 과장된 예를 들어보자.

당신과 나는, 길고 경쟁적인 협상이 될 수도 있는 어떤 공식적 사건에서 처음 만난다. 당신이 나에게 자기는 하지 않으면서 차 한 잔과 담배를 권한다고 하자. 내 반응은 어떨까? 우리 관계에 신뢰가 없다면 나는 이렇게 생각할 것이다.

'이 사람의 진심이 뭘까? 나를 흐물흐물하게 만들려는 건가?'

더 의심이 많은 사람이라면 이렇게 생각할 것이다.

'이 놈이 날 잠 못 자게 만들려는 거야. 아마 나를 불면증에라도 걸리게 하려는 걸 거야.'

그러나 당신이 공식적 사건이 있기 전에 같은 것을 권했다면, 나는 틀림없이 그것을 배려심 많은 사람의 우아한 제스처라고 여길 것이다.

공식적인 사건이 있기 전에는 당신에게 플러스가 되고, 호의를 갖게 해주고, 신뢰심을 주게 할 행동이 있다. 그러나 적대적인 분위기에서 벌어지는 공식적인 사건에서는 같은 행동이라도 마이너스가 되고 눈살을 찌푸리게 하는 약점이 되는 것이다.

그러므로 협상의 사전 진행 단계를 효과적으로 써야 한다. 당신은 실제 만남이나 사건이 일어날 때까지 기다릴 여유가 없다. 이러한 공식적인 사건 이전 시간을 잠재적인 의견 불일치의 원인을 진단하고 분석하는 데 사용하라. 갈등은 우리가 가진 경험·정보·역할 등의 차이에서 생긴다고 이미 말한 바 있다.

공식적인 사건이 벌어지기 전에 이 세 영역에서 관점의 차이를 좁히고 신뢰를 형성시키기 위한 행동을 취하라. 공식적인 사건이 일어날 때 신뢰있고 문제를 해결하려는 분위기의 그림을 항상 마음속에 새겨두고 그 일을 행할 수 있도록 행동을 취하라.

이 세상이 걸어 다니는 편집증 환자들의 세상일 수도 있지만, 신뢰는 보편적인 윤활유가 된다. 당신이 신뢰를 하지 않는다면 어느 누구도 당신에게 가치있는 것을 말해 주지 않는다. 또 그들이 당신을 신뢰하지 않는다면, 그들은 당신과 어떤 합의를 이루는 것을 꺼리게 될 것이다. 바로 이것이 사전 진행 단계를 신뢰를 바탕으로 한 관계정립에 사용하라는 이유이다.

공식적인 사건

일단 신뢰하는 관계가 이루어지면 쌍방의 부족한 부분을 서로 알게 되고, 서로 등을 돌리게 되는 갈등이 일어나지 않도록 막으며, 정보를 나누도록 격려한다. 이런 분위기로 발전하게 되면, 태도를 바꾸고, 기대치에 영향을 미치며, 검투사였던 사람이 문제를 해결하려는 사람으로 바뀌게 된다.

만약 사전 진행 단계가 이런 변화를 일으키는 데 쓰인다면 당사자들은 서로의 필요를 만족시킬 해결책을 찾기 위해 공식적인 사건에 다가갈 것이다.

사건이 공식적으로 드러나기 시작할 때부터 계속 공감대와 신뢰를 형성하라. 모든 면에서 즉각 합의하게 될 긍정적인 접근을 시작하라. 공식적인 사건이 집단회의라면 당신은 이렇게 말할 수도 있다.

"신사 숙녀 여러분, 우리가 여기에 왜 왔는지 동의할 수 있겠지요? 어떤 생각이 드십니까…. 우리 모두가 함께 살아갈 수 있도록 이 상황에 대한 공정하고 공평한 해결책을 찾기 위해서겠죠?"

분명히 말하지만 당신이 사전 진행 단계를 충분히 거치고 긍정적으로 접근하여 문제를 해결하고자 하면 당신의 의견은 동의를 받게 되어 있다. 왜냐하면 당신의 말은 고아들을 위한 따뜻한 점심과 애플파이와 깃발을 승인받는 것과 같기 때문이다.

그리하여 모든 사람이 이런 결과를 유념할 수 있도록 할 수 있다면, 그들은 자기들의 에너지와 창조력을 관련자 모두의 필요를 수용할 수 있는 다른 대안이나 새 길을 모색하는 데 쓰게 된다.

반대로, '내 방식과 당신 방식'이라는 식으로 방법과 대안에 관해 얘기하기 시작하면 당신은 곧 의견불일치라는 수렁에 빠져들고 만다. 이런 시점에서는 요구와 그 요구에 따른 새로운 요구가 뒤따를 것이고, 다음 단계는 그 집단이 승자와 패자로 양극화된다.

중요한 것은 방법이 아니라 목적이다. 목적을 우선 순위에 두면 참여한 사람들 모두 일반적인 의견 차이를 극복하고 합의점을 찾으려 노력하게 된다. 그렇게 되면 불안을 줄이고, 적대감을 없애며, 사실과 감정·필요를 보다 자유롭게 교류하도록 격려하게 될 것이다. 그런 창조적인 분위기에서는 광범위한 새 대안들이 나와 모두들 자기가 원하는 것을 얻을 수 있게 된다.

이런 상황을 예로 들어보자. 작년에 아이오와 주의 에임스에서 잠시 사업을 하고 있을 때였다. 나는 오랫동안 알고 지내던 어떤 부부와 식당에서 점심식사를 같이 하게 되었다. 편의를 위해 그 부부를 게리와 자넷이라고 부르도록 하자.

메뉴를 살펴본 뒤에 내가 물었다.

"무슨 일 있나? 이렇게 말해도 좋을지 모르겠지만, 두 사람 모두 신경이 약간 곤두서 있는 것 같은데?"

무심히 포크를 움직이고 있던 게리가 말했다.

"허브, 자네는 믿기지 않겠지만 말야, 우리 부부는 올해 휴가 2주 동안 어디로 갈 것인가를 결정하는 데 애를 먹고 있다네. 나는 북부 미네소타나 캐나다로 가기를 바라고 있고, 자넷은 텍사스 주의 우드랜즈 휴양지에서 테니스를 치고 싶어한다네."

이때 자넷이 끼여들며 덧붙였다.

"우리 고등학생 아들은 블랙 라군에서 온 생물이라도 되는 듯이 물에 미쳐서, 남부 미주리의 오라크스 호수로 가길 바라고 있고요."

그녀는 또 이렇게 덧붙였다.

"우리 초등학생 아들은 산에서 하고 싶은 게 있다며 아디론댁스에 다시 갔으면 하지요…. 그리고 딸애는 대학 3학년인데, 어디 가든 전혀 관심이 없어요."

"왜 그런가요?"

내가 물었다.

"딸애는 평화스럽게 조용히 지내고 싶어해."

게리가 투덜댔다.

"그 애는 우리 집 뒷마당에서 햇볕이나 쬐다가 법대 적성검사 공부나 했으면 하고 있지. 그러나 우린 그 애를 혼자 남겨놓고 싶지 않아."

"흠… 자네 식구들은 정말 지리학적으로 전지역에 있게 되겠구먼. 미네소타와 텍사스, 아디론댁스, 오자크스 호수, 그리고 자네 집 마당…. 식구들이 모두 할 수 있는 한 최대로 서로 떨어져 있게 되는 거로군."

"선생님에겐 재미있겠지만, 우리는 말다툼밖에 안 해요. 갈등에 대해 말 좀 해주세요. 여기 게리는 에어컨을 참을 수 없다며 텍사스에 가고 싶어하지 않아요."

"그렇다고 날 비난할 수 있어? 난 일 년에 다섯 달이나 에어컨이 내 목 밑으로 바람을 뿜어대는 곳에 있단 말야! 에어컨 땜에 근육이 다 아프다구. 게다가 난 축축한 날씨를 참을 수 없어, 텍사스는 너무 습해."

게리가 응수했다.

"그뿐만 아니에요. 나의 친애하는 남편님께선 저녁에 재킷과 넥타이를 착용하려 하지 않아요. 난 저녁마다 멋진 레스토랑에서 외식을 하고 싶은데 말이죠. 주방장과 설거지꾼으로 지내는 데도 넌더리가 났거든요!"

자넷이 질세라 맞받았다.

"난 올해는 정장을 하지 않으려 해. 난 당신이 테니스를 칠 동안

골프를 쳤으면 하고, 밥 먹으러 간다고 또 옷을 갈아입을 필요가
없었으면 해. 그리고 우리 고등학생 아들도 저녁 먹는다고 정장을
입고 싶어하지 않지. 그 애가 원하는 건 청바지 차림으로 돌아다니
는 거야."

게리가 말했다.

"차로 갈 겁니까, 비행기로 갈 겁니까?"

나는 그들의 토막정보들을 짜 맞추며 물었다.

"우린 차로 갈 거야, 난 비행기엔 질렸어."

게리가 말했다.

"그러나 일단 도착한 다음에 그래야죠. 난 바로 돌아올 수 있기 전
에 차를 타고 싶지 않아요. 돈도 못 받는 운전사 노릇을 하는 데 시간
을 너무 많이 빼앗기거든요."

자넷이 말했다. 웨이터가 주문을 받아간 뒤 내가 말했다.

"괜찮다면 내 생각을 말해 보겠네. 자네 가족과 오래 알고 지냈으
니 말해도 될 거라는 생각이 드네. 내 느낌으로는 자네 가족이 문제
에 잘못 접근하고 있는 것 같아."

"자세히 말해 보게."

포크를 무심히 움직이면서 게리가 말했다.

"자네 가족이 할 일은, 구성원 모두가 함께 있을 수 있을 뿐 아니라
행복하게 함께 지낼 수 있는 해결책을 찾는 거야."

"어떻게요?"

자넷이 담배를 끄면서 물었다.

"지금까지 자네 부부의 말을 들은 바로는, 다섯 사람 모두 협조

적으로 문제를 해결하려는 사람들이 아니라 적대자들처럼 움직이고 있어."

나는 게리를 돌아보며 말을 계속했다.

"자네 말에 따르면, 자네에게 필요한 건 골프를 치고, 저녁을 먹으러 가기 위해 옷을 갈아입지 않고, 에어컨과 습기가 많은 날씨를 피해서 지내는 게 아닌가?"

"맞아."

게리가 대답하자 내가 자넷을 돌아보았다.

"자넷, 당신 말에 따르면, 당신에게 필요한 건 테니스를 치고, 외식하고, 차를 안 몰아도 되는 거죠?"

"맞아요."

"그렇다면 당신들에게 진짜 필요한 건 텍사스나 캐나다로 가는 게 아니에요. 그런 것들은 당신들 필요를 충족시킬 수 있다고 생각되는 수단이거나 대안이지."

두 부부는 모두 입을 다물었다. 웨이터를 손짓해 불러 물을 더 달라고 청하고 나서 나는 계속 말했다.

"막내아들은 산에 가고 싶어하고, 둘째는 수영이나 낚시를 하거나 양쪽을 다 하고 싶어하고, 맏이는 적성시험 공부를 하고 싶어하죠. 이 모든 개인적 필요들이 공존할 수는 없는 걸까?"

"모르겠어. 아마 공존할 수 있겠지."

게리가 말했다.

"잘 들어보게. 나는 자네 가족을 잘 알고 있어. 그리고 자네 가족은 서로 좋아하고 신뢰하고 있구. 그러니 문제는 이미 반쯤 해결된 셈이지. 모두가 승리할 수 있는 협조적인 회의를 전 가족이 함께 열어보지 않았나?"

"사실은 안 열어봤어요."

자넷이 인정했다.

"돌아가서 한 번 열어보게. 자네 부부와 애들이 함께 모여서 가족의 문제를 해결하도록 의논해 보게. 처음에는 개인적인 대안이나 방식을 묻지 말고, 목적과 결과에 초점을 두는 것을 잊지 말게. 다른 말로 하면, '어떻게 하면 가족 모두가 만족할 수 있을까?' 가 되어야 한다는 말일세."

내가 제안했다. 게리는 눈썹을 모으며 자넷에게 말했다.

"어때, 자넷? 한 번 해볼까? 당신이 나보다 더 능숙하잖아. 당신이 가족회의의 의장이 되어야겠어."

자넷이 어깨를 으쓱했다.

"좋아요. 내가 해보죠, 뭐."

그리고 한 달 반쯤 지났을 때, 게리가 내 사무실로 전화를 했다.

"허브! 효과가 있었어!"

"뭐가 말인가?"

"우리 휴가를 위한 협조적인 해결책 말야!"

"잘 됐구만, 그래 어디로 갔나?"

"콜로라도의 메이너 베일 로지로 갔었어. 우리는 자네 말대로 했네. 모두 한자리에 모여서 우리의 의견과 바람을 서로 나누었지. 그리고 여행 안내 책자를 꺼내서 우리의 필요를 모두 충족시킬 해결점을 찾아 봤다네. 그 회의를 통해서 우리는 콜로라도의 베일로 결정했지."

"왜 베일인가?"

"왜냐하면, 그곳이 우리가 원하는 것을 모두 충족시킬 수 있었거든. 자네가 텍사스와 캐나다 같은 것에 대해 말한 것은 다 옳았어. 분명히 거기도 멋진 곳이긴 하지만 이곳이 우리의 요구사항을 정말로 다 충족시킬 수 있을 것 같아 보였거든. 지도상에서 말야. 그리고 우리가 거기 가보니까 실제로 그랬어.

자넷을 위해선 테니스 코트가 있었고, 나를 위해선 골프장이, 막내를 위해선 진짜로 큰산이 있었고, 고등학생 아이를 위해서는 수영하고 낚시할 곳이 많았지. 그놈은 물거품이 사납게 일어나는 곳에서 뗏목까지 탔네. 게다가 낮에는 습기도 차지 않고 밤에는 시원해서 에어컨도 필요없었고…. 공부 좋아하는 내 딸을 위해선 충분한 평화와 조용함이 있었고, 셔틀버스가 있어서 차를 운전할 필요도 없었다네. 그리고 말야, 밤마다 외식을 했지만 나는 저녁 먹는다고 옷을 차려입을 필요도 없었다구. 어떤가?"

"멋지군. 자네들 정말 확실히 훌륭한 휴가계획 회의를 했겠구만."

"정말 그래, 그것 땜에 우리 모두 더 가까워 졌다네. 자네 에임스에 언제 다시 오겠나?"

"또 움직이고 싶으면 가지."

나는 씩 웃으며 말했다.

"허브, 자넨 정말 사태 해결하는 법을 잘 알고 있는 사람이야."

"게리, 그렇지도 않네. 자네도 알다시피 나는 그리 기술이 좋지 못해. 내 문제는, 아니 우리집 문제는 아무리 애를 써도 잘 안 될 때가 있어. 그런데 자네가 자네집 문제를 푼 방법은 아주 좋았네."

그 전화로 나는 그날 일을 끝냈다. 왜냐하면 나는 지속적인 관계를 맺고 있는 사람이 갈등을 창조적으로 해결하기 위해 협조하는 것을 보기 좋아하기 때문이다.

게리 부부와 그들 가족이 처한 상황에서 그들 모두는 승리자가 되었다. "우리 어디로 갈까"에 대한 협상은 적대자끼리의 만남으로는 되지 않았다. 개개인의 감정과 필요에 배려가 베풀어졌다. 개인적인 필요들이 조화를 이루었고, 절충되었다. 모든 것은 경쟁적이 아니라 협조적인 모습으로 바뀌었다. 다섯 명의 검투사는 문제를 해결하려는 사람들로 바뀌었다. 그들의 가족회의는 수단이 아니라 목적을 강조했기 때문에 공정하고 공평한 해결책, 즉 모두를 기쁘게 한 해결책에 도달한 것이다.

나는 그 회의에 참가하지는 않았지만, 그 공식적인 사건이 모두에게서 즉각적인 합의를 이끌어내는 긍정적 접근법으로 시작종을 울렸다는 것은 장담할 수 있다.

일반적으로 지속적인 관계에서는 협상의 공식적인 사건이 일어나기 전에 적절하게 선행되는 시간, 즉 당신이 신뢰를 형성시킬 수 있는 시간이 있다.

그러나 삶이란 게 모두 그렇듯이, 갑자기 당신 앞에 드러나는 협상에서는 사건을 예측하여 대비하거나, 바라는 상황을 만들려고 준비하는 대신 갑작스럽게 천길 벼랑이 나타나듯이 협상에 직면하게 되는 경우도 많다. 그런 상황에서 양측 모두가 이기는 결과를 만들어내는 데 필요한 신뢰와 믿음을 형성시킬 수 있을까?

당신이 그 상황을 정확하게 가늠한다면 그 답은 '그렇다'이다. 사전 진행 단계없이도 협상 자체를 정보 탐색과 양측에 좋은 결과를 만들어낼 관계를 세우는 데 쓸 수 있다. 얼마 전에 경험했던, 그리 오래되지 않은 일 하나를 얘기해 보겠다.

내가 없는 동안 우리 가족들은 간단한 회의를 거친 뒤, 우리 생활에 비디오테이프 녹화기, 정확히 말해서 'RCA VHS 실렉타 비전'에다가 리모컨이 부착된 21인치 TV가 없는 것은 말도 안 되는 일이라는 결정을 보았다. 나는 금요일 밤늦게 집에 도착했을 때, 평등의 원칙에 따라 내가 다음 날 아침에 그 물건을 사는 임무를 맡게 되었다는 말을 들었다. 우리 집은 민주주의적 가정이라서 내가 아무리 항변해도 저울추는 4:1로 내가 불리하게 마련이다.

실제로 나는 그 요구 자체가 아니라 그 시기에 대해 이의가 있었다. 나는 새 사업에서 비디오테이프 녹화기를 사용할 계획이었고, 여유를 갖고 그 기계의 효율성을 따져볼 생각이었다. 더구나 나는 해외에서 있었던 땀나는 협상에 한 주일 전체를 바친 뒤에 백화점 점원이나 대리점 주인을 대면하고 싶은 생각은 전혀 없었다.

그러나 나는 그렇게 했다. 결국 사람은 자기 가족 안에서 자신의 위치를 유지해야 한다. 내가 처한 가장 큰 문제는 시간이었다. 모든 대리점들은 오전 9시에 개점한다. 나는 맏이를 오전 11시 정각까지 대학 풋볼 경기장에 데려다 줘야 되니까, 정보를 모으고 시간을 효율적으로 사용하여 힘을 행사할 수 있는 틈이 그리 많지 않았다.

다행히 나는 내가 필요로 하는 것을 알고 있었다. 그 필요란 물품을 합당한 가격에 구입·배달하게 해서, 잘 작동할 수 있게 설치하는 것이었다. 작동이 잘 되게 설치한다는 필요는 내게 특히 중요했다. 나는 세 부분으로 되어 있는 새 모이 주는 기계를 조립하는 데 세 시간 반이라는 시간을 보낸 적이 있는 사람이기 때문이다.

시내로 차를 몰고 가면서 나는 나 자신에게 이렇게 말했다.

"허브, 너는 그리 대단한 거래를 하는 게 아냐. 그저 기네스 북에 가장 비싼 비디오테이프 녹화기를 산 것으로 기록되지만 않는다면 되는 거야. 그러니 차분히, 침착하게 행동하라구."

나는 이 세상의 시간이란 시간은 다 가진 듯, 마치 강박증 환자가 마음을 가라앉히려는 듯 아주 차분하게 행동하면서 오전 9시 20분에 그 가게에 들어갔다. "안녕하세요"하고 나는 주인에게 인사했다.

"뭐, 특별히 정한 건 없습니다. 그냥 구경이나 하려고요."

내가 그 가게에 유일한 손님이고 한가한 듯 해서 나는 친근한 말로 대화를 시작했다. 그리고 나는 아무 격의없이 근처에 새로 생긴 쇼핑센터가 이 사업에 어떤 영향을 미치는지에 대해서 물었다.

"글쎄요, 그게 처음 개장되었을 때는 약간의 타격이 있었죠. 그러나 나는 사업이란 돌고 돌게 마련이라고 생각해요. 손님도 아시다시피 세상 일이 다 그렇지 않습니까? 사람들은 그 쇼핑센터가 도대체 어떤 곳인지 알고 싶었던 거 아니겠어요? 그러나 곧 싫증이 나죠. 그렇게 생각하지 않으세요?"

나는 동감이라는 듯 고개를 끄덕였다. 그는 계속 말했다.

"제가 믿기론 결국 단골 손님들은 다시 돌아오게 마련이에요."

시계가 붙은 라디오나 텔레비전을 돌아보고 비디오테이프 녹화기에 관심을 좀 보이면서, 나는 계속 여러 가지 질문을 하며 관계를 형성시켜 나갔다. 나는 내가 어디에 사는지 말했고, 지방 상인들이 지역사회에 미치는 영향을 아주 중요하게 생각한다고 말했다.

그는 손등으로 자기 입술을 문지르면서 중얼거렸다.

"그렇게 생각하는 사람이 이 마을에 좀더 많았으면 해요."

내가 공감하여 귀를 기울이자, 그는 자기 문제를 얘기하기 시작했다.

"나는 이곳 사람들이 왜 플라스틱으로 찍어낸 현금 카드를 자주 쓰는지 모르겠어요. 손님은 정부가 돈을 충분히 찍어내지 않는다고 생각하시겠죠. 그런데 손님들이 현금 카드로 결재할 때마다 저한텐 돈이 더 들게 되거든요."

친근한 분위기로 이야기를 계속하면서, 나는 비디오테이프 녹화기 위에 손을 얹었다.

"흠…."

내가 불쑥 말을 꺼냈다.

"이건 어떻게 작동시키죠? 손재주가 없어서요. 나는 AC(교류)와 DC(직류)의 차이조차 모르거든요."

그는 내게 그걸 어떻게 작동시키는지 보여주며 말했다.

"여기 견본품이 있죠. 저 쇼핑센터가 생기기 전에 몇몇 간부들은 자기 사업 때문에 이걸 한 번에 두세 대씩 사가곤 했죠. 그런데 요즘엔 한 대도 안 사가요."

이 말에 뒤이어 내가 물었다.

"아, 한 대 이상 사면 도매상에서처럼 할인을 해주나요?"

"그렇고 말고요."

그가 눈을 반짝이는 게 보였다.

"수량에 따라서 더 싸게 팔죠."

비디오테이프 녹화기에 각별한 흥미를 보이며, 15분간 시범을 보여주는 것을 본 다음 나는 다시 이렇게 물었다.

"당신이라면 개인적으로 어느 걸 권하겠어요?"

망설이지 않고 그는 말했다.

"이 RCA가 최고죠. 나도 하나 쓰고 있는 걸요."

오전 9시 45분이 거의 되었을 때 우리는 이제 애칭으로, 즉 허브와 존으로 서로를 부르는 사이가 되었다. 우리는 서로 친하게 된 것이고, 나는 그가 안고 있는 문제와 필요들을 상당수 알게 되었다.

상호 신뢰의 기초가 어느 정도 서자, 나는 거지 소년 올리버 트위스트가 망설이며 묽은 죽 한 그릇을 청할 때처럼 겸손하게 말했다.

"저…, 난 이런 게 얼마나 하는지 모르네. 사실, 나는 전혀 몰라. 그러나 존, 나는 자네가 사업을 계속하기를 바래. 자네는 값을 잘 알 거야. 존, 내가 어떻게 할지 말하지. 난 자네를 믿겠네. 내가 자네가 추천한 최고의 모델을 믿듯이 적정 가격에 관한 한 자네를 믿겠네. 나는 자네에게 어떤 식의 이의도 달지 않겠어. 자네가 제시하는 액수가 얼마이든, 자네가 적는 적정 가격이 얼마이든 나는 당장 지불하겠네."

"고맙구먼, 허브"

존이 정말로 기뻐하며 말했다.

나는 평상시대로 여전히 격식없이 말을 계속했다.

"난 자네의 정직성을 믿네, 존. 자네의 사람됨을 이제 알 것 같으니 말야. 자네가 제시하는 가격에 나는 손 하나 대지 않겠네. 내가 여러 백화점을 돌아다니며 쇼핑하다 보면 더 좋은 가격에 살지는 모르더라도 말야."

존은 오른 손으로 가리기는 했지만 왼손으로 무언가를 열심히 쓰고 있었다.

"난 자네가 합당한 이득을 취할 수 있기를 바라네, 존…. 그리고 물론 나도 합당한 가격에 사고 싶지."

이 시점에서 나는 더 많은 정보를 제시했다(내가 그의 가게에서 리모컨이 있는 21인치 삼성제품의 컬러 텔레비전 세트를 구입할 의사가 있다는 것을 잊지 말라). 내가 말했다.

"잠깐… 만일 내가 리모컨을 갖춘 이 삼성 제품을 함께 구입하면 어떤가? 그러면 전체 가격이 다시 조정되겠지?"

"함께 구입한단 말인가?"

"그래, 난 자네가 아까 말한 가격 정도에서 고려하고 있는 걸세."

"물론이지, 그럼 총계를 뽑을 동안 잠깐 기다리게."

그가 웅얼거렸다. 그가 마침내 총액을 제시하려고 할 때, 내가 말했다.

"자네에게 말할 게 한 가지 더 있네. 나는 자네가 제시하는 가격이 공정한 것이길 바래. 우리 둘 다 이득을 얻을 수 있는 거래가 되길 바란단 말일세. 그렇게 된다면 내 사업상 석 달 뒤에 비슷한 걸 또 하나 구입해야 할 때는 자네가 그 물건을 팔게 될 것일세."

나는 계속 말하면서 그가 자기가 썼던 가격에 가위표를 하는 것을 눈치챘다.

"그러나 존, 내 신뢰가 잘못되었다는 걸 알게 된다면 실망 때문에 난 자네에게서 또다시 물건을 사진 않을 걸세."

"물론이지."

그가 작은 목소리로 말했다.

"잠깐 방에 들어갔다가 1분 뒤에 나오겠네. 1분이면 돼."

장부를 보고 나서 그는 1분 30초 뒤에 돌아와서 다른 액수를 끄적거렸다.

그가 이전에 말한 바에 따라서 이제 나는 모험을 했다.

"난 자네가 몇 분 전에 말한 걸 생각하고 있었네. 그러니까 자네의 현찰 유통문제 말일세. 그것 때문에 나는 전에는 생각 못했던 아이디어 하나가 생각났네. 나는 이 모든 걸 카드로 하려고 생각했는데, 그렇지만… 현금으로 지불하는 게 자네에게는 더 편리하겠지?"

"물론이지, 그렇게 해주면 큰 도움이 되지. 특히 요즘 같은 때는 말야."

이렇게 말하면서 그는 자기 계산서에다 다른 숫자를 적어두었다. 나는 내 아랫입술을 당겨 물었다.

"자네, 나를 위해 이걸 설치해 줄 수 있겠나? 나는 어디 좀 갔다와야 하거든."

"물론이지, 그렇게 하겠네."

"좋아. 그럼 자네 액수를 좀 보세."

그는 내게 RCA와 삼성 제품을 함께 샀을 때의 가격을 보여주었다. 총 1,528달러 30센트였는데, 나중에 나는 그 가격이 공정하고 상호 협조적인 가격임을 알 수 있었다.

나는 세 집 떨어져 있는 은행으로 성큼성큼 걸어가서 그 금액에 대한 수표를 현찰로 바꿔들고 존에게 돌아왔다. 이제 오전 10시 5분이었다. 나는 내 임무를 완수했다.

좋다, 이 일에서 어떤 일이 일어난 걸까? 준비도 안 된 내가 어떻게 그런 식으로 할 수 있었을까? 경쟁적인 상황이 될 수도 있었던 곳에서 나는 희생자가 되지 않을 수 있었을까?

특별한 곳에서의 전략

1. **신뢰를 형성시켜라** : 나의 처음 접근법은 진지하고, 비공식적이며, 친근하고, 긴장감이 없어서 판매자가 친절하게 응할 수 있는 분위기를 만들었다.

2. **정보를 얻어라** : 나는 질문을 했고, 공감대를 형성한 채로 들었고, 이해심을 보여주었다.

3. **그의 필요를 충족시켜라** : 나의 접근과정, 즉 사전진행과 내 제안을 포장하는 방식은 그 가게 주인의 특별한 필요를 충족시키는 방향으로 향해 있었다.

4. **그의 생각을 활용하라** : 나는 자주 그 판매자가 이전에 언급한 생각에 '편승' 했다.

5. **협조적인 관계로 바꾸어라** : 내가 주로 강조했던 점은 그 가게 주인이 나를 뜨내기손님이 아니라 단골손님으로 보게 하는 것이었다.

6. **적당한 정도로만 모험을 하라** : 비록 내가 제시된 가격을 받아들일 준비가 되어 있지 않았더라도 나는 최소한의 모험을 했다. 관계를 형성하고 천천히 정보를 제공하며, 도덕의 힘과 미래의 선택권을 사용하여 위험 정도를 상당히 낮추었다.

7. **그의 도움을 얻어라** : 판매자가 참가하게 함으로써 나는 가격에 대한 그의

자료와 지식을 우리의 문제를 푸는 데 활용했다.

존은 그 장치를 멋지게 설치해 주었을 뿐 아니라, 나에게 비디오테이프 녹화기를 놓는 받침대도 공짜로 주었다. 내가 얻을 생각도 하지 않았던 받침대를 말이다. 아 참, 두 달 뒤에 내 업무를 위해 구매를 할 때 나는 모든 약속을 지켰다. 이 일을 계기로 우리는 친구가 되었고, 가깝고 신뢰하는 관계를 이루게 되었다.

실제로 일단 신뢰를 하고 나면 그 신뢰는 지속되는 경향이 있다. 당신은 많은 사람들이 사랑에 실패하는 것을 보았을 것이다. 그러나 서로를 신뢰하는 데 실패하는 경우는 거의 없다. 신뢰가 부족하면 모래성 위에 합의의 기초를 세우려고 하는 것과 같다. 그 예로 정치권의 경쟁자들이 전국대회의 마지막 단계에서 합의하려고 애쓰는 것을 보았을 것이다. 신뢰가 뒷받침되지 않으면 이런 협상의 틀은 붕괴된다. 그러므로 당신이 성공적인 결과를 바란다면 첫 번째 할 일은 신뢰를 형성하는 것이다.

빠르면 빠를수록 좋다!

지지 획득

어떤 개인도 고립된 존재가 아니다. 당신이 상대하는 사람들은 모두 그들 주위에 있는 다른 사람에 의해 힘을 보강받는다. 거래은행의 행원에서부터 사장에 이르기까지 그들은 자신의 현재 직위를 유지하기 위해서 지지를 받고 있다. 이른바 지도자들은, 그가 한 국가의 장이 되었든 한 가정의 가장이 되었든 간에, 배후에 그들의 결정을 형성시킬 조직이 있다. 사실상 지도자란 종종 이미 만들어진 결정을 구체화시키는 사람일뿐인 경우가 많다.

당신이 원하는 것을 얻기 위해 사장의 허가가 필요하다는 가정을 해보자. 사장을 설득하던 중, 그가 의외로 완고하다는 결론에 도달했다. 당신은 혼자 넋두리한다.

"이 남자, 정말 믿을 수 없을 정도로 고집불통이군. 그에게 얘기한다는 건 고장난 전화기에다 말하는 것과 같아. 아마 유전자가 잘못된 게 틀림없어!"

이 문제를 해결하기 위해 권위에 복종하거나, 사장에게 유전자 검사를 받게 하거나, 아니면 계속 앞에 가서 공격을 해보는 것은 좋은 방법이 아니다. 오히려 사장에게 있어 누가 가장 중요한 사람인지를 알아내어 그 사람으로 하여금 당신을 도와 그에게 영향을 미치게 하는 것이 정답이다. 이런 사람들의 지지를 받음으로써 가장 완고한 사장에게서조차 기적이 일어날 수 있다.

수도자나 은둔자를 빼고 사람은 모두 조직을 갖추고 있다. 당신의 사장도 그렇고, 당신도 그렇다. 그런 맥락에서 보면 당신은 관계망에 연결되어 있다.

이들이 바로 직장에서나 집에서 당신의 말을 듣고 당신 또한 그들의 말을 듣는 사람들이다. 우리에게는 앞으로 필요할지도 모르기 때문에 소중히 여기고 의견을 존중해야 하는, 즉 신경쓰는 친구들과 딸린 사람들, 지인들, 동료들, 친지들, 즉 비중있는 사람들이 있게 마련이다. 이런 망이 당신의 조직을 이루는 셈이다. 당신이 중심인물이거나 핵심인사라 하더라도 당신 주위에 포진해 있는 그 조직체 역시 당신의 행동에 영향을 준다.

만약 내가 어떻게 해서 당신의 조직체를 좌지우지하게 된다면, 그 조직체의 움직임에 따라 당신은 의도했던 원래 진로에서 벗어나게 될지도 모른다.

잠시 동안 이것에 대해 생각해 보자. 당신은 왜 그런 특정한 행동을 하는가? 당신은 왜 지금 사는 곳에서 살고 있는가? 당신은 왜 특정 모델의 차를 모는가? 그렇게 한 것이 당신 혼자만의 결정인가, 아니면 구성 멤버가 누구든 간에 당신의 조직체가 당신의 행동에 영향을 준 것인가? 당신이 솔직히 말한다면, 당신의 그런 결정 중 대부분은 적어도 부분적으로는 타인에 의해서 이미 만들어졌다는 것을 인정하게 될 것이다. 전방에서 뒷사람들의 의견을 따름으로써 내가 종종 결정을 이끌 듯이, 당신은 종종 결정을 이끌고 있는지도 모른다.

언젠가 에머슨은 이렇게 말했다.

"사물이 권력을 휘두르는 자리에 앉아서 사람을 조종한다."

마치 옛날 노르웨이 사람들이 나무를 깎아 뱃머리를 장식했던 조각물이 지도력을 행사했던 것처럼 말이다. 이것과 관련하여 내 경험 한 가지를 소개해 보겠다.

여러 해 전 나는 리버티빌이라고 불리는 일리노이 주 북부의 한 시골 마을에서 살았다. 5에이커의 초원, 밋밋한 구릉과 커다란 오크 나무들이 서있는 그곳에서 나는 아홉 개 짜리 방이 있는 집을 짓고 살

왔다. 나는 그곳에 사는 동안 행복을 만끽하고 있다고 생각했다. 하지만 나와는 달리 아내는 그렇지 못했던 모양이다. 어느 날 아침 아내는 자신이 그렇게 만족스럽지만은 않다며 이렇게 말했다.

"이곳 사람들의 가치관은 우리와 달라요. 대중 교통 수단도 없고, 더욱이 이런 지방학교에서는 애들이 제대로 교육을 받을 수 없어요."

나는 손으로 턱을 문지르며 커피를 마셨다. 그리고 마침내 아내와의 협상을 통해 이사를 하는 것으로 결정했다. 나는 자주 집을 떠나 있었으므로 이사갈 집을 고르는 일은 아내의 몫으로 떨어졌다.

하지만 집을 고르며 지난 7년 동안 부동산 값이 얼마나 변했는지를 깨달은 아내는 어깨를 축 늘어뜨리고 말았다. 천정부지로 치솟는 물가를 신문에서 읽는 일과 그런 물가에 직면하여 현실을 깨닫는 일은 참으로 별개다.

비록 낙심하기는 했지만 아내는 두 달 동안 아무런 보람없는 탐색을 계속했다. 그녀는 이사할 집을 찾아다니느라 시련을 겪고 있었지만 나는 천하태평이었다. 내가 집을 찾는 게 아니었으니까. 주말이면 그녀의 기운을 북돋아 주기 위해 나는 이렇게 말했을 뿐이었다.

"계속해 봐! 애쓴 만큼 보답을 얻을 수 있을 거야. 제 때에 꿰맨 한 바늘이 나중에 아홉 바늘 꿰맬 일을 덜어준다는 말도 있잖아."

그러나 이런 격언들은 우리 관계에 아무런 도움을 주지 못했다. 나의 이런 태도에 대한 아내의 반응은 감수성 훈련을 받아야 한다는 것이었다. 아내는 집 값이 얼마나 올랐는지 시세를 피부로 느낄 수 있어야 한다며 팔려고 내놓은 집들을 찾아보는 일에 주말마다 나를 데리고 다녔다.

나는 금요일 밤늦게 집에 들어와서는 밀린 잠을 보충하려고 침대에 쓰러지곤 한다. 집을 찾아보는 일은 내 사전에 없었다. 그러나 아내는 새벽에 나를 깨워 커피를 한 잔 주고는 토요일 하루종일 집을 찾아보는 일로 달음박질을 하도록 만들었다. 그녀는 일요일에도 뜀박질을 하도록 독려했다. 나는 이런 식으로 연 3주 동안의 주말마다 고통을 받았다.

마침내 발이 시큰거리고 미칠 것 같아서 나는 불쑥 이렇게 말했다.

"당신은 스스로 무엇인가를 하고, 또 이룸으로써 더 많은 책임을 지고 싶다고 했잖아! 당신은 해방된 자유여성이니까, 당신이 집을 사는 게 어때? 그리고 당신이 집을 사거든 내게 알려주라고. 내게 메모를 보내면 나는 행복하게 애들과 함께 이사를 하게 될 거야!"

나는 말을 멈추고, 잠시 생각해본 다음 계속했다.

"사실 나는 내가 왜 집을 찾아 돌아다녀야 하는지 모르겠어. 나는 집에서 그리 많은 시간을 지내지도 않잖아."

나는 공을 그녀 쪽으로 차버린 셈이었다.

다음 두 주 동안도 아내는 계속 집을 찾아다녔다. 나는 그녀가 집을 보러 다니는 것에는 조금도 신경이 쓰이지 않았는데, 그 이유는 나 자신이 집을 찾는게 아니었기 때문이다. 말하자면 그 결정적인 주일까지는 말이다.

나는 여행 중에도 매일 저녁마다 집에 전화를 걸었다. 사실 나는 그리 창조적인 대화자는 아니다(어쩌면 래리에게 한 수 배워야 할지도 모르겠다). 지난 여러 해 동안 내 전화 통화 내용은 판에 박은 것이었다. 내가 보통 하는 첫마디는 항상 이런 말이었다.

"안녕! 집안 일은 어때?"

그리고 이때 내가 좋아하는 대답은 늘 "잘되고 있어요!"라는 것이었다. 그러면 나는 "별일 없고?"라고 묻고는 "없어요!"라는 대답을 기대하곤 했다.

드디어 그 불길한 주일에 이르렀다. 판이 깨질 지경이 되어버린 그 판에 박은 대화는 월요일, 화요일, 수요일 저녁에도 반복되었다. 목요일 저녁에 나는 전화를 해서 다시 한 번 물었다.

"안녕! 집안 일은 어때?"

아내가 대답했다.

"잘되고 있어요."

"별일 없지?"

나는 의례적인 질문을 했다(무슨 별일이 있겠는가? 바로 전날 밤에도 통화를 했는데).

그녀가 대답했다.

"집을 샀어요."

이 부분에서 나의 기대는 무참히 깨지고 말았다. 내가 다시 물었다.

"뭐라고? 다시 말해봐."

"집을 샀다니까요."

아내는 별일 아니라는 듯 말했다.

"이봐."

내가 말을 잘랐다.

"당신 뭔가 잘못 표현한 것 같애. 당신 말은, 당신이 좋아하는 집 하나를 봤다는 거겠지."

"맞아요. 그래서 그걸 샀어요."

내 목소리는 가래가 끓고 있는 것 같았다.

"아니, 여보. 당신 말뜻은, 당신이 좋아하는 집을 봤고, 당신이 좋아하는 그 집을 흥정해봤다는 거겠지."

"맞아요. 그래서 그쪽에서 수락을 했고 우리는 그 집을 차지한 거죠."

나는 침을 꿀꺽 삼켰다.

"그래서 당신이 그 집을 사, 사, 사, 샀단 말야? 집 전체를? 당신은 그런 일을 해낼 수 없잖아."

"아니, 할 수 있어요."

그녀는 사실 그대로 말했다.

"그건 진짜 쉬운 일이었어요…. 당신도 그 집을 아주 좋아할 거예요. 영국 튜더 왕조 스타일의 집이죠. 방이 열 여섯 개고, 55년이나 된 집이죠. 미시간 호수도 보이고요."

고통스런 느낌이 내 어깨와 왼팔을 꿰뚫고 지나갔다. 나는 자꾸 말을 더듬거렸다.

"당신이 집을 사, 사, 샀단 말이지."

"그래요!"

내 동반자가 재차 강조했다. 마침내 내가 스트레스를 받고 있다는 것을 알고, 그녀가 목소리를 낮춰 덧붙였다.

"근데, 그 구입문제는 당신에게 달려 있다고 계약서에 썼어요."

내 왼팔의 고통이 약간 덜해졌다.

"그럼 내가 승인하지 않으면 구입을 취소할 수 있단 말인가?"

"물론이에요"

아내는 내게 확인시켜줬다.

"토요일 아침 10시까지 시간이 있어요. 당신이 싫다면 우린 그만 둘 수도 있어요. 하지만 그만둔다는 건 내가 처음부터 집을 다시 찾아봐야 한다는 뜻이죠."

나는 금요일 밤 늦게 집에 도착해서 다음 날 상쾌한 기분으로 일찍 일어났다. 우리는 아내가 샀으면 하는 집을 보러 갈 예정이었다. 그러나 이른바 집안의 기능적인 지도자이며, 이름뿐인 지도자인 바로 내가 개인적으로 그 구입을 결정할 수 있는 것이었다. 이름뿐인 기능상 지도자인 나는 운전석에 앉은 다음, 내 동반자를 내 옆에 앉히고 우아하게 '차'를 몰았다.

길을 따라 쭉 달리는 동안 내가 아내에게 말했다.

"그런데 당신이 거의 산 셈인 이 집에 대해 누군가 알고 있는 사람이라도 있소?"

"아, 그럼요."

"누가 알지? 방금 일어난 일이잖아!"

"아는 사람 많아요."

"누구?"

"글쎄, 먼저 우리 이웃들과 친구들이 알아요. 사실 그 사람들은 오늘밤 신나는 이별파티를 해주기로 했어요."

내 턱 근육이 경직되었다.

"먼저라니, 무슨 말이야? 그럼 누구 알고 있는 사람이 또 있단 말이야?"

"그럼요, 내 친정 식구들이 알고 있죠. 시댁 식구들도 마찬가지구요. 사실 우리 어머니는 거실에 달 커튼을 이미 주문하셨대요. 내가 전화로 치수를 알려드렸거든요."

갑자기 나는 위장이 뒤틀려서 차를 길모퉁이에 세웠다.

"또 아는 사람은 누구지?"

"음, 애들이 알고 있어요. 애들은 자기 친구들에게 말했고요, 애들 친구들은 또 자기 선생님에게 말씀드렸어요. 그리고 애들은 자기들이 쓸 침실까지 다 정했어요. 샤론과 스티븐은 자기들 방에 들일 가구도 백화점에서 주문했구요."

"우리 개는 어땠소?"

나는 이마에서 핏줄이 고동치는 걸 억제하며 물었다.

"플루피는 자기만이 할 수 있는 그런 자세로 킁킁거리며 거기 있었죠. 그 암캐는 이웃집의 소화전이 좋은가 봐요. 그리고 한 블록 아래 있는 귀여운 수캐가 플루피의 눈길을 끌었죠."

도대체 여기서 무슨 일이 일어나고 있었단 말인가? 조직이 지도자에게서 떨어져 나가고 있었다.

그래, 바로 그거다. 이것이 조직행동에서의 지그재그 이론이었다.

우리가 알고 있다시피, 모든 조직은 어깨를 맞대고 길을 따라 내려간다. 구성원 모두가 좁은 간격으로 일렬 행진을 하고 있다. 그러다가 예고도 없이, 갑자기 행진을 하던 군대가 왼쪽으로, 오른쪽으로 왔다 갔다 하기 시작한다. 그런 일이 일어났을 때, 지도자는 빈 들판에 좌초되어 혼자 남겨진 채 중얼거린다.

"이게 웬일이지? 다 어디 간 거야? 다들 어디 있나?"

이런 현상을 '피울 담배도 없는 외로움'이라고 한다.

내 경우 역시, 이름뿐인 기능상의 지도자가 지금 자기 조직들이 저쪽으로 가 있는데, 혼자서 외로이 외딴 곳에 남아 있는 경우이다. 그 이른바 이름뿐인 기능상의 지도자, '이제는 홀로 있는 그 지도자'가 이런 상황에서 어떻게 할 것이라고 생각하는가? 당신 생각이 맞다. 그 지도자는 이른바 이름뿐인 기능상의 지도자라는 직책을 지키기 위해 이미 형성되어 있는 결정에 비준한다.

가끔 보면 아내가 나보다 협상에 대해서 더 잘 아는 것 같다. 그녀는 몸이 움직이면 머리는 따라오게 마련이라는 것을 알고 있었다.

내 아내가 한 것은 나의 중요한 사람들에게서 자기의 결정에 대한 지지를 획득한 것이었다. 그녀는 "허락을 구하기보다는 용서를 구하는 게 더 쉬울 때가 종종 있다"는 오래된 속담을 실천했다. 그녀는 내게 기정사실, 즉 이미 사실로 인정된 것을 제시했던 것이다.

지도력이라는 체면, 심지어 지도자라는 자아상을 유지하기 위해서 나는 사람 눈에 띄는 곳에서 비준을 했다. 그 합의서에 서명을 하면서 나는 우리 가족과 친지들, 친구들과 이웃들, 그리고 물론 우리 개 플루피까지 참가해서 만든 결정에 비준했을 뿐이다.

결코 어느 누구도 고립된 개체로 보지 말라. 당신이 설득하려는 사람을, 다른 사람들이 주위를 둘러싸고 있는 중심으로 보라. 그리고 그 다른 사람들의 지지를 얻어라. 그러면 당신은 그 중심의 움직임과 지위에 영향을 미치게 될 것이다.

반대자들 다루기

뜨거운 태양 아래서 자신의 자리로 나아가기 위해서는 항상 새로 생기는 물집을 견뎌내야 한다. 그 물집이란 자기가 지나갈 권리를 방해하는 사람들을 의미한다. 이런 방해를 받게 되는 것은 나쁜 일이 아니다. 그런 방해로 해서 정신을 가다듬게 되고, 라이벌과의 공정한 경쟁으로 스스로를 통찰하게 되고 성장과 발전을 북돋우게 될 것이다. 월트 휘트먼이 이런 글을 남겼듯이 말이다.

"당신은 당신에게 맞선 사람에게서 큰 교훈을 배워오지 않았던가?"

서로 맞선 상태가 삶의 모든 것이다. 당신의 근육조직 전체는 그런 상태에 의존하고 있다. 아기가 처음 일어서려고 할 때, 그는 중력의 저항 때문에 넘어진다. 그러나 계속 시도함으로써 아기는 자기의 팔과 다리와 등에 근육을 만들게 되며, 마침내 일어서게 된다. 이렇게 맞선 상대를 다룸으로써 당신은 깨어나게 된다. 원하는 것을 얻기 위해서 당신은 맞서고 있는 상대와 직면해야 한다. 만약 적이 없다면 당신은 계속 앉아서 꼼짝도 하려 하지 않을 것이다. 본질적으로 바라는 결과를 얻기 위해 협상을 하려 들지도 않을 것이다.

하지만 당신이 아무 것도 하지 않는다 해도 곧 당신에게는 곧 적이 생기게 된다. 사장, 동료, 친구, 가족, 기타 주변에 있는 다른 사람들이 가만히 있는 당신에게 저항하게 될 것이다. 그렇게 되면 당신은 자신의 실망을 달랠 때처럼 자기 스스로와 협상을 하게 되는 결과에

봉착하게 될지도 모른다. 즉 문제는 당신에게 적이 있고, 없고에 있
는 것이 아니다. 문제는 "어디에서 적이 생기는가?"에 있다.

적은 두 가지 형태로 생긴다.

· 생각이 다른 적
· 감정적인 적

생각이 다른 적

생각이 다른 적이란 특정 문제나 대안에 있어 당신과 의견이 다른
사람을 말한다. 이해하는 각도의 차이는 이론적인 것이다.

"나는 그걸 이런 식으로 해야 된다고 생각한다"라고 당신이 말하는
데, 그녀는 "아니야, 내 생각엔 저런 식으로 해야 된다고 봐"라고 말
했을 때, 우리는 서로의 생각이 다르다고 말한다. 이런 견해차를 접
근시키고자 할 때는, 앞 장에서 말했던 방법들을 써서 양측 모두를
만족시키게 될 결론에 이르게 할 수 있다.

잊지 말라. 우리의 방법은 생각과 정보, 경험, 감정을 총재산으로
해서 서로 좋은 결과를 찾아내도록 격려하는 것이다. 양측이 합심한
다면 상승적인 결과를 낳는 것도 가능하다. 이런 결과는 양측이 힘쓴
정도 이상의 것이 될 때 일어난다.

상승작용이 일어나면, "전체는 부분들의 총합보다 크다"라는 결과
나 '1 더하기 1이 3'이 되는 결과가 온다. 다른 말로 하면 양측이 출
발점에서 기대했던 것 이상의 최종적인 합의를 양측에게 줄 수도 있
는 것이다.

이런 일이 일어나면, 역경이나 적이 주는 압박감이 오히려 당신이 바라는 것을 얻는 데 도움이 되도록 활용될 수 있다. 이런 식으로 생각이 다른 적은 늘 잠재적인 동맹자인 셈이다.

그러나 힘을 합친 해결책이 당신과 당신의 적에게 더 나은 결과를 준다면 무엇 때문에 이런 결과를 성취하는 경우가 드문 것일까?

그 이유는 서로가 신뢰를 형성하고, 문제 해결을 동의하고부터 출발해야 한다는 대전제를 어겼기 때문이다. 대신에 그들은 자기들의 대안과 해답을 공언함으로써 생각이 다른 적과의 협상을 시작한다.

그들은 심지어 혹독한 선을 긋듯 자기들의 결론을 최후통첩이라고 공언한다. 대개는 숫자로 말해진, 상대의 이런 입장에 직면하면 당신도 비슷하게 반응하게 된다. 갑자기 양측은 경쟁적인 이기고 지는 협상 형태로 양극화 되어 사이가 벌어진다. 잠재적인 동맹관계가 갑자기 적대적인 관계로 악화되는 것이다.

이런 궁지를 깨닫게 되면 양측은 '나의 방식 대 너의 방식'이라는 데 초점을 둔 틀을 해체하게 된다. 혹여 너무 많은 손실이 일어나면, 양측은 그때에야 겨우 정보를 교환하고 일괄적인 조건들을 다시 조정하여 둘 다 승리하는 결론을 찾기 시작하는 것이다.

그러나 초점이 바뀌지 않는다면 분열된 입장을 중재하려는 시도는 좌절을 겪게 된다. 결론과 최후통첩을 가지고 협상하려는 것은 아름드리 삼나무를 주머니칼로 베려는 것과 같다. 당신은 끝없이 칼질을 해대겠지만 삼나무는 계속 제자리에 서 있다. 삼나무는 연한 곳이 한 군데도 없다. 즉 양보가 전혀 없다는 말이다.

다음 상황은 내 말의 의미를 잘 전달해 줄 것이다.

당신이 나의 채용에 응하면서 5만 달러의 연봉을 요구한다. 그것은 당신 자신의 값어치라고 결론 지은 액수이다. 회사의 봉급 등급 구조와 다른 사람들이 받는 액수에 기준해서 나는 당신에게 3만 달러를 제안한다. 그 액수가 나의 결론이다. 당신은 '최저한도'가 5만 달러라고 반복한다. 나는 3만 달러가 '최대한도'라고 물러서지 않는다. 당신은 더 내릴 생각이 없고, 나는 더 올릴 생각이 없다.

이런 막다른 길을 타개하고 조화를 이루려고 나는 이렇게 말한다.

"좋소, 아마 3만 2백 달러까지는 드릴 수 있을 겁니다."

당신이 비웃듯 대답한다.

"좋아요. 나는 49,900달러까지 낮출 수 있을 겁니다."

우리는 절벽에 걸린 외나무다리 위에 마주친 두 마리 산양처럼 머리를 맞대고 버틴다.

"정말이오?"

당신은 마지막으로 묻는다.

"그렇소."

내가 응수한다. 당신이 불끈 자리를 박차고 나가서 다른 데를 알아보기 시작한다. 약간 화가 난 나는 책상 맨 윗서랍을 열고는 신경안정제 한 알을 꺼낸다.

그러나 우리가 '생각이 다른 적으로서' 우리 둘 다를 충족시킬 문제 해결책을 찾기 시작한다면 어떻게 될까? 신뢰를 형성시킴에 따라 우리는 점차 정보와 경험과 필요를 함께 나눌 수 있을 것이다. 이 상태가 계속 진전되면서 우리는 적의 관점을 들어보고, 우리의 입장에서 뿐 아니라 상대의 입장에서도 상황을 바라보게 된다. 이제 우리는 상대의 절실함을 이해하게 되고, 마침내 봉급에 관한 자기 입장을 말할 때, 우리는 그 액수 뒤에 있는 이유들을 이해하게 되는 것이다.

이 모든 노력에도 불구하고 협상은 정체되고 봉급에 대한 입장이 너무나 달라서, 내가 이제 물을 한 컵씩 따르면서 이렇게 제안한다고 해보자.

"아마, 우리는 봉급 문제 자체에 대한 토론을 떠나서 당신의 특별한 필요를 충족시킬 다른 보상 형태를 얘기할 수도 있을 것 같군요."

당신이 동의한다는 듯이 머리를 끄덕인다. 우리는 함께 당신의 제한과 한계, 필요뿐만 아니라 나의 제한과 한계, 필요를 고려하면서 합의점을 다시 만들어본다. 우리가 하고 있는 일은, 내가 더 양보할 수 있는 다른 영역에서 융통성을 발휘하여 내가 할 수 있는 영역, 즉 봉급 문제에서 경쟁적인, 이기고 지는 문제를 탈피한다.

솔직하게 의견을 주고받은 다음에 우리는 그가 봉급으로는 3만 달러를 받지만, 다른 형태로 돈을 더 받는 상황을 만들어볼 수도 있다. 최종적인 협약은 당신이 이런 조건으로 2만 달러 이상에 상당하는 것을 받게 되는 것으로 말이다.

· 회사 차
· 교제비
· 컨트리클럽 회원권
· 이익 배당

· 퇴직금을 공짜로 더 부여하는 것

· 저이자의 대부

· 무료 의료혜택

· 치과 장려비용 계획

· 무상 생명보험

· 회사에서 85%를 지원하는 병원 이용 계획

· 당신 자신을 위한 연장교육 프로그램

· 주식배당

· 휴식시간 더 주기

· 휴가기간 늘려주기

· 자신의 경비에 대한 통제권

· 창문이 딸린 새 사무실

· 당신 전용의 주차공간

· 자녀를 위한 교육기회

· 전근 비용

· 프로젝트가 성공할 때마다 주는 보너스

· 비서

· 펄쩍펄쩍 뛰며 거닐 수 있게 밑에 놓을 두께 2인치의 깔개

· 필요하면 회사가 이사할 집을 사주는 것

· 하와이의 산업 합동회의에 해마다 참석하는 경비부담

· 새 상품이 개발될 때 로열티의 몇 퍼센트를 주는 것

어쩌면 나는 일반적인 채용면접에서 일어나는 것보다 더 많은 조

건을 얘기한 것인지도 모르겠다. 이 목록은 달러 청구서나 특별한 경우의 개인적 만족이 어떻게 봉급 이외의 다른 형태로 보상될 수 있는지를 보여주기 위해 의도적으로 부풀려 본 것이다.

이런 품목은 회사 돈이 사용되는 것이기는 하지만 회사원의 관점에 따라 더 좋은 형태로 지불될 수도 있다는 것에 주의하라. 결국 봉급과는 다르게 이런 이득 중 일부분은 법적인 세금이 매겨지지 않는다. 그러므로 이런 식으로 주어진 품목의 진정한 가치는 봉급으로 받는 것보다 훨씬 좋을 수도 있다. 당신은 방금 상승효과를 본 것이다.

이 스물 다섯 가지와 기타 등등은 불충분환 목록임을 명심하라. 일부 목록들은 당신의 특유한 필요에 따라 더 가치가 있을 수도 있고 없을 수도 있다. 이런 항목들은 다른 형태나 다른 식으로 쓰이는 달러나 수표와 다르지 않다.

당신이 유망한 채용 응모자라면 이런 형태의 항목들이 연봉 5만 달러보다 훨씬 더 필요를 충족시킬지도 모른다. 이런 창조적인 합의가 합리적임을 염두에 두고, 고용주에게 너무 미안해하지 말라. 능숙한 용역 구매자는 대개 자기 경비에 대한 값어치를 얻게 마련이다.

이런 것이 생각이 다른 적의 필요를 충족시키도록 협상을 재구성하는 것의 가상적인 보기이다. 이제 실제 보기를 들어보겠다.

여러 해 전 나는 오하이오 주 동부에 있는 탄광을 구입하려는 한 회사에서 대표로 있었던 적이 있다. 탄광 소유주는 처음부터 2천 6백만 달러를 요구하는 완고한 협상가였다. 우리 회사는 처음에 1천 5백만 달러를 제의했다.

"농담하는 거요?"

소유주가 불끈 화를 냈다. 회사는 적절하게 이렇게 말했다.

"아니, 농담이 아니오. 그러니 당신이 실제로 팔려는 가격을 제시해보시오. 그러면 그 액수를 고려해 보겠소."

그 소유주는 2,600만 달러에서 한 걸음도 물러서지 않았다.

그 다음 날, 회사측은 1,800만 달러, 2천만 달러, 계속해서 2,100만 달러와 2,150만 달러를 제안했다. 그러나 파는 쪽은 꿈적도 하지 않았다. 진퇴양난의 상황에서 양측은 죽치고 있었다. 어떤 상황인가? 2,600만 달러의 요구에 2,150만 달러를 제시한 것이다.

내가 앞에서 얘기한 것처럼 결론만 가지고 창조적으로 협상한다는 것은 거의 불가능한 일이다. 양측의 필요에 대한 정보가 없기 때문에 그 요구 품목을 다시 구성하고 다시 만들기가 어려웠다.

소유주가 왜 공정한 제안으로 보이는 이 조건을 받아들이지 않는지 몰라서 나는 계속 그와 저녁 식사를 같이 했다. 우리가 식사할 때마다 나는 회사가 지금 하고 있는 제안이 얼마나 합리적인가를 설명했다. 상대측은 대개 침묵하거나 화제를 바꾸었다. 어느 날 밤 내가 피치를 올려서 얘기를 했더니 그가 이렇게 언급했다.

"그러니까 말이죠, 내 동생도 자기 광산을 2,550만 달러보다 더 받았단 말입니다."

'아하, 이거로구나!' 나는 생각했다. 이제 이 사람이 그 특정액수에 딱 묶여 있는 이유를 알 수 있었다. 이 사람에게는 우리가 겉으로 보아 알 수 없는 다른 필요가 있었던 것이다.

나는 회사 임원 회의에서 말했다.

"그 사람의 동생이 받은 게 뭔지 정확히 알아봅시다. 그러면 우리는 제안을 다시 만들고 다시 포장할 수 있습니다. 분명히 우리는 순수시장 가치와는 별 상관이 없는 개인의 중요한 필요들과 흥정을 하고 있는 겁니다."

회사 중역들이 내 의견을 따라주어서 우리는 이 방면으로 일을 계속 진행했다. 얼마 지나지 않아 협상이 타결되었다. 최종적인 가격은 우리의 예산에 잘 맞게 떨어졌으나 그 지불방법과 부가적인 혜택들은 소유주가 자기 동생보다 더 잘 거래했다고 느끼게 할 수 있는 것이었다.

감정적인 적

우리는 생각이 다른 적에게 사실적이고 서술적으로 말을 걸 수 있음을 보았다. 이런 상황에서는 양측의 처음 관점이 서로 다름에도 불구하고 창조적인 문제 해결책이 나올 수 있다.

그러나 감정적인 적은 당신의 관점과 의견이 다를 뿐만 아니라 당신이라는 인간 존재와 맞지 않는, 감정적으로 대립되어 있는 사람이다. 그는 당신이 차지하고 있는 지위에 대해 불경스럽고 불순한 동기를 품고 있는 사람일 수도 있다.

이런 분위기에서는 특별한 스트레스가 있고, 서로를 재단하고, 비난하고, 자신이 더 높은 위치에 있으려고 한다. 분명히 이런 상황은 창조적으로 문제를 해결할 수 있는, 좋은 결과를 얻을 수 있는 그런 상황은 아니다.

일단 당신이 감정적인 적을 만나게 되면, 그의 마음을 바꾸기 어렵기 때문에 영원히 적으로 남게 되는 경향이 있다. 당신이 늘어놓는 논리와 사실, 아이디어와 증거가 모두 불충분한 것이 될 것이다. 그러니 처음부터 그런 상대가 생기지 않도록 하는 것이 최선의 방법이다. 전염병을 피하듯 감정적인 적을 만들게 되는 일을 피해야 한다.

그렇다면 이어지는 질문은 '왜 어떤 사람이 감정적인 적이 되는가?' 이다.

만약 어떤 사람을 감정적인 적으로 만들고 싶다면 당신이 할 수 있는 최선의 선택은 상대의 '체면'을 손상시키면 된다. 그럼 간단하게 성공할 수 있다. 체면은, 한 사람이 세상 평판에 자신이 원하는 대로 보이기를 바라는 모습이다. 내가 힘든 협상에서 내 체면유지에 신경을 쓰는 것은, 내가 늘 특권과 가치와 위엄과 존경의 관점에서 바라본 지위가 유지되기를 바라기 때문이다.

한편, 자아상이란 한 사람이 자기 머릿속에서 자신을 어떻게 보는가에 관계된다. 즉 자아상은 당신이 생각하는 당신의 모습이다. 당신 혼자서 자기 능력, 가치, 역할에 대해 가지고 있는 관념인 것이다.

이처럼 이 두 개념은 약간 차이가 있다. 간단히 말해 개인적인 자아상과 누구의 체면이라는 것은 구별된다.

이 둘 사이의 개념을 더 명확히 하기 위해서 내가 당신과 둘만의 대화에서 당신을 협잡꾼, 광대, 거짓말쟁이라고 부르며 공격했다고 하자. 비록 도발적이지는 않았다고 해도, 감정을 상하게 하는 이런 공격은 일시적으로 당신을 화나게 한다. 하지만 당신의 자아상은 의심의 여지없이 이런 모욕을 견뎌낼 수 있을 만큼 튼튼하다.

당신은 고개를 절레절레 저으며 이렇게 생각할 뿐이다.

'이놈은 해로운 놈일 뿐 아니라 어디가 아픈 놈이야!'

그러나 다음 날 내가 정신을 차린 후 나의 실수를 진정으로 사과한다면, 우리 둘만의 일이었으므로 당신은 아량을 베풀어 나를 용서해 줄지도 모른다.

그러나 공식적인 회의석상에서나 당신의 동료들 앞에서 내가 당신을 협잡꾼, 광대, 거짓말쟁이라고 하며 비슷한 독설적 공격을 퍼부었다고 하자. 당신의 자아상은 내 욕을 말이 안 되는 것으로 완전히 거부하는 것과 별도로, 당신의 체면은 손상되고 자존심은 상처받게 된다. 이 시점에서 당신은 아마, "도대체 이런 굴욕을 몇 사람 앞에서 당한 거야. 한 사람, 두 사람, 세 사람 앞에서군" 하고 생각하면서 점수를 기록하기 시작할지도 모른다.

다음 날 내가 당신을 찾아가서 나의 잘못을 용서해 달라고 한다고 하자. 내 사과는 받아들여질까? 그렇지 못할 가능성이 높다. 상처받은 자존심은 완고한 적을 만들 뿐 아니라, 그 공격이 여러 사람 앞에서 행해졌음에도 나는 사사로이 용서를 구하려 했기 때문이다.

사람들은 체면 손상을 피하기 위해 극단적인 데까지 간다. 우리 모두는 그 에피소드를 왜곡하고 합리화시키는 것에서부터 완전히 차단하는 것까지 그런 환경에서 우리 자신을 보호하는 놀라운 능력을 보여준다.

얼마 전에 인기있던 노랫말에 이런 것이 있다.

"우리는 기억하기에 너무 괴로운 것은 그저 잊기로 했다네."

한 10년 전 나는 오랫동안 충실히 봉사해온 조직에서 뜻밖에 해고를 당한 어떤 중역을 알고 있다. 그는 자기 가족이나 친구에게 실직 사실을 아예 알리지 않았다. 아침마다 같은 시간에 서류가방을 들고 지하철역에 가서 전차에 올라탔고, 맨해튼까지 갔다. 그후에는 집으로 가는 열차를 탈 때까지 타임스 스퀘어나 공공 도서관의 영화관에서 끝없는 하루를 보냈다.

그가 조작한, 그런 척하는 세계가 깨진 것은 약 두 달 뒤였다. 그런 일을 모르는 그의 아내가 사무실로 생각지도 않던 전화를 했기 때문이었다. 이 이야기는 비극적이지만 우리가 신경을 써야 하는 사람들로부터 우리의 위상을 유지하기 위해 누구나 만들어낼 수 있는 믿을 수 없을 정도의 환상을 잘 요약해 보여준다.

유진 오닐이나 테네시 윌리엄스의 글을 읽어보면 당신은 이것이 반복되는 주제, 즉 아편을 피울 때와 같은 몽상과 그런 척하는 체면 세계의 유지임을 알게 될 것이다.

우리는 개인이 체면유지를 위해 채택할지도 모르는 절망적이고 비합리적인 행동을 염두에 두고, 상대방을 사람들 앞에서 공개적으로 깎아 내리는 행동은 피해야 한다. 따라서 생각이 다른 상대의 체면을 손상시키지 않고 정직하게 말할 수 있는 훈련을 해야 한다.

당신은 감정적인 적을 만들지 않으면서 요점을 분명히 말하고 주장을 제시할 수 있어야 한다. '모든 힘에는 반작용이 있다'는 물리적 법칙을 유념해야 한다. 이 말의 핵심은 버나드 바루흐의 말에 잘 나타나 있다.

"두 가지가 심장에 가장 좋지 않다. 즉 계단을 뛰어 올라 가는 것과 사람을 몰아세우는 것."

감정적인 적을 만드는 데 관련된 결과와 위험을 강조하는 두 가지 예를 들겠다.

첫 번째 예는, '문을 열어놓는 방침'을 가진 어느 큰 회사에 고용된 케이트라고 불리는 관리자에 관한 것이다. '문을 열어놓는 방침'이란 사장이 바로잡아주지 않는 불만이나 탄원거리가 있다면 고용인이 이를 호소할 권리를 지닌다는 것이었다. 사실상 이 회사의 직원들은 사장의 윗 선까지, 필요하면 회장에게까지도 갈 수 있다.

케이트가 자기 사장에게 부당한 대우를 받고 있다고 믿는 데에는 정당한 이유가 있었다. 그리고 그 문제를 자기 부서에서 해결하려고 했으나 되지 않자 그녀는 자기의 권리를 행사하기로 결심했다.

그녀는 회장에게 편지를 썼고, 회사 경비로 본사 사무실로 날아갔다. 거기서 그녀는 해당분과 부회장과 만났는데, 그는 위계 질서상 그녀의 사장보다 두 계급 위인 사람이었다. 그 사건이 널리 알려지자 케이트의 직속 사장은 안색이 좋지 않아 보였다.

그녀가 돌아온 지 일주일쯤 지난 뒤, 케이트는 자기 사장과 대면하기 위해 호출되었다. 이 회담에서 사장은 자기의 방식이 잘못된 점을 인정하고 그녀의 불만 사항을 시정해주겠다고 약속하며 사과했다. 그 뒤 문제는 만족스럽게 해결되었지만 상사와의 관계는 이전과 같지 않았다.

처음에 그는 그녀의 실수를 다른 사람들 앞에서 지적하기 시작했다. 그는 트집이라도 잡으려는 듯 계속 그녀의 출퇴근 시간 기록을 쥐고 있었다. 그 뒤 몇 달 동안 참모회의에서 약간 깔보는 기색이 보였으며, 또 메모가 제때 전달되지 않아 그녀가 계획을 세우고 조치를 취할 수 없는 일들이 생겼다. 비록 봉급은 인상되었지만 그녀가 기대한 것보다 적었다.

그 '문을 열어놓은 방침' 사건이 있은 지 열 달이 지난 뒤에 케이트는 그 뜻을 알아차리고 '포로생활'을 청산하고 '젖과 꿀이 흐르는' (그녀의 표현을 빌리자면) 새로운 직업을 얻었다.

두 번째 예는 사회과학 선생이자 대도시 고등학교에서 오랫동안 야구 코치를 지낸 빈스의 이야기다. 줄어드는 인구와 소규모의 세금에 대한 저항 때문에 학교운영 경비가 줄어들었다. 그 학교 교장은 어디서 비용절감을 해야 하는지 의논하기 위해 전체 교사회의를 소집했다. 여교장은 슬라이드를 통해 정확하게 발표했으며, 이해할 만한 자료 제시로 결론이 자연스럽게 추출되었다. 결론에서 그녀는 슬라이드 판들을 모아 서류가방에 넣으면서 형식적인 질문을 했다.

"누구 의견 제시할 분 있습니까?"

이 시점에서 빈스는 생각지도 않았던 미끼를 문 것처럼 교장의 발표에서 있었던 여러 가지 논리적 오류를 지적하기 시작했다. 더 상세히 말하면, 빈스는 교장의 결론과 계획이 교장 자신의 증거로 뒷받침이 될 수 없음을 설득력 있게 주장했다.

그 지적은 특히 그 교장 자신에 집중되었다. 교장은 대학원에서 수학 석사학위를 받은 터였고, 늘 "사소한 것이 완전한 것을 만들지만, 완전한 것 자체는 사소한 것이 아니다"라는 미켈란젤로의 말을 인용하기 좋아했던 사람이었다.

이 일이 있고 난 후, 교장이 빈스의 긴 직장생활에서 간주곡 격인 이 단순한 사건을 그에게 다시 거론하는 일은 없었다. 그러나 다음 학기에 빈스는 야구 대신 축구 코치를 해달라는 요청을 받았다. 그리고 한 해 뒤에는 자기 집에서 아주 먼 다른 고등학교로 전근할 수밖에 없었다.

내가 아는 한 빈스는 아직도 긴 출근길을 마다 않고 직장에 다니고 있다. 당신은 이제 그의 탄탄한 경력이 정체되었다고 말할 수 있을 것이다. 성공의 길에서 볼 때, 어깨 부분쯤에 주차한 격이다.

이 두 경우는 당신이 다른 사람 앞에서 누구를 비난하게 될 때, 그 것이 어떤 영향을 미치게 되는 지를 요약해 보여준다. 설사 당신이 옳다 하더라도, 적어도 다른 사람들 앞에서 그 사람에게 모욕을 줄 수 있는 모든 카드는 버려라. 그들을 위해서 뿐 아니라 당신 자신을 위해서도 이 점을 잊지 말라. 궁극적으로 감정적인 적을 피하는 것이 상호간의 불만족을 피하는 것이다.

어떻게 하면 감정적인 적을 만들지 않을 수 있겠는가? 내가 만든 규칙은 간명한 부정어로 시작하는 다음 두 가지이다.

1. **결코 자기 태도의 중요성을 잊지 말라** : 직장에서든 가정에서든 간에 협상은 게임이라는 것을 잊지 말라. "신경을 쓰라, 그러나 지나치지는 말라"고 앞에서 말한 것을 기억할 것이다. 복수할 정당한 이유가 있다 하더라도 자제하라. 도발적인 행동 자체로는 당신의 감정을 상하게 할 뿐이라는 것을 잊지 말라.

주름살을 만드는 것은 그것 자체라기보다는 그것에 대해 취하는 자신의 관점이다. 어느 누구도, 어떤 것도 자기의 동의없이는 자신을 화나게 할 수 없다. 토머스 제퍼슨이 "어떤 상황에서도 늘 차분하고 인상을 쓰지 않는 것만큼 다른 사람보다 훨씬 큰 이득을 얻게 해주는 것은 없다"고 말한 것은 바로 이런 품행을 암시한 것이다. 자신에게 반복해서 이렇게 말하라.

"이건 게임이다. 이건 환상의 세계다. 탄로 난 술책은 더 이상 술책이 아니다. 나는 신경은 쓰지만 지나치지는 않는다."

2. **결코 다른 사람의 행동이나 동기를 심판하지 말라** : 다른 사람의 마음속을 들여다볼 수 없기 때문에, 그들을 몰아붙이고 밀어붙이는 게 별게 아니라고 믿는 것은 어리석은 짓이다. 많은 경우 그들 자신도 그게 뭔지 모른다.

"엄마 아빠, 이거 알아요? 나 방금 마리화나 받았어요."
"뭐라고?"
부모가 이구동성으로 소리치고 어린애는 그들의 반응이 격렬한 데 놀란다. 무의식적으로 그 애는 뒤로 주춤 물러나고 의미심장한 침묵이 계속된다.

이제 당신에게 묻겠다. 이런 대화가 얼마나 솔직하게 열릴 수 있겠는가? 이 애가 부모에게 몇 달 뒤나 몇 년 뒤에 이런 종류의 정보를 가지고 다시 한 번 다가올 수 있을지 의심스럽다.

왜 그런가? 부모에게 한 문제를 들고 와서 두 문제를 들고 돌아서게 되니, 아무런 이득이 없다는 것을 알만큼 그 애는 충분히 영리하다.

당신이 집에서나 직장에서 이런 식으로 행동한다면 당신은 정보의 원천을 고갈시켜 버리게 된다. 그리고 다른 사람의 지지는 물론 협상하는 능력마저 크게 손상 받는다.

아마 부모들이 화를 내는 이런 유형은 극단적인 것이 보통이다. 그러나 같은 종류의 부정적인 판단이 우리가 쓰는 언어와 그 언어에 동반되는 단서들에 의해 종종 나타난다.

〈보기 1〉

한 부모가 자녀의 방에 가서 말한다.

"이건 완전히 돼지우리구먼. 휴, 냄새야."

〈보기 2〉

한 배우자가 자기 짝에게 말한다.

"당신은 내게 아무 도움이 되지 않아요! 당신은 접시를 싱크대에 처박기 전에 음식을 닦아내는 것 좀 배울 수 없어요?"

〈보기 3〉

화가 난 부모가 자기 자녀에게 소리친다.

"네 스테레오에서 뿜어대는 그 동물 울음 같은 음악소리는 너무 시끄러워. 이건 이웃 전체의 소음공해다."

〈보기 4〉

협상하는 사람이 테이블 건너편의 자기 상대방을 향해 한 마디 한다.

"이 자료에 대한 당신의 분석과 비용 산출 방식, 이거 모두 다 틀렸소."

이상의 네 가지 보기에서 중요한 점은, 말하는 사람이 심판관의 역할을 하고 있다는 것이다. 각 보기마다 다른 사람의 생활 양식이나 가치관, 고려사항들, 됨됨이, 지성에 대한 가치판단을 내리고 있다.

당신이 당신 가족을 늘 하는 얘기들로 감정적인 적으로 만들 수 있다는 것은 결코 아니다. 다만 내가 말하는 것은 그렇게 남 앞에 함부로 대놓고 말하는 것은 감정을 상하게 하고 체면을 상하게 한다. 더욱이 이런 말버릇은 고치기 힘들어서 신뢰가 아직 형성되지 않은, 신경이 곤두서 있는 다른 거래에서 그 버릇이 계속 나올 수도 있다.

이런 잠재적인 문제를 제거하는 방법은 아주 간단하다. 할 일이란 이 모든 말에서 '너/당신' 대신에 '나/저'나 '내게/제게'를 씀으로써 당신은 심판관이 되지 않고도 개인적인 감정과 반응과 필요를 표현할 수 있다.

이런 간단한 변화로 어떤 결과가 나올 수 있는지 다음 네 가지 예가 있다.

〈보기 1〉
"네 방이 깨끗하지 못할 때 나는 실망스럽고 우울하고 기분이 언짢단다."

〈보기 2〉
"접시에 묻은 음식이 닦여 있으면 설거지하는 데 시간이 반밖에 안 걸리잖아요. 난 설거지하는 걸 별로 좋아하지 않으니 이건 내게 중요한 문제라구요."

〈보기 3〉
"내겐 시끄러운 음악이 너무 안 맞는단다. 난 피곤하고 신경이 곤두서 있어서 그 음악이 너무 거슬리는구나."

〈보기 4〉
"제겐 그 자료가 당신과는 다르게 보이는군요. 제가 느끼는 바로는…"

우리는 부분적인 반대가 성장과 발전을 유발시키므로 불가결한 것이라고 말해왔다. 모든 발전은 적, 즉 지금 내가 하고 있는 현상유지에 만족하지 못하는 사람들에게서 나온다. 바로 이런 사람들이 자기들의 다른 생각과 방식으로 발전의 기초가 되는 창조적인 해결책과 새 가능성으로 인도할, 필요한 긴장을 일으키는 사람들이다.

생각이 다른 적들을 잠재적인 동맹자로서 소중히 하라. 그들에 대한 평가를 자제하면서 당신의 견해를 신중히, 인내심을 가지고 전하라. 생각이 다른 반대자가 감정적인 반대자로 바뀌지 않게 해야 한다.

이 장에서 내가 이야기 하고자 하는 것은 '먼저 봉잡기 게임'이 아니다. 협조적인 협상에서는 공모나 위협, 급한 말, 조작, 속임수, 조종 같은 것이 필요없다.

반대로 나는 지속적인 관계를 형성시키고 유지하는 것을 목적으로 하는 전술을 제안하고 있다. 신뢰하고 있는 양측은 자기들의 에너지를 두 사람 모두의 이익을 위해서 문제를 푸는 데로 돌리는, 평등한 관계에 있는 사람들이다.

그들은 신뢰의 분위기를 형성시켜 그 속에서 양측의 필요가 완전히 충족되고 그들의 맞섬이 향상되도록 할 것이다.

양보적인 해결책

불행히도 많은 협상가들은 양보를 협조와 같은 것으로 본다. 그러나 결코 그렇지 않다. 양보는 양측이 진정으로 원하는 무엇인가를 포기하며 합의에 이르는 것을 말한다. 양보를 하는 측은 자기 필요를 완전히 충족시키지 못했음을 의미한다.

양보의 전략은 당신의 필요와 나의 필요가 늘 서로 상충된다는 잘못된 전제에서 나온다. 그래서는 결코 상호 충족이 이루어질 수 없다. 이런 전제에서 움직이면 우리 각자는 궁극적으로 양보를 해야 한다는 엄청난 요구에서 출발해야 한다.

사회적 압력 때문에 전체를 위해 우리의 차이를 제쳐놓게 될 때, 극단적인 입장에서 중간지점으로 서로 조금씩 양보를 한다. 이런 해결책은 막다른 길을 피하기 위해서 받아들여지지만 우리들 중 어느 쪽도 진정으로 만족하지는 못한다.

따라서 우리의 필요는 좌절되고, 우리는 판에 박힌 "빵 반쪽이 하나도 없는 것보다 낫다"라든가 "조금 주고, 조금 받아라"나 "훌륭한 협상이란 양측 다 약간 불만족한 경우이다"와 같은 상투적 문구를 인용하는 것으로써 위안을 삼게 된다. 말할 것도 없이 우리들은 어느 쪽에도 진정으로 원하는 것을 주지 않는 이런 조치를 지지할 의무를 별로 느끼지 않는다.

혹시라도 우리가 '양보공식'을 삶에서 부딪히는 협상의 막다른 골목에서 글자 그대로 적용하면 그 해결책은 우스꽝스런 것이 된다. 다음 간단한 예로 내 말의 뜻이 무엇인지 알 수 있을 것이다.

〈장면 1〉
워싱턴 주 시애틀 출신의 남녀 졸업생 둘은 겨울방학을 함께 보내기로 했다. 남자는 라스베가스로 가고 싶었고, 여자는 뉴멕시코의 타오스로 가고 싶었다. 우리가 알 수 있는 것은 그 두 사람이 각자 자기들 결론에 도달했다는 것이다.

우리가 중도의 해결책을 발견하는 데 오직 두 지역을 쓸 수 있다고 하자. 우리가 양보의 공식을 방법적으로 적용한다면, 그 커플은 자기들 휴일을 애리조나 북부에 있는 호피 인디언 보호구역의 폴라카 근처에서 보내게 될 것이다.

이것은 분명히 내 말의 요점을 이야기하기 위해서 과장한 것이다.

남자가 필요한 것이 도박과 일류 오락이고, 여자가 필요로 하는 것은 스키 타기와 신선한 공기라면, 양쪽이 다 자기들이 원하는 것을 얻을 수 있는 레이크 타호나 스코밸리 같은 선택의 여지가 있을 수 있을 것이다.

〈장면 2〉

최근에 나는 양보에 대한 재미있는 이야기를 하나 들었다. 애칭으로 큰부처, 즉 '깨달은 사람'이라고 불리는 내 친구가 해준 이야기이다. 그에게 이 별명이 붙은 이유는, 한때 그가 진리탐구에 몰두하기 위해서 아내와 어린 아들 곁을 떠났기 때문이다. 그 고귀한 탐구가 단지 스물 두 시간 지속되었을 뿐이지만 그 별명은 계속 지속되었다.

큰부처는 10대의 두 아들이 일요일 저녁 식사 끝에 벌인 다툼을 자세히 얘기해 주었다. 다툼의 대상이 된 건 '대체로 그리 큰 문제가 아닌' 구운 감자 하나 때문이었다. 아들들은 각자 자기 권리가 더 우선이라고 주장했고, 다툼은 격렬해졌다.

아무런 사전 정보없이 오직 가장의 역할을 하느라고, 내 친구 큰부처는 어떤 결정을 내려야 했다. '중도'라는 불교의 전통에 따라 그는 그 감자를 반으로 잘라서 두 형제에게 나누어주었다. 자기의 해결책에 만족한 큰부처는 영혼의 평화, '즉 TV를 통한 열반'을 위해 거실로 갔다.

그날 저녁 늦게 큰부처는 그의 '완벽한 양보 해결책'이 재협상을 거쳐야 할 것이라는 충고를 들었다. 한 아들은 감자 거죽만 원했고, 다른 아들은 감자 속의 부드러운 부분만을 원했던 것이다. 그들의 필요는 상충된 것이 아니었고, 최선의 해결책은 균등한 양보가 아니었다.

〈장면 3〉

어릴 때 나는 누나와 침실을 같이 썼다. 나이 차이가 조금 있기는 했었지만 지적 능력과 성숙도라는 면에서 누나는 나를 한참 아래로 내려다보았다. 누나의 학구적이고 문화적인 성향은, 라디오 모험극 〈잭 애덤스와 그림자〉를 즐겨 듣는 내 행동과 첨예하게 맞서게 만들었다.

이런 취미의 차이와 한 침실을 써야 한다는 공간의 제약 때문에 우리는 성가시고 지각없는 행동이 무엇인가에 관한 다툼을 자주 가졌다. 몇 달 동안 우리는 다양한 관점에서 '차이를 제거'하거나 혹은 '똑같이 나누는 것'으로 양보해보려고 노력했다. 그러나 짜여진 생활계획과 부모의 중재를 거친 합의에도 불구하고 분쟁은 계속되었다.

결국 그 문제는 우리가 책략을 짜고 다음에 올 계산적 양보를 얻기 위해서 자기 입장을 세우는 동안에 상당한 시간과 에너지가 소모된다는 것을 깨닫게 되었을 때에야 해결되었다.

우리의 상호이익을 위해 문제를 푸는 데서 오는 공동이익을 인식하고서, 우리는 겉으로 드러난 공간과 시간이라는 물질적 자원의 한계를 넘어서서 생각할 수 있게 되었다. 우리 두 사람의 필요를 충족시키는 만족스러운 해결책은 라디오의 이어폰을 구입하는 것이었다.

그후부터 나는 누나에게 방해가 되지 않고도 라디오를 즐길 수 있었다. 이 해결책으로 얻은 이득은 켈로그 방송이 "주니어 지맨 카드를 보낼 일생 일대의 기회"를 방송하는 그 순간에 내가 듣고 있었다는 것이다. 돌이켜보건대 이것은 내 일생에서 중요한 전환점이 되었다.

이런 예에서 알 수 있듯 '통계학적인 양보의 공식'을 사용하는 것이 반드시 갈등을 성공적으로 해결하는 것은 아니다. 그런 접근법을 '탁상공론의 범위를 넘어서' 채택하면, 이제는 아주 낯익은 전략적 술수들과, 최후통첩과, 자기중심적인 행동을 수반하는 게임 방식이 늘어나게 될 것이다.

이 말은 양보가 늘 안 좋은 선택이라는 것이 아니다. 양보의 전술은 종종 특정상황에서 적절한 대응이 될 수도 있다. 그러므로 가끔 효과적으로 대응하기 위해서는 양보를 하고 조정을 하고 설득하며 심지어는 걸어나가 버릴 태세도 되어 있어야 한다.

그러나 다른 사람과의 지속적인 관계를 맺는 경우에는 그저 서로 수용할 만한 정도의 해결책이 아니라 서로 만족할 수 있는 해결책을 얻기 위해 노력해야 한다. 조건이 보장되는 한, 순응하거나 경쟁하려는 모습을 보이려 했던 처음 작업의 진로를 바꿀 필요가 있을지도 모른다.

위대한 장기의 명인처럼, 승리하는 협상가는 첫 수부터 게임의 끝까지 일어날 수 있는 모든 전술을 다 알 필요가 있다. 그 수들을 다 알 때, 그 명인은 일어날 수 있는 모든 경우에 대비할 수 있다는 확신을 지니고 게임에 임할 수 있다.

그럼에도 명인은 모든 사람이 원하는 모든 것을 얻을 수 있는 최선의 결과를 낳기 위해 노력한다. 그리고 양보를 수용할 수도 있지만 양보가 양측을 다 만족시켜주는 것은 아니라는 것도 알고 있다. 양보는 막다른 길을 피하기 위해 마침내 써야 할 끝내기 전술이며, 예비책이다.

이 장을 통하여 당신이 협상에서 이긴다고 해서 다른 사람이 질 필요는 없다는 것을 중점적으로 얘기했다. 승리란 당신의 실상을 진실하고 명확하게 본 후, 적절한 수단으로 대응함으로써 결과를 만드는 것이다.

승리란, 당신의 신념과 가치에 충실하면서 당신의 필요를 완수하는 것이다. 승리란, 당신이 바라는 것을 얻으면서 상대편이 진정으로 바라는 것을 찾아내어 그걸 얻을 수 있는 길을 제시하는 것이다.

양측 모두가 바라는 것을 얻을 수 있는 방법은, 어떤 두 사람도 좋고 싫음이라는 면에서는 같은 법이 없기 때문이다. 각자는 자신의 필요를 충족시키려 하지만 양측의 필요는 그들의 지문처럼 다른 법이다.

얄궂게도 내가 원하는 것을 얻으려 할 때, 나의 만족의 일부분은 물품이나 서비스·권리·사물 등 내가 흥정한 것을 얻는 데서 온다. 그러나 만족의 훨씬 더 많은 부분은 흥정하는 과정 자체, 즉 흥정하는 방식에서 온다. 골동품 시계를 산 부부의 경우와 내가 54번가의 기적에서 신문을 확보했던 경우를 잊지 않았으리라 믿는다. 이런 예들에서 그렇게 된 과정의 본질은 필요를 충족시키고 만족을 이룬다는 데 있다.

바로 이런 개성과, 과정 자체에서 필요를 충족시키는 것이 우리 모두로 하여금 어처구니없는 일을 하게 만든다. 열대지방에서 겨울휴가를 마치고 오는 사람들을 본적이 있는가? 2주간의 휴가를 마치고 그 사람들은 북쪽 공항의 입국관리소에 줄을 선다. 그들은 하와이안 셔츠와 전통 무무 옷을 입고 거대한 여행가방을 들거나 박제된 악어를 들고 있다. 나는 그런 사람들을 볼 때마다 멕시코시티에서 세라피를 샀던 일을 기억하고는 미소를 짓곤 한다.

세라피는 숄이나 판초 같이 생긴 것을 말한다. 즉 멕시코인들이 어깨에 걸치는 밝은 색깔의 담요같이 생긴 것 말이다. 뿐만 아니라 세라피는 대부분 북쪽에서 오는 영국인 또는 미국인들에게 엄청난 가격에 팔린다.

내가 그걸 구매하게 된 전후 사정을 이야기하기 전에, 나의 성장배경과 필요들을 좀 얘기해보겠다. 어린 소년이었을 때부터 나는 결코 세라피를 원하지 않았다고 거짓말 하나 보태지 않고 말할 수 있다. 나는 결코 세라피를 부러워하거나 갈망하거나 바라지 않았다. 상상 속에서도 세라피를 입고 있는 내 모습을 본 적이 없다. 나는 세라피 없이 전 생애를 살고 나서는 "그러니까 말야, 내 삶은 멋진 삶이었어"라고 말할 수도 있었다. 그럴 수도 있었는데, 어떻게 이런 필요 '내가 결코 알지 못했던 필요'가 생겨나서 충족되게 되었을까?

7년 전쯤 아내와 나는 멕시코시티를 다녀온 적이 있다. 우리가 거리를 거닐고 있을 때였다. 갑자기 아내가 내 팔을 끌면서 말했다.

"봐요, 저기 빛이 보이는군요!"(아내는 늘 그런 식으로 말했다)

나는 투덜댔다.

"아, 아냐. 나는 거기 가고 싶지 않아. 거긴 관광객을 상대로 하는 상가 밀집지역이야. 난 그런 데 가려고 온 게 아니라구. 다른 문화권의 향기를 맡아보려고 온거지. 뜻밖의 모습들 말야. 오염되지 않은 인간성을 만나보기 위해서, 거리를 물결치듯 왔다갔다하며 거닐려고 온 거라구. 상가지역을 거닐고 싶으면 당신이나 그렇게 해. 호텔에서 다시 만나면 되니까."

언제나 그렇듯이 독립적이고 쉽게 설득되지 않는 아내는 손을 흔들어 굿바이를 하더니 가버렸다. 혼자 남은 나는 거리를 물결치듯이 거닐다가 좀 떨어진 곳에 진짜 원주민이 서 있는 것을 보았다. 세상에! 내가 가까이 가보니 그는 더위에도 아랑곳없이 세라피를 걸치고 있었다. 게다가 한 장도 아니고 여러 겹의 세라피를 걸치고 있는 것이 아닌가!

"1,200페소요!"

그가 외쳤다.

'누구에게 말하고 있는 거지?'

나는 생각했다.

'틀림없이 나는 아니겠지! 첫째, 내가 관광객이란 걸 저 사람이 어찌 알겠나? 둘째, 나는 잠재의식에서조차 내가 세라피를 원한다는 내색을 했을 리가 없지!'

내가 앞에서 말했듯이 나는 절대로 세라피를 원하지 않았다!

최선을 다해서 그를 무시하며 나는 빠른 걸음으로 그곳을 벗어났다. 그때 그가 다시 말했다.

"좋아요, 1천 페소에서 좀 깎아드리죠. 800페소요."

이 시점에서 나는 그에게 처음으로 똑바로 말해 주었다.

"친구, 당신의 진취성과 근면성, 끈기는 내가 확실히 존경하는 바이지만 말야, 난 세라피가 필요없어요. 난 그런 물건을 부러워하거나 갖고 싶어하는 사람이 아냐. 제발 딴 데 가서 파쇼."

나는 그에게 그의 모국어로 이야기했다.

"이해되쇼?"

"알았어요."

그가 완전히 이해했다는 듯이 대답했다.

다시 거리를 활보하며 걸어가고 있는데, 그의 발자국 소리가 내 뒤에서 계속 들려왔다. 마치 나와 보이지 않는 체인으로 연결되어 있는 듯이…. 그가 또다시 말했다.

"800페소요."

약간 성가셔서 나는 뛰기 시작했지만 그 세라피 상인은 계속 내 뒤를 따라붙었다. 그는 이제 600페소로 낮춰 불렀다. 우리는 교통신호 때문에 모퉁이에 멈춰 섰고, 그는 계속해서 자기의 일방적인 대화를 계속했다.

"600페소요!… 500페소!… 좋아요, 좋아. 400페소요!"

신호가 다시 바뀌어서 나는 그가 뒤처지기를 바라며 거리를 가로질러 달려갔다. 하지만 내가 뒤를 돌아보기도 전에 그의 쿵쿵거리는 발자국 소리가 귓가에 울렸다.

"선생님, 400페소요!"

이제는 땀이 나고 피곤해서 열을 받은 데다 그의 끈질김에 화가 났다. 약간 숨이 차서 씩씩거리며, 나는 그를 쳐다보았다. 반쯤 다문 이빨 새로 말을 내뱉었다.

"빌어먹을, 방금 말했잖소. 나는 세라피가 필요없어요. 이제 그만 따라와요!"

나의 태도와 목소리에 그는 내 의도를 알아차린 듯 했다. 그가 말했다.

"좋아요, 당신이 이겼소. 당신에게게만은 200페소에 팔겠소."

"무슨 말을 하는 거요?"

나는 내 말소리에 놀라면서 소리쳤다.

"200페소요!"

그는 반복했다.

"세라피 하나 봅시다."

내가 왜 세라피를 보자고 했을까? 내게 세라피가 필요했던가? 내가 세라피를 원했던가? 아니다, 나는 그렇게 생각하지 않는다. 그러나 아마도 내 마음이 변했던 것 같다.

이 원주민 세라피 상인이 1,200페소에서부터 가격을 부르기 시작했다는 것을 잊지 말라. 그는 이제 200페소만 달라고 하는 것이다. 나는 내가 무얼 하고 있는지조차 몰랐다. 그러나 어쨌든 나는 1천 페소를 깎은 것이다.

우리가 정식으로 협상을 시작하면서 나는 이 상인으로부터 멕시코시티 역사상 그에게서 가장 싸게 산 사람은 캐나다의 위니펙에서 온 사람이었다는 것을 알게 되었다. 그 친구는 그걸 175페소에 샀으며, 그의 어머니와 아버지는 과달라자라에서 태어난 사람이었다. 어쨌든 나는 세라피를 170페소에 샀고, 그렇게 하면서 멕시코시티에서 새로운 세라피 신기록을 수립해서 미국 독립 200주년 기념을 위해 미국으로 그 기록을 가지고 돌아가게 될 것이었다.

아주 더운 여름날이었고, 나는 땀을 뻘뻘 흘리고 있었다. 그럼에도 나는 세라피를 걸치고서 엄청난 기분에 들떠 있었다. 그걸 걸치는 것이 나의 몸매를 좋게 보이게 했으므로 수수한 세라피였지만 나는 호텔을 향해 거닐면서 가게 문 유리에 내 모습을 비쳐보며 감탄하고 있었다.

방에 돌아와 보니 아내는 침대 위에 쭉 뻗어서 잡지를 읽고 있었다. 나는 흥분해서 소리쳤다.

"여보, 내가 가져온 것 좀 보구려!"

"뭘 가져왔는데요?"

"멋진 세라피지!"

"얼마 줬어요?"

아내가 아무렇지도 않다는 듯이 물었다.

"이렇게 말해보지. 이곳 토박이 협상가가 1,200페소를 원했지만 우연히 당신과 주말을 함께 보내고 있는 국제 협상가가 그걸 170페소에 샀다구."

아내가 씨익 웃었다.

"어머, 그 참 재미있군요. 난 같은 것을 150페소에 샀으니까요. 옷장 속에 넣어뒀죠."

의기소침해진 나는 옷장을 열고 내 세라피를 벗어 집어넣은 다음에 앉아서 무슨 일이 일어났는지 생각해보기 시작했다.

내가 왜 그 세라피를 샀을까? 내게 세라피가 필요했던 적이 있었나? 내가 세라피를 원한 적이 있었던가? 내가 세라피를 좋아한 적이 있었나? 아니다. 그렇다는 생각이 들지 않는다. 멕시코시티 거리에서 나는 행상인을 만난 것이 아니라 국제적이고 심리적인 협상가인 시장상인을 만난 것이다. 이 협상가는 나의 특별한 필요를 충족시키는 사전진행 과정을 만들었다. 확실히 그는 내게 그런 게 있으리라고 나 자신도 생각 못했던 필요를 충족시켜준 것이다.

분명히 나는 세라피에 관해 얘기하고 있지만, 당신도 혹여 옷장 뒤나 선반 높은 곳에 내가 비유적으로 세라피라고 부르는 것을 구입해 놓았는지도 모른다. 당신은 내가 무슨 말을 하는지 잘 알 것이다.

홍콩에서 만들어진 캐나디언 마운틴 도자기나 마우이 섬에서 모은 푸카 조개 목걸이, 진짜 주니 반지, 비스비 서부에서 막 채굴한 터키석 조각, 번쩍이는 전복 조개껍질, 보카 라톤 해변가에서 씻어낸 스페인 금화, 진품인 웰즈 파고 허리띠 버클 같은 것 말이다.

내게는 이 모든 것이 '세라피'들이고 내가 아는 사람은 거의 다 이런 것이 하나씩은 있다. 당신의 세라피를 구입한 경로를 생각해 보라. 당신의 필요를 충족시킨 것은 그 물품 자체였는가, 아니면 그 구입 과정이었는가?

기본적으로 나의 메시지는 간단하다. 사람마다 독특한 필요들이 중재될 수 있다는 것을 알아차리기만 하면, 당신이 바라는 것을 얻을 수 있다. 동시에 대부분의 필요는 당신이 행동하고 처신하는 방식에 의해 충족되는 것임을 잊지 말라. 상호간에 모두 만족하는 것이 당신의 성취, 즉 동등하게 양쪽 모두 이기는 협상의 목표와 수단이 되어야 한다.

part 4

무엇을, 어떻게 협상할 것인가

말로 한 합의는
그걸 쓴 종이만큼의 가치도 없다.

Chapter 10

전화를 통한 협상과 합의사항 메모에 대하여

전화는 현대인에게 필수적인 커뮤니케이션 도구다. 아마도 전화는 나이프나 포크, 숟가락보다도 훨씬 더 자주 사용될 것이다. 겉모양으로만 보더라도 전화기는 부드러운 촉감은 물론 집어 올리기 쉬운 매력적인 모양으로 만들어져 있고, 전혀 사람에게 해로움이라곤 없는 것처럼 보인다.

해로움이 없다고? 아니다. 전화기는 심각한 오해를 불러일으킬 수도 있다. "난 그런 뜻으로 말한 게 아닙니다"라는 말을 우리는 전화기를 통해 얼마나 자주 해야만 하는가.

"당신 수표는 지금 우편으로 가고 있습니다"와 같은 말처럼 전화기는 남을 속이는 수단으로 사용될 수도 있다.

물론 전화는 강력한 경제적 힘이 있다. 즉 전화기의 쓰임새를 이해하는 정도에 따라 수 백만 달러를 얻거나 잃기도 한다.

그러므로 무엇보다 전화는 주의를 요구한다. 계속해서 전화벨이 울릴 때 '누가 걸었을까?' 하는 생각은 거의 본능적이다. 고층의 좁은 난간에서 뛰어내려 자살하려는 사람조차도 전화벨이 울리면 '빨리 전화를 받아라' 라는 심리적 압박을 받을 정도다.

그만큼 전화는 중요하다. 그럼에도 불구하고 전화가 협상에서 얼마나 중요한 역할을 하는지에 대해 검토해 본 사람은 거의 없다. 하지만 협상 능력을 익히기 위해서는 전화라는 커뮤니케이션 도구를 잘 이해하지 않으면 안 된다. 자, 이제 전화를 걸고 받는 일에 대해 검토를 해보도록 하자.

전화 협상의 특징

오해가 일어나기 쉽다

전화로 이야기를 나눌 때는 눈으로 확인하지 못한다. 그만큼 마주 앉아 말하는 것보다 오해가 생기기 쉽다. 전화에서는 상대방의 표정이나 몸짓을 볼 수 없는 대신 목소리의 톤으로 상대방의 기분을 해석하게 되고, 이에 따라 잦은 실수를 유발한다. 왜냐하면 목소리의 톤은 잘못 해석될 확률이 높을 뿐만 아니라 허풍이나 숨은 의도가 없는 데도 마치 그런 것처럼 들리거나 반대로 그런 의도를 놓쳐 버릴 수도 있기 때문이다.

거절하기 쉽다

전화 상으로 거절하는 것은 별로 힘들지도 않고 복잡하지도 않다.

내가 당신에게 전화를 걸었다고 해보자.

내가 "괜찮으시면 이걸 해주셨으면 하는데요…"라고 정중하게 청했다고 하더라도 당신은 딱 잘라서 "그럴 순 없소. 나는 지금 너무 바쁩니다. 어쨌든 전화해주셔서 감사합니다"라면서 '찰칵!' 소리와 함께 수화기를 내려놓는 데 별 어려움을 느끼지 않을 것이다. 이것은 서로 얼굴을 마주하고 있지 않는 데서 오는 일이다.

그러나 서로 얼굴을 마주 하고 있을 때라면 그렇게 쉽게 거절할 수는 없다. 내가 당신 사무실로 걸어 들어가서 헐떡거리며 이렇게 말했다고 하자.

"제발…, 전 먼길을 왔어요! 아, 엄청난 거리였죠."

땀을 뻘뻘 흘리며, 눈물을 글썽거리며 호의를 구하는 나를 당신은 쉽게 거절할 수 있겠는가? 당신은 나로 하여금 그 먼 거리를 오게 한 데 대해 미안감을 느끼며, 나의 육체적·정신적 상태에 관해 걱정하게 될 수도 있다. 당신은 물론 자연스럽게 문제를 조용하게 해결하고 싶어진다. 그리고 모든 것을 고려해 볼 때, 당신이 나의 요청을 들어줄 가능성은 커진다.

이것은 무엇을 말하는가. 지금 당신이 다루고 있는 사항에 관해서 생각이나 제안이나 요청에 변화가 있다면 상대를 만나서 자신의 입으로 직접 제시할 필요가 있다는 것이다. 문서나 편지나 전화는 그런 만남에 선행되거나 따라올 수는 있지만 그것 자체로는 설득력이 없다.

당신에게 보내는 메시지는 간단하다. 원하는 것을 진지하게 얻고자 한다면, 직접 만나서 협상하도록 하라.

훨씬 빠르다

전화 협상은 맞대면 협상보다 더 경제적이다. 이것은 사실이다. 왜냐하면 얼굴을 맞대고 하는 면담을 위해서는 오고가는 시간과 교통비 따위의 비용이 들어야 하기 때문이다.

당신의 자녀가 학교에서 어려움을 겪고 있는 상황을 설정해 보자. 당신이 교사에게 전화를 걸어서 이야기를 한다면 그 대화는 길어야 5분에서 10분 정도면 충분하다. 그러나 바쁜 일정에도 불구하고 시간을 내 면담을 한다면, 그 면담은 30분에서 한 시간으로 늘어날 것이 뻔하다.

더 경쟁적인 협상을 유발한다

전화상의 거래는 짧은 시간에 이루어진다. 그러므로 정보와 경험을 나누어 서로의 필요를 충족시키는 데 충분한 시간을 할애할 수 없는 경우가 많다. 이런 실정이 전화 접촉의 공식적인 성격과 결부되어 경쟁적인, 즉 이기고 지는 행동이 만연하는 분위기가 생길 수 있다.

사람들은 전화 상으로는 더 사무적이고 원칙에 더 집착하는 경향이 있다. 대화는 자발적이지 못하며, 조정 규칙과 절차가 토론의 초점이 된다. 결과적으로 힘의 논리가 널리 퍼진다.

이론적으로 당신의 힘이 더 센 경쟁적인 협상가라면 전화로 분쟁을 해결하는 것이 당신에게 이득이 될 수도 있다. 어떤 대가를 치르고라도 이기고자 한다면 '협상이 이런 식으로 진행되어야 한다'고 고집하는 것도 당신의 협상전략이 될 수 있다.

이런 맥락에서 나는 직접 눈을 맞추며 만나기를 바란다. 서로 얼굴을 대하고 마주 앉으면 무언가를 얻어내야 할 적대적인 존재라기보다는 따뜻한 피가 흐르는 인간으로 상대를 느끼게 될 것이다. 서로 만나서 보통 하는 인사, 끄덕임, 웃음 그리고 머리를 긁적거리는 따위의 가벼운 동작을 교환하면서 적대적인 감정은 희석되기 마련이다. 그럼으로써 토론은 좀더 자유로워지며, 시간 제약도 덜받게 된다. 물론, 서로 이득이 될 수 있는 결과를 만들 기회도 더 늘어나게 된다.

만약 전화요금 고지서를 받고 보니, 말레이시아의 콸라룸푸르에 전화 통화를 한 것으로 되어 있다고 해보자. 72달러의 국제통화 요금에 대해 문의를 하기 위해 전화국에 전화를 건다.

당신은 "나는 고아인데다 독신이다. 친구도 없고, 결혼한 적도 없으며, 고등학교에서 지리 과목 성적도 형편없었다"면서 자신이 전화 통화를 한 적이 없다고 열심히 변호를 한다. 국제통화 요금의 부당함을 설명하려고 애써보지만 당신이 만나게 되는 것은 '자신감에 부푼 맥아더 장군' 과도 같은 관료적인 요지부동의 인물이다. 이런 경우, 아무리 전화에 대고 소리를 질러댄다고 하더라도 결국엔 항복을 할수밖에 없다.

이런 상황에서 협상이 성공하기는 힘들다. 그 이유를 밝히는 것이이 장에서 설명하고자 하는 주제이다.

본질적으로 당신은 게임을 만들고, 자기 카드를 쓰고 있는 '포춘 (Fortune)' 이라 불리는 딜러와 포커를 치고 있는 것이다.

전화협상의 위험성

협상의 특성상 전화를 통한 협상은 개별적인 면담보다 일반적으로 더 빠르고 더 경쟁적이다. 그러므로 그런 협상은 승자보다 패자를 만들기가 쉽다. 여기서 잊지 말아야 할 것은 다음과 같은 격언이다.

"어떤 유형의 협상에서든지 빠르게 해결하려는 것은 위험하다."

갈등을 전화로 해결하거나, 심지어 개별면담으로 해결할 때조차 무리하게 서두르는 것은 한 쪽을 잠재적인 위험으로 몰아넣게 된다.

빨리 해결하려고 할 때 누가 더 위험에 처하게 될까? 그것은 준비가 충분하지 못해 공평한 조건을 가지지 못한 측이다.

나의 자료와 관측에서 볼 때 당신의 제안이 공정한 것인지 아닌지를 확신할 수 없다고 하자. 그런 경우 나는 확신 대신에 당신이 제시하는 것에 전적으로 의존할 수밖에 없다. 당신이 성실하고 정직하며 올바른 사람이라면 나는 당신의 인품을 믿음으로써 이익을 얻을 것이다. 그러나 당신이 겉으로만 점잖고 공정할 뿐 속으로는 거짓된 사기꾼이라면 어떻게 될까? 당신의 설득력 있는 그럴듯한 말 속에 구 소련 스타일의 교활한 속셈이 도사리고 있다면 어떻게 될까? 그런 경우 나는 야만적인 대접을 받고 모욕을 당할 것이다.

그러므로 당신이 준비가 덜 되었다면, 또 이전의 거래에서 상대를 신뢰할 만한 근거가 없다면, 일반적인 양측이 모두 이기는 협상은 기대할 수 없다.

흙탕물 웅덩이에 뛰어드는 것은 흙탕물을 더 흐리게 할 뿐이다. 흙

탕물이 가라앉을 때까지 기다리면 바닥이 보이게 되고, 당신이 딛고 서야 하는 곳이 어딘 지를 알게 된다. 반드시 그런 것은 아니지만 대부분의 성공은 인내와 지구력이 강한 협상가에게 돌아오기 마련이다.

한 번뿐이고 공정성을 확인할 수 없는 거래의 경우에는 거래의 진전 속도를 늦추고 발걸음을 질질 끌어라. 어떻게 해야 할지 모를 때 할 수 있는 최선의 것은 아무 것도 안 하는 것이다. 당신에게 이득이 될 때 행동하고 적에게 이득이 될 때 행동하지 않는 것은 센스 있는 훌륭한 행동이다. 힘이란 늘 일정한 상태로 있지 않다는 것을 잊지 말아야 한다. 시간의 흐름이 당신의 흥정 지렛대에 힘을 보태줄 수 있다는 말이다.

때로는 즉각 행동으로 옮기고 싶을 때가 있다. 내가 당신보다 더 준비가 잘되어 있고, 나의 자료와 예측으로 이 합의가 나의 필요를 충족시킬 것이라는 확신을 할 수 있다고 해보자. 그렇다면 나는 당신이 제시한 조건이나 당신의 인격에 의지할 필요가 없어진다. 분명히 이런 경우 나는 불필요한 위험을 불러들일 필요 없이 '빨리 나아갈 수' 있을 것이다.

전화를 거는 사람이 유리하다

노련한 협상가는 전화가 협상에 있어 공격이나 방어에서 잠재적 무기로 쓰일 수 있음을 알고 있다. 그는 '사태가 닥치는 대로 처리하

는 것'이 아니라 자기가 행동하는 것과 행동을 하지 않는 것의 효과
를 예측할 수 있는 사람이다.

어떤 전화 대화에서든 전화를 거는 쪽, 즉 거는 사람이 주도권을
쥐게 된다. 뜻밖의 전화를 받는 사람은 불리하다.

우리가 길고 지루한 협상에 들어가 있다고 하자. 당신의 입장에서
보면 문제가 해결되지 않고, 질질 끌면서 마치 연옥에 빠져 있는 것
과 같은 상태에 있다. 뜻밖에 내가 갑작스럽게 전화를 해서 이 연옥
과 같은 사태를 해결하자는 제안을 한다. 이것은 내 쪽에서 충동적으
로 한 일일까? 아니면 미리 계산한 술책일까?

이 전화는 즉흥적인 전화가 아닐 가능성이 높다. 전화하기 전에 나
는 여러 가능성, 즉 대면 접촉이나 편지, 전보, 제 3자의 중재, 전화,
가만히 기다리기 등을 저울질해 보았을 것이다. 아마도 내가 그 특별
한 순간에 전화를 걸었던 것은 전화를 거는 편이 내 목적에 가장 잘
맞기 때문이다.

물론 나는 거기에 따르는 준비를 한다. 나는 주위를 산만하게 만드
는 요인이 없는 안정된 상태에 있다. 내 앞에는 열두 개의 뾰족하게
깎은 연필이 있고, 여섯 개의 메모지 묶음이 있다. 또 내 오른쪽에는
전자계산기가 있고, 뒤에는 즉각적으로 자료를 찾아볼 수 있도록 컴
퓨터가 대기해 있다. 그리고 머릿속으로는 목적과 전략과 전술도 준
비했다. 게다가 나는 당신의 반대를 예측해 본 다음 그 반대를 무산
시킬 대답과 수집된 자료들을 준비하고 있다.

이제 당신이 처한 곤경을 생각해 보자. 당신은 나의 갑작스러운 전
화에 놀랐으며 전혀 준비가 되어 있지 않다. 당신은 책상에 있는 서

류 더미들을 헤치고 가까스로 전화기를 찾아 수화기를 들었다. 즉각 참조해 보아야 할 자료들은 손이 쉽게 갈 수 있는 곳에 있지 않다.

우리가 이야기를 하는 중에 당신은 무엇인가 묻기 위해 들어오는 사람들과 또 다른 수화기에서 전화가 와 있음을 알리는 번쩍거리는 신호 때문에 주의가 분산된다. 비서는 어디로 갔는지 보이지 않고, 자료철도 찾아내지 못하며, 심지어 연필도 찾아낼 수 없다.

이런 상황에서 당신은 위험을 무릅쓰고 나와 얘기하고 있는 것이다. 나는 준비가 잘 되어 있기 때문에 논지와 계산 수치를 정확하게 다루게 된다. 내가 이타적이고, 박애주의자이고, 멋진 사람이라면 나는 당신에게 정의와 자비를 행할 것이다. 하지만 내가 구 소련식의 교활한 사람이라면 당신을 봉으로 만들 수 있다.

내가 지금까지 상세히 설명한 문제들과 결점들에도 불구하고 당신은 엄청나게 많은 전화협상에 말려든다. 소풍을 주선하거나, 가족이나 친구와의 관계 유지나, 전화상의 구혼자들을 상대한다든지 결혼식 계획을 준비해 본 사람들은 내 말이 무슨 뜻인지 알 것이다.

사실상, 결혼식을 준비한다는 것은 D-데이의 공격을 계획하는 것과 같다.

당신은 완전히 낯선 사람으로부터 위험한 사람에 이르기까지 광대한 부류의 사람들과 전화로 협상한다. 비록 협상 자체가 전화상으로 일어나지 않을지라도(많은 경우 전화상으로 일어난다), 거의 대부분의 사전 진행 단계는 전화를 통해 이루어진다. 바꿔 말하면 당신이 (해결의 표시로) 상대와 직접 포옹하게 되든 전화로 포옹하든 예비연

습은 전화를 통해 이루어진다. 이것이 전화라는 도구가 당신에게 적대적이 아니라 당신을 위해 움직이도록 해야 하는 이유다.

별 노력 없이 습관화할 수 있는 몇 가지 전화와 연관된 제안을 보자. 습관이 된다면 당신의 성공에 보탬이 될 수 있을 것이다.

받는 사람이 되지 말고 거는 사람이 되라

잠재적인 적대적 상황에서는 전화 통화의 대부분을 당신이 먼저 주도하도록 하라. 누군가가 전화를 걸어왔는데 준비가 전혀 되어 있지 않다면, 이런 식으로 말하라.

"죄송합니다만, 저는 지금 중요한 회의에 참석하여야 합니다. 벌써 늦었군요. 제가 다시 전화를 걸어도 괜찮겠습니까?"

말하자면 "제 일정에 딴 일이 있습니다. 제가 전화하도록 하겠습니다"와 같은 말을 하는 순간 당신은 더 이상 전화 받는 사람이 아니다. 준비가 된 후 전화를 하게 되면 당신은 거는 사람이 된다.

계획하고 준비하라

행동을 취하기 전에 당신이 바라는 결과를 철저히 생각해 보고, 전화를 하는 것이 그 결과를 얻는 최선의 방법인지 확인하라. 당신이 찬성하는 대답을 바라는지 거절하는 대답을 바라는지를 결정하라. 앞에서 우리는 전화로는 찬성보다는 거절당하기가 쉽다는 것을 지적했다.

누군가가 이렇게 말한 적이 있다.

"계획을 세우는 데 실패한다면, 실패하도록 계획을 세우고 있는 것이다."

당신이 전화를 걸어서 성취하고자 하는 특정 목적과 목표의 관점에서 항상 생각하라. 코란에서 이르듯이 '어디를 가는지를 모르면, 아무 길이나 당신을 데려갈 것이다' 확실히 어디로 가고 있는지를 모른다면 길을 잃을 수밖에 없다. 결국 당신은 어디로 가고 있는지를 모를 것이고, 설령 거기에 도착했을지라도 당신은 거기에 도착했다는 것조차 모른다.

요점은 전화를 거는 사람으로서 당신이 만들고 싶은 일이 일어나도록 준비해야 한다는 것이다. 여기 전화 중재를 위한 몇 가지 힌트가 있다.

1. 통화를 하는 동안 언급해야 할 사항들의 목록을 준비하라.
2. 마음속으로 협상이나 거래를 먼저 연습해 보라.
3. 적대적인 관계일 때는 상대편의 전술을 예상해 보라. 미리 경고를 받는 것이 미리 무장하는 것이다.
4. 통화하는 동안 관련 사실 모두를 쉽게 참조할 수 있도록 해놓아라.
5. 충분히 준비했는 데도 불구하고 화제 전환이나 돌발적인 질문에 당황할 수 있다. 특정 부분에 대해서 미처 알고 있지 못함을 인정하는 것은 부끄러운 일이 아니다.
6. 집중하여 산만함을 피하라. 한 전화에 당신의 모든 주의를 쏟아라. 곡예사가 되지 말라(여기서 말하는 곡예사란 전화로 말하거나 들으면서 집안 일을 하거나 제 3자와의 잡담을 나누는 것과 같은 다른 일을 하는 사람이다).
7. 사실과 수치에 관한 한 모든 관련 자료에 계산표와 전자계산기를 손에 닿을

수 있는 범위에 놓아두어라.

8. 마지막으로 합의 사항을 요약하고 다음 행동에 대한 책임 범위를 정하라.

우아한 탈출

전화 토론이 희생을 요구하는 쪽으로 흘러가면 전화를 끊을 수 있는 구실을 준비하라. 장황하게 늘어놓거나 구 소련식의 교활한 사람이 전화 통화중 우아하게 벗어날 수 있는 기회를 허락하지 않을 태세이거든 당신 편에서 끊을 수가 있다. 그렇다고 상대편이 말하는 중에 전화를 끊으라는 것은 아니다. 그렇게 하는 것은 무례를 범하는 것일 뿐만 아니라 사회적으로 용납될 수 없다. 자신이 말할 때 끊어라. 어떻게 하면 납득할 수 있게 자기 쪽에서 끊을 수 있을까? 아주 간단하다. 이런 식으로 말하라.

"전화 주셔서 정말 고맙습니다. 그리고 말이죠, 전 어제 당신 생각을 하고 있…" 찰칵! 상대방은 결코 당신 편에서 전화를 끊었다고는 생각하지 않을 것이다. 그는 아마도 전화에 혼선이 일어났다고 생각하게 된다.

결과는 어떻게 될까? 상대편은 다시 전화를 걸려고 할 것이다. 당신이 사무실에 있었다면 바로 나가버리고 집에 있었다면 잠시 전화를 받지 말라("나는 차고에 잠시 볼일이 있었어요"). 이렇게 하면 시간을 벌어 준비를 갖추게 되므로 예기치 않게 전화를 걸어온 사람에게 좌지우지되지 않는다.

듣는 훈련을 하라

상대방의 말을 효과적으로 듣기 위해서는 들려오는 말 이상의 것을 알아차리는 것이 필요하다. 효과적인 경청은 말을 이해할 뿐만 아니라 상대방의 의도를 알아차리는 것이다. 결국 "의도는 말에 있지 않고, 사람에 있다."

말하고 있는 동안에는 상대의 말을 명확히 들을 수 없으니, '듣기 대 말하기의 비율'에 아주 민감해야 한다. 의미심장한 침묵의 쓰임새에 대해서 잘 생각해 보라. 당신이 침묵하는 동안이 마술적인 순간이다. 전화 상에서 침묵이 계속되면, 특히 장거리 전화일 때는 상대방은 신경이 쓰이거나 돈의 본전을 뽑을 필요에서 발작적으로 말할지도 모른다. 그렇게 되면 그는 예외 없이 당신에게 중대한 정보를 제공하는 식으로 질문을 다른 말로 바꿔 하게 된다.

합의사항을 메모하라

"그 순간의 공포를 난 결코, 결코 잊지 못할 거야!"
왕의 말을 받아 왕비가 대꾸했다.
"그래도 잊게 될 거예요…. 당신이 그걸 메모해 놓지 않은 이상 말예요."

〈루이스 케롤〉

나는 글로 쓴 메모나 서신, 노트를 권장하는 사람은 아니다. 여러 가지를 고려해 볼 때 메모광들의 종이작업은 사회 조직의 동맥을 막히게 하는 요소라고 생각하는 편이다. 내 관점에서 보자면 대부분의 문자화된 문서들은 불필요하거나 알아볼 수 없는 것들이다. 게다가 모든 것을 받아 적는 것은 시간 낭비이며 대부분 어려운 일이다.

글을 쓰는 일의 힘들고 지루함을 인식한 전문작가 스티븐 리콕은 이렇게 말했다.

"글쓰는 것은 어렵지 않다. 그냥 종이와 연필을 쥐고 앉아서 생각이 떠오르는 대로 쓰면 된다. 쓰는 것은 쉽다. 그러나 어려운 건 바로 생각이 떠오르느냐 하는 문제이다."

훌륭하고 일반적인 규칙은 글로 써서 의사를 전달하는 과정을 가능한 피하는 것이다. 그러나 확실히 펜을 들어야 할 때가 있다. 물론 그런 경우에는 다음을 잊지 말아야 한다. 즉 종이에 무언가를 쓸 때는 법정에서 읽혀도 될 것처럼 써야 한다.

'일반적인 규칙'이라는 말에는 '예외가 있다'는 함축된 의미가 포함되어 있다. 합의서의 경우를 보자. 이 문서는 갈등이나 논쟁이 해결된 다음에 당신이 작성한 문서이다. 이 문서는 해결의 기초를 이룰 양측의 서약사항을 공표한다.

중요한 전화 거래를 끝낸 다음에는 상호간에 이해가 얽힌 문제를 협상하여 이런 결과를 문자로 나타내게 된다. 이런 문서를 특히 주의 깊게 작성해야 한다. 전화 통화를 하고 있을 때에는 상대방에게도 당신이 합의서를 작성하고 있다는 것을 알려 주도록 하라. 직접 맞대면하여 합의를 마친 뒤에도 그런 메모를 해야 한다.

신사적으로 이루어진 합의가 아주 불미스러운 상황으로 번진 경우도 종종 있기 때문이다. 샘 골드윈은 다음과 같이 명쾌하게 말했다.

"말로 한 합의는 그걸 쓴 종이만큼의 가치도 없다."

합의 사항의 메모는 때로는 취지문이나 협약문으로 이해된다. 어떤 이름으로 불리든 목적은 같다.

즉 관련된 양자의 서약을 정한 것이다. 전형적으로 이런 문서는 마치 그가 깃털 펜을 사용하여 글을 쓰는 사람인 것처럼 아마도 구식의 언어로 쓰여졌을 것이며, 너무나 완고하고 딱딱해서 당신은 글쓴이가 단추를 높게 채워야 하는 구두와 셀룰로이드 깃을 착용한 사람일 거라고 생각할지도 모른다.

여기 그런 문서들에 쓰인 말투가 있다.

"모월 모일에 있었던 전화 통화의 결과로 우리는 다음과 같이 합의했다…."

"우리는 전화 대화를 통하여 이런 결론을 내렸다…."

"…의 문제에 관련하여."

"…에 관한 우리의 전화 대화를 승인하며…."

그러나 실제로 글의 형식은 중요하지 않다. 중요한 것은 당신이 그 글을 쓴다는 것이다. 왜 이런 부담을 짊어져야 하는가? 그렇게 해야만 자신에게 돌아올 이득이 크기 때문이다. 그것을 쓰는 사람 쪽의 이점은 무엇인가?

1. 메모의 형식과 언제 메모를 해야 하는지, 언제 나눠줄지를 결정하는 것은 자기 자신이다. 그것을 정하기 전에는 아무 것도 정해지지 않을 것이다.

2. 합의 사항은 당신의 언어로 쓰여질 것이다. 해석상의 문제가 있을 때 우리는 늘 그 문서를 작성한 사람에게 묻는다. 예를 들면 제임스 메디슨이 쓴 〈버스 통학〉이나 〈낙태에 관한 편지〉가 책상 서랍에서 발견되었을 때, 이 문제의

딜레마는 즉각 해결되었다. 결국 헌법이 어떻게 해석되어야 하는지에 대해서 헌법을 쓴 사람보다 더 잘 알 사람이 어디 있겠는가?

전화상의 거래에서 얼굴을 맞대는 거래로 초점을 옮겨보자.

당신과 내가 협상 파트너로서 직사각형 회담 테이블을 사이에 두고 앉아 있다고 해보자. 그리고 협상 회담은 연일 계속되고 있다.

내가 메모를 하고 있을까? 아니다. 많은 최고 경영진들과 마찬가지로 나는 내가 사진기 같은 기억력을 가지고 있다는 자만심에 빠져 있다. 당신은 메모를 하고 있는가? 그렇게 하고 있다. 그것에서 나를 움직일 지렛대, 즉 힘을 지닐 수 있는 방법을 찾을 수 있을지도 모른다고 당신은 생각했기 때문이다.

사흘쯤 지난 뒤 휴식시간에 나는 신경이 거슬려서 당신에게 묻는다.

"왜 그렇게 많은 메모를 하는 겁니까? 당신은 법원 서기가 아니잖소! 우리는 이미 계약내용을 충분히 다루었소!"

당신은 웃으며 어깨를 으쓱하고는, 종이에 적지 않고는 아무 것도 기억할 수 없다는 식의 말을 웅얼거린다.

사진기 같은 나의 기억력도 닷새 째가 되는 날에는 나의 생각만큼 제 기능을 발휘하지 못한다. 휴식시간에 나는 당신을 잡아끌고는 묻는다.

"말 좀 해주시오. 계약서의 저 세 가지 추가 조항에 관해서 우리가 뭐라고 말했죠? 특히 두 가지 다른 추가 조항을 화요일에 첨가한 뒤로는 거기에 관한 기억이 희미해요. 내가 그 조항들을 뒤섞어놓지나 않았는지 걱정이 되는군요!"

당신이 노트를 훑어보는 동안 나는 초조하게 내 발을 바닥에 대고 톡톡 두드린다.

"여기 있네요…. 그 세 가지 추가 조항은 수요일 오후 2시에 쓰여졌군요."

나는 당신이 휘갈겨 쓴 글자들을 요리조리 연구해 본다. 그리곤 당신의 상형문자 같은 글자들을 보면서 얼굴을 찌푸리며 이렇게 투덜댄다.

"나는 당신이 쓴 것을 도통 이해하지 못하겠소."

그럼 당신은 작전명령을 다시 요약해서 말하는 전투기 조종사 같은 태도로 대답한다.

"그 추가 조항들은 이러저러하고, 요러저러하며, 이렇고 저렇습니다."

나는 얼굴을 찡그린다.

"내가 그 종이에서 볼 수 있는 것은 두 개의 점과 별표와 별이 전부인데요!"

당신은 소년 성가대원이 지을 수 있는 최고의 표정을 짓는다.

"그건 바로 이런 뜻이에요!"

갑자기 나는 경탄하며 당신을 다시 보게 된다. 당신은 이제 상당한 힘을 지니게 된다. 여기저기 파헤친 자국에 대해 발톱으로 그 자국을 낸 닭보다 더 잘 해석할 수 있는 어떤 것이 있겠는가?

3. 처음부터 합의사항을 메모해야 한다는 것을 알고 있다면, 당신은 더 효과적으로 경청하고 메모를 더 잘 할 것이다. 따라서 당신은 더 주의 깊게 되어 상당한 자기수양을 하게 될 것이다.

4. 당신이 만든 초안은 앞으로 있을 모든 가능한 개정 사항의 뼈대가 될 것이다. 그 초안이 의미를 지정하고 토론의 범위를 정하게 된다.

여기 그 보기가 있다. 당신과 내가 전화로 거래를 체결했다고 하자. 당신은 자신의 제스처의 효과도 모르는 채 나의 의도를 정리한 글, 합의사항의 메모를 하는 데 동의한다. 나는 메모를 해서 당신에게 우편으로 사본을 보낸다.

이틀이 지난 다음, 당신이 내게 전화를 건다.

"당신이 쓴 걸 받았어요. 그런데 A항목은 생략했더군요."

"A항목이라고?"

아주 순진한 태도로 내가 대답한다.

"그래요" 하고 당신은 계속한다. "글쎄, 왜 그걸 집어넣지 않았죠?"

나는 이런 말로 대답한다.

"나는 그게 중요하다고 생각하지 않았죠. 결국 당신은 그걸 전혀 언급하지 않았잖아요."

당신은 목소리를 가다듬는다.

"나는 당신이 거기에 동의하는 것 같아서 언급하지 않은 거요."

나는 마치 당신이 너무 과하다는 듯이, 즉 당신이 내게 너무 많은 것을 요구한다는 듯 잠시 침묵한다. 그리고 "진짜로 그걸 기록에 집어넣고 싶은가요?"라고 묻는다.

당신이 "그래요, 진짜 그러고 싶어요"라고 말하면 나는 다시 잠깐 침묵한다. 그리고 "글쎄요, 그게 포함되지 않더라도 포함된 것처럼 사적으로 이해하고 마는 것이 어떻겠어요?"라고 한다.

당신은 약간 초조해져서 "아닙니다. 나는 기록에 집어넣길 바래요!" 하고 말할 것이다.

왜 나는 당신이 A에 관해서 힘든 시간을 보내도록 하고 있는가? 내가 협조적인 협상가라면 어찌 A를 생략하겠는가? 어떤 글쓰기에서나 선택의 원칙은 늘 일어나게 마련이다. 그렇지 않으면 그 합의서는 《전쟁과 평화》만큼이나 늘어나게 될 것이다.

그러나 내가 그 합의사항을 기록한다면 선택의 원칙은 당신 쪽에 있다. 어쨌든 내게 중요한 항목은 포함되어 있다. 그러나 당신이 협상 진행 동안 A항목을 거의 언급하지 않았으므로 내가 당신의 마음을 읽어서 기록하기란 어려운 법이다.

결국 나는 A항목을 기록하기로 합의한다. 그러나 나는 당신에게 이 지점에서 양보했으므로 이젠 어떤 보답을 기대할 수 있다. 이 점을 주목하라. A항목을 가지고 그런 힘든 시간을 보낸 다음, 내가 초안에서 빠뜨린 B에 관해서 당신은 또다시 물어보아야 할 것인지 망설이게 된다. 당신의 태도는 이제 이렇게 된다.

"형제여, 나는 그 모든 말다툼을 다시 하지 않을 거라네!"

여기에 글쓰는 것의 힘이 다시 나타나는 것이다.

5. 당신이 메모를 하는 수고를 했기 때문에 상대편은 고마워하게 된다. 따라서 그는 잔돈을 갖고 따지지 않고 적은 문제로 흠을 잡지 않게 된다. 당신이 쓴 것에 몇 가지 사소한 결점이 있더라도 대부분의 사람들은 관대하게 대할 것이고 미세한 차이에 집착하지 않을 것이다.

결론적으로 엘렌 아이젠슈타트의 간결한 말을 응용하여 요약해 보자.

사장이 등을 두드려주며 그녀에게 미래의 기회를 모호한 말로 약속했을 때, 그녀는 이렇게 말했다.

"등을 두드리며 약속해 주는 것보다 펜의 힘이 더 크죠."

Chapter 11

위로 올라갈수록 유리해진다

바퀴가 삐걱거린다면 어떻게 해야 하는가? 당연히 기름칠을 해야 한다. 그 바퀴가 어디서 어떻게 삐걱거리는지를 안다면 말이다.

이건 비유에 불과하지만, 당신이 거대하고 비인간적으로 보이는 관료주의에 대해 어떤 불만을 가지고 있다면 어떻게 하겠는가?

1. 가장 가까이 있는 조직 사무소에 전화를 한다. 당신이 상대하고 있는 사람의 이름과 직책을 알아두라. 그런 다음 간단하고 인간적인 말투로 당신의 곤경을 주지시킨 뒤에 그들의 도움을 요청하고 나서 구두약속을 받은 다음 조치가 취해지기를 기다려 보라.

2. 그렇게 전화를 건 다음, 통화한 상대에게 당신이 그들을 믿고 있다는 편지를 써라.

3. 조치하기로 약속된 최종기한 직전에 당신의 '친구'(조직 사무소 직원)에게 전화해서 그들의 노력이 어느 정도 진척되고 있는지 점검해 보라. 별다른 상황의 진전이 없었다면….

4. 가장 가까운 사무소에 찾아가라. 정중하고 예의 바르게 처신한다. 그리고 당신의 '친구'를 만나서 다른 사람들도 부당한 일이 여전히 존속하고 있음을 아는지 확인한다. 그 다음 다른 사람에게도 도움을 청해서 그들이 공정한 해결책을 찾아낼 의무감을 느끼게 하라.

앞서 열거한 조치들이 여전히 만족스러운 행동을 유발하지 못하고 있을 때는 어떻게 할까? 다음 단계로 올라가야 한다. 모든 조직은 계층구조로 되어 있다. 만족스럽게 처리될 때까지 한 단계씩 꾸준하게 윗 계단으로 올라가야 한다. 위로 올라가면 갈수록 당신의 필요를 충족시킬 수 있는 가능성은 많아진다.

왜 그런가? 여러 가지 이유가 있다. 보다 높은 자리에 있는 사람들은 일반적인 규정이 특정상황에 모두 적용되는 것이 아니라는 사실을 잘 알고 있다. 그들은 아래에 있는 사람들보다 전체 상황을 더 잘 파악하고 있으며, 적절하게 처리하지 못함으로써 생기게 될 부작용에 대해서도 더 잘 안다. 더욱 중요한 것은, 그들은 더 많은 권한을 쥐고 있으며 어떤 위험을 감수하여 결정을 내리는 데에 따른 보수를 받고 있다는 사실이다.

어떤 단계에서든지 시간을 낭비하고 싶지 않다면, 권한이 없는 사람과 협상을 하지 않도록 하라. 즉 누군가와 상대를 하려면, 먼저 다음과 같은 상황을 파악해야 한다.

이 사람은 누구인가? 다른 사람들은 이 사람과 어떤 경험을 공유하고 있는가? 기구 조직상 어떤 위치에 있는가? 실제로 어떤 유형의 결단을 내릴 수 있는가? 실제로 영향력이 있는가?

이 모든 점에서 어느 정도 합당하다고 결론이 난다면, 그에게 정중하고 솔직하게 물어 보라.

"당신은 이 상황을 구제할 수 있습니까?" 혹은 "이 문제를 해결하도록 나를 도와줄 수 있습니까?" 또는 "내가 바라는 이런 조치를 취할 권한이 당신에게 있습니까?"와 같은 말들이다. 그의 대답이 부정적이면 다른 사람을 찾아야 한다. 어느 누구도 전권을 쥐고 있지는 않다. 전권을 믿지 말라.

관료체제에서 상당한 권한을 지닌 누군가에게 기대할 수 있는 사항은, 그가 동의했다면 동의한 바를 이루기 위해 그의 권한으로 할 수 있는 일은 모두 할 것이라는 사실이다. 그는 자기가 약속한 사항을 지키기 위해 최대한 애쓸 것이다. 특히 그 일이 자기의 정직과 신념에 관한 문제라면 당신을 위해 자기 목이라도 걸 것이다.

이스라엘의 메나하임 베긴 수상이 마침내 중동평화 협정에 동의하기로 했을 때, 그는 카터 대통령에게 이런 말을 했다.

"나는 국가적 약속을 명확히 할 권한을 지니고 있지는 않지만, 이스라엘 국회가 이 합의서를 비준하지 않으면 사임하겠다는 약속은 드릴 수 있습니다."

그 이상을 기대해서는 안 된다. 그 삐걱거리는 바퀴가 보다 큰 권한의 단계로 올라가도록 하기 위해 윤활유를 칠하게 되는 다섯 가지 보기를 들어보자. 각 경우 모두 당신이 삐걱거리는 바퀴가 되는 것이다.

첫 번째 예
당신이 탄 비행기가 폭풍우 때문에 날개를 질질 끌며 가는 바람에 자정 40분 전에야 호텔에 도착했다. 옷과 신발은 젖어서 후줄근해졌고, 소화가 잘 되지 않아 속도 더부룩하며, 뼈가 부서질 듯 피곤하다. 하다 못해 이빨조차 지쳐 있다. 당신은 예약된 방에 짐을 던져놓고 빨리 침대에 눕고 싶어 죽을 지경이다. 다행히도 당신은 예약을 해두었다.

하지만 입실 담당 직원은 당신을 힐끗 쳐다보더니 단호하고 쌀쌀한 말투로 투덜댄다.

"그래요. 예약을 확인했지만 지금은 방이 없어요. 손님을 너무 많이 받았거든요. 가끔 있는 일이죠."

어찌할 것인가? 방금 짐을 카펫에 내려놓은 당신으로서는, 그 순간 직원이 아무 생각도 없이 반응하는 로봇과도 같은 녀석이라고 생각하게 된다. 맞다. 그는 호텔의 조직질서상 윗자리에 있는 지배인들이 입력시킨 정보를 로봇이나 컴퓨터처럼 당신에게 나불대고 있는 것이다. 지배인이 그에게 남은 방이 없다고 말했기 때문에 그는 앵무새처럼 그 정보를 당신에게 전달하고 있을 뿐이다. 그 직원은 호텔이 취할 수 있는 선택의 여지에 대해 아무런 생각이 없다. 그러므로 그가 문제를 풀 수 있도록 당신이 도와주어야 한다.

당신은 머릿속으로 몇 가지 선택의 여지를 궁리해 본다. 호텔에는 당신에게 줄 수 있는 방이 있을지도 모른다. 또 접대실 방 하나에 침대를 놓아줄 수도 있다. 또는 다음 날 아침 일찍 떠나기로 한다면, 내줄 수 있는 방이 있을지도 모른다.

일단 찔러보는 셈치고 당신이 말한다.

"그렇다면… 별실은 어때요? 다른 방이 다 찼다면 주지사의 특별룸은 어떻소? 나는 이 호텔에 접대실과 회담실도 있는 걸로 알고 있소만…. 당신들 안내 책자에 광고가 되어 있잖소. 회담실과 접대실 중 하나에 침대를 놓아줄 수 없소?"

직원은 꽁무니를 뺀다.

"아, 안 됩니다. 우리는 그렇게 할 수 없어요. 제가 다른 호텔에 방을 잡아드리면 어떻겠습니까?"

"나는 다른 호텔에 묵고 싶지 않소. 말하자면 난 피곤해서 빨리 자고 싶단 말이오. 나는 당장 여기서 자고 싶소. 당신이 결정할 수 없다면 총지배인과 얘기하고 싶으니 좀 불러주시겠소?"(당신은 이런 깊은 밤에 총지배인이 비번이라는 것을 알고 있지만 직원에게 자신의 결심을 보이고 싶은 것이다)

직원은 얼굴을 찡그리면서 비상전화를 걸어 무슨 말인가 우물거린다. 그리고 당신이 예측했듯이 그날 밤의 담당 지배인이 나타난다. 당신은 별실과 접대실과 다른 선택이 가능한 여지에 대해 질문을 되풀이 한다.

그날의 담당 지배인은 방 도표를 보고 인상을 긁더니 당신을 쳐다본다.

"마침 남은 특별 룸이 하나 있습니다. 새로 실내장식을 하고 있죠. 그렇지만 가격이 일반 독방의 두 배인데요."

당신은 조용하고 단호하게 말한다.

"한 푼도 더 받아선 안 되죠. 난 예약 보증을 받았거든요."

담당 지배인은 한숨을 쉬면서 말한다.

"글쎄요… 그 방으로 하시겠습니까, 안 하시겠습니까?"

이때 당신은 대답한다.

"그 방으로 하겠소…. 그리고 가격 문제는 내일 의논합시다."

다음 날 아침 체크아웃을 하려고 프론트 계산대에 내려왔을 때, 당신은 계산서를 보게 된다. 그 가격은 당신이 치러야 할 값의 두 배이다. 이제 당신은 총지배인을 만나겠다고 청한다. 당신은 이 협상에서 자신이 있는가? 그렇다. 칼자루를 쥐고 있는 것은 당신이고, 당신은 그 사실을 알고 있다. 왜냐하면 서비스는 이미 끝난 뒤니까(일단 서비스가 끝나고 나면 그 서비스는 서비스가 제공되기 전만큼 가치가 없는 법이다). 당신은 총지배인에게, 호텔이 예약정책을 존중하는 데 허점을 보였을 때의 황당한 느낌을 전한다. 총지배인의 설명을 들은 다음 당신은 이제 엄청난 방 값에 대해 의논한다.

총지배인은 아마도 95퍼센트 정도 지불청구서의 실수를 사과하게 될 것이다. 그리고 그 특별 룸에 대해서 일반 독방의 금액을 지불하도록 할 것이다. 호텔 측의 부주의가 아니었다면 방 값에 대한 시비가 일어나지 않았을 것이라는 사실을 그도 잘 알고 있기 때문이다. 그리고 결국 공정한 처신이 보답을 받는다는 것 역시 알고 있다.

호텔 예약에 관한 여담이 있다. 2년 전 나는 맨해튼 호텔의 예약 보증을 받았다. 밤늦게 택시를 타고 목적지로 가는 동안 운전사가 말했다.

"이 모퉁이에 서야겠어요. 길이 막혔어요. 경찰이 바리케이트를 친 것처럼 꽉 막혀서 갈 수가 없어요."

"아, 저런."

나는 투덜대고는 택시에서 내려 요금을 치렀다. 짐 가방을 끌어내리고 경찰들과 신문사의 사진 기자들, 멍하니 서서 구경하는 보행자들, TV 카메라진들을 어깨로 밀치며 지나갔다.

"도대체, 무슨 일이오?"

나는 호텔의 화려한 입구로 터벅터벅 걸어가서 호텔의 도어맨에게 물었다.

그가 하늘을 가리켰다.

"11층에 누군가가 뛰어내리려 하고 있어요. 그 일 때문이죠."

"저런, 참 안 됐군요."

나는 동료 인간이 땅바닥에 떨어지는 생각을 하고 마음이 안 돼서 말했다. 나는 회전문을 지나서 카운터 테이블로 가 말했다.

"내 이름은 코헨이오. 허브 A. 코헨. 나는 예약 보증을 받은 사람인 데요."

입실 담당 직원이 우물거렸다.

"그래요, 보증을 받긴 했죠. 코헨 씨… 그렇지만 방이 없군요."

나는 얼굴을 찌푸렸다.

"그게 무슨 말이오? 방이 없다니?"

"죄송합니다. 방이 다 찼어요. 당신도 사정을 잘 알지 않습니까?"

그 직원이 말했다.

"아니, 난 그런 사정 몰라요. 당신들은 방을 내 놓아야 해요."

내가 반박했다.

"다른 호텔을 찾아 드리죠."

전화기로 손을 뻗치며 그가 제안했다.

"잠깐!" 내가 맞받아 쳤다.

"방이 있어요! 당신, 11층에 있던 그 사람 알고 있죠? 밖에서 저

소동을 일으키고 있는 그 사람 말이오. 그가 지금 방을 비우고 있잖아요!"

어떻게 됐냐고? 그 사람은 뛰어 내리지 않았다. 경찰이 그를 잡아서 정신 감정을 받기 위해 다른 수용 시설에 넣었기 때문이다. 나는 그 방에 투숙할 수 있었다.

다른 경험을 하나 더 얘기하겠다. 1978년 겨울, 나는 지방 사업가들을 위한 협상 세미나를 지도하기 위해서 멕시코 시티로 날아갔다. 나는 특급 호텔에 예약을 했다. 하지만 불행히도 그 호텔은 그 예약을 존중해 주지 않았다. 입실 등록 담당자는 방이 모두 찼다고 말했다. 폭풍으로 미국 중서부로 가는 비행기편이 취소되었기 때문에, 손님들이 계속 묵은 것임에 틀림없었다.

언어 소통이 잘되지 않아 직원과의 얘기가 진전이 없었다. 나는 지배인을 만나겠다고 요청했다. 담배에 불을 붙이며 입실 수속 테이블 대리석에 팔꿈치를 기대고 서서 지배인에게 물었다.

"멕시코 대통령이 나타났다면 어떻겠소? 그런 사람을 위한 방은 있겠지요?"

"그, 그렇습니다. 선생님…."

나는 벽을 향해 담배연기로 도너스를 만들어 내뿜었다.

"음, 그럼 그분이 오지 않으니 내가 그분 방을 써야겠군요."

내가 방을 차지했는가? 물론이다. 대통령이 오면 즉시 비워주겠다고 약속해야 했지만 말이다.

두 번째 예

당신과 당신 딸이, 딸의 고등학교 무도회에서 쓸 이브닝 가운을 고르고 있다. 딸은 자기 발끝까지 흥분시킬 만큼 멋진 것을 골랐고, 당신은 그걸 구입해서 집으로 가져왔다. 그런데 무도회가 열리는 날 밤, 딸은 갑작스런 심한 위염으로 쓰러지고 말았다. 딸은 눈물이 가득 고인 눈을 하고 침대 옆에 놓인 전화로 데이트 상대에게 약속을 취소했다.

"이브닝 가운은 어떡하지?"

당신은 마치 타이밍을 제대로 맞추지 못하고, 중요한 게 뭔지조차 모르는 사람처럼 그렇게 묻는다.

"돌려줘 버려요!"

딸이 베개에 얼굴을 묻으며 흐느낀다.

"난 다시는 그 옷이 보고싶지도 않아요. 그 옷이 너무 싫어요."

당신은 어쩔 수 없이 그 이브닝 가운을 들고 드레스 상점으로 가서 옷을 반품하겠다고 말해야 했다. 하지만 점원은 우물거리며 거절했다.

"미안합니다만, 우리는 반품은 받지 않는데요."

"우리 딸은 그 옷을 입지도 않았다구요! 가격표가 아직도 달려 있잖아요!"

당신이 항변하는 동안 당신의 눈에 벽에 붙은 표지가 들어온다. 이렇게 쓰여 있다.

'환불 안 됨' (합법성의 힘)

이쯤에서 당신은 물러나서 가게를 나오는가? 아니다. 당신은 합법성이 갖는 힘과 일전을 불사하기로 결심한다.

당신은 주인과 이야기하고 싶다고 점원에게 말한다. 점원은 주인이 점심식사를 하러 나갔고 40분은 지나야 돌아올 것이라고 말한다. 당신은 웅얼거리듯 "기다리죠"라고 말하며 가까운 의자를 끌어다 앉는다(당신이 첫 상대에게서 만족을 얻지 못했으면 그 사람의 상급자에게로 올라가라. 즉 한 계단 더 올라가라).

40분 지나고 여주인이 돌아온다. 당신은 그녀의 방에서 밀담을 나눈다. 딸이 앓고 있고 파티에 갈 수가 없어서 가운은 입지도 못했다는 상황을 그녀에게 설명한다. 당신의 말을 들은 여주인은 코웃음을 칠 것이다.

"그 가운을 입지 않았다는 것을 제가 어떻게 알 수 있죠? 이런 일은 부모들이 흔히 쓰는 트릭이에요. 그런 사람들은 가격표를 다시 붙이고 흙 묻은 부분을 젖은 천으로 닦아낸 다음 다림질을 해서 지우려고 하죠!"

당신은 그녀에게 전표에 붙은 구입 날짜를 보여준다. 그리고는 그녀가 있는 자리에서 당신 딸이 그 무도회날 밤 집에 누워 앓고 있었다는 것을 증명하기 위해 가족 주치의에게 전화를 걸어준다.

주인은 당신의 요구를 들어줄까? 아마 그럴 것이다.

"아, 좋아요. 이번 경우에는 예외로 하죠. 손님을 맞았던 직원에게 그 가운 값을 돌려드리라고 하죠."

모든 규칙에는 예외가 있다. 규칙이란 일반적인 것이다. 대부분의 경우 규칙은 준수되어야 하고, 준수하지 않으면 우리는 무정부 상태에 처하게 될 것이다. 그러나 어디서 규칙이 깨져야 하는지를 간단한 예로 보여주겠다.

당신은 교회에서 설교를 듣고 있다. 회중은 조용하고, 목사님의 말한 마디 한 마디에 귀를 기울이고 있다. 교회에서는 설교 중에 누구도 말을 해서는 안 된다는 규칙이 있다. 교회에서 말하는 것은 영험함을 없애는 짓으로 지탄받는다. 하지만 그때 갑자기 당신은 벽 밑에서 불길이 일어나는 것을 발견한다. 벽 속에 들어 있는 전선에서 누전이 된 것이다. 당신은 어떻게 해야 될까? 어떤 상황에서도 규칙을 깨지 않아야 된다면 당신에게 세 가지 대안이 있다.

1. 목사 쪽으로 연기를 불어 보내서 화재가 났음을 암시하라.
2. 설교단 쪽으로 천천히 전달 되도록, "교회에 불이 났어요!"라고 쓴 쪽지를 만들어라.
3. 규칙에 어긋나지 않은 행동이니 일어나서 아무 말 없이 나가라.

이런 특수 상황은 당신이 정당하게 규칙을 깰 것인지 아닌지를 결정해준다. 어떤 방침이나 규칙이 당신의 상황을 좌우하지 않게 하려면, 그 규칙의 틀이 특수한 상황을 고려하지 않은 것임을 보여줄 수 있도록 준비하라.

세 번째 예

당신은 의무에 충실하게 밤중에 배달되어 온 연방 세금계산서를 4월 15일 한밤중에 받았다. 훌륭한 보이스카우트처럼 당신은 어떤 거짓도 없이 모든 질문에 성실하게 답변했다. 그리고 두 달 뒤에 당신은 국세청에서 수정된 세금 청구서를 받았다. 또한 국세청은 당신이 지방사무소에 다음 주 목요일 오전 10시에 방문하도록 요청했다. 조정해야 할 의견불일치 사항이 있다는 것이다.

당신의 위장은 척추 주위에서 뒤틀린다. 그리곤 무언가 죄를 지었거나 잘못되어 어떤 처벌을 받게 되었음이 틀림없다고 바보 같은 상상을 하기 시작한다.

그러나 걱정하지 말라. 머리를 써라. 감정적으로 되지 말라. 당신의 위장에 평화를 주라. 누구도 당신을 후려치지 않는다. 아니 실제로는 엄청난 존중, '너무나 점잖은 접대'를 받게 될 것이다.

당신은 적절한 기록과 취소된 수표들을 지니고 지시대로 오전 10시에 국세청 사무소를 방문하면 된다. 접수계에 당신의 이름을 말하고 접수계원 오른쪽 어깨너머를 힐끗 보라. 접수계 뒤로 줄지어 놓인 책상들이 보일 것이다. 책상마다 전자계산기, 서류철, 세금장부, 진지하고 친절한 얼굴들이 놓여 있다. 이런 회계사들에 대해서 잊지 말아야 할 네 가지 사항이 있다.

1. 그들은 단지 자기 일을 하고 있을 뿐이다. 그리고 그 일에서 그리 큰돈을 벌지 못한다.
2. 그들 역시 세금 내는 일을 당신 못지 않게 싫어한다. 자신의 세금에 관한 그들 중 일부는 자기들도 회계감사를 받은 경험이 있다.
3. 아주 상상력이 풍부하지 않을 경우 그들은 상황에 따른 적용보다 일반적 조건을 생각하며 '장부에 기입된 사항으로 가는' 경향이 있다.
4. 전자계산기가 있음에도 불구하고 그들이 하고 있는 것은 주관적이고 가치 평가적인 일이다. 객관적이고 완벽하고 실수 없는 것과는 거리가 먼 일이

다. 말하자면 당신의 해석과 가치 평가가 그들이 한 것과 마찬가지로 유효할 수 있다.

이 점이 의심스럽다면 해마다 출판되고 있는 보고서를 생각해 보라. 그 보고서에 실린 통계표는 8명에서 10명의 회계사들 사이에서 왔다갔다하고 있다. 그 '시험하는' 회계사들이 같은 물을 흔들어서 같은 수치의 요리를 해 냈을까? 아니다. 내놓은 수치는 믿을 수 없을 정도로, 거의 웃음이 나올 정도로 다양하다.

이름이 불려지기를 기다리는 동안, 당신은 너무 잘 차려입지 않았다는 것을 확인하기 위해 입고 있는 옷을 다시 점검해 본다.

국세청 사무소에 들를 때는 최신 유행하는 고급 옷을 입어서도 안 되고 부랑자처럼 보여서도 안 된다. 그렇다고 남성잡지 〈GQ〉나 〈하퍼스 바자〉의 표지 같은 옷을 입어서도 안 된다. 상대가 당신의 사람 됨을 알아보고 편안하고 우호적으로 대하도록 하라(이런 심리적인 통찰을 살리기 위해 미묘한 소송을 맡은 어떤 변호사는 필요에 의해 머리를 짧게 자르거나 수염을 아주 바짝 깎기도 한다. 그리고 또 어떤 변호사는 자기 신발을 구겨진 채로 놓아둔다).

당신의 이름이 호명되었다. 동시에 지명된 회계사가 당신에게 인사를 하며 나선다. 이 시점에서, 그리고 거래가 진행되는 동안 당신의 태도는 순수한 의미의 '도와줘요'라는 자세가 되어야 한다. 당신은 자신을 인간적이고, 합리적이고, 호감이 가고, 우호적인 존재로 보이도록 해야 한다. 당신은 논쟁적이어야 하는가? 아니 그 반대다. 당신은 방어적인가? 절대 아니다. 당신은 그에게 협력하기 위해 온 것이다. 당신은 태연해야 한다.

회계사가 말한다.

"제가 의논 드리고 싶은 것이 네 가지가 있습니다. 첫째는 기부금이고, 둘째는 주택 감가상각비에 배정한 수치, 셋째는 다른 여러 곳에 돈을 쓴 것. 넷째는 당신이 한 분기에 세금으로 냈다고 주장한 돈의 액수입니다."

당신은 목소리를 가다듬는다. 예상한 것보다 더 힘든 일이 될지 모른다. 그러나 꼭 그럴 필요가 있을까? 아니다. 그저 차분하게 대하라.

회계사는 계속한다.

"저는 당신이 냈다는 기부금 900달러를 확인하고 싶습니다."

"그러실 수 있고 말고요. 나는 바로 이 봉투 안에 취소된 수표를 가지고 있습니다."

당신이 대답한다.

회계사가 그 수표를 훑어보면서 전자계산기를 두드린다.

"이건 전부 360달러뿐인데요. 540달러는 어떻게 설명하시겠습니까?"

당신은 빠르면서도, 빠른 것만큼 진지하게 대답한다.

"나는 일요일마다 충실하게 교회에 갑니다. 그때마다 기부금 접시에 10달러씩 넣죠."

"일 년에 쉰두 번 말이죠?"

"예외 없이 그래요. 그것이 500달러가 되지요."

"나머지 40달러는 뭡니까?"

당신은 더더욱 목청을 가다듬는다.

"그건 걸스카우트들의 쿠키와 리틀 리그 야구경기 기금을 호소하는 어린이들에게 준 것이죠. 전 아마 그 모든 경비로 60달러는 적었어야 했을 겁니다."

"흠, 그건 믿기가 어렵군요. 그렇게 너그러운 사람은 흔치 않은데!"

회계사가 말한다.

당신은 어깨를 으쓱한다. "하지만 난 그래요."

"그 540달러 옆에다 물음표를 해두겠습니다."

이 상황에 주목하라. 회계사는 당신이 일요일마다 접시에 10달러를 던져 넣지 않았다는 것이나 새파란 어린 것들에게 돈을 주지 않았다는 것을 증명할 수 없다. 그것은 엄격히 말해서 어떤 것이 합리적이냐에 대한 판단의 문제이다. 판단의 문제에 관한 한 국세청은 흔히 말하듯이 당신을 '현행범'으로 만들지는 않는다. 호소할 길은 늘 있는 것이다.

그 대면은 계속된다. 회계사는 당신의 주택 감가상각비 수치가 12년간의 기간을 기준으로 해야 한다고 주장한다. 당신은 동의하지 않으면서 정중하게, 그 수치는 8년을 기준으로 해야 한다고 되풀이한다. 당신은 주장을 굽히지 않는다.

어떤 것도 당신을 한 치도 양보하게 만들 수는 없다. 국세청이 당신을 현행범으로 만들 수 있을까? 아니다. 이것 역시 판단의 문제이며 호소할 수 있는 문제이다.

그는 매직펜으로 두 번째 물음표를 긁적이고는, 문자 그대로 '계속'이라는 말을 받아들이며 계속 진행한다.

"타자로 친 자료 4페이지에 보면, 당신은 부가 항목에서 2,000달러나 딴 데 썼다고 되어 있군요."

"아, 아니예요…. 완전히 잘못 생각하신 거죠."

당신은 조용히 말을 계속 한다.

"그건 부가 항목이 아니죠. 집을 꼭 수리해야 했거든요. 집이 무너져 내리고 있는 형편이었으니까요. 당신이 그걸 보셔야 했는데! 내가 조치를 취하지 않았다면 타르 칠을 한 종이 집 같았을 겁니다."

회계사는 가스가 차서 고통스럽기나 한 듯이 얼굴 근육을 뒤틀며 웃을 것이다. 법대로 하자는 사람도 유머 감각은 있는 법이다. 이건 또 다른 판단의 문제이니까. 그러므로 또 다른 물음표가 붙는다. 당신은 이제 피라미드 구조의 상층으로 올라갈 세 번째 문제를 가지게 되었다.

당신은 네 번째 쟁점에 도달한다. 당신은 분기 납세에서 세금으로 1,400달러를 지불했다고 주장했다. 그러나 국세청은 900달러만 입금되었다는 증거를 가지고 있다. 당신이 기록한 그 수치는 잘못된 것, 즉 당신측의 악의없는 실수였다. 당신은 그 서식을 정신적으로 피로한 늦은 밤에 썼기 때문이다. 그것은 판단의 문제가 아니다. 호소할 기회는 없다. 당신은 500달러의 차액을 보상해야 한다.

하지만 회계사가 그와 다른 부분들, 즉 당신의 기부금과 주택 감가상각비, 재산 추가 지출 항목에서도 당신과 의견이 다르다면 어떻게 될까?

그 답은 간단하다. 당신이 정직하게 행동했고 옳다고 믿는다면 상부로 올라가 호소하라. 첫째, 국세청 조사원과 예약을 하라. 그 회합의 결과가 당신에게 만족스럽지 않다면, 법원 '세금 재판소나 권리 재판소 혹은 지역 재판소'에 소송을 제기하라. 간단히 말해서 적은 돈이 걸린 것이라도 원한다면 호소하라. 당신에게는 헌법상의 권리가 있다. 그 권리에 의지하라. 당신에게 배짱도 있다. 그걸 이용하라.

국세청과 협상할 때 마지막으로 주의할 점이 있다.

만약 여러 회계사와 조사원들이, 당신이 모자에서 토끼를 꺼내는 마술사나 되는 것처럼 모든 것에 증명을 요구하면 서두르지 말고 지연시켜라. 당신이 상대하는 모든 사람들에게 필요한 기록을 준비하는 데 아주 오랜 시간이 걸릴 것이라고 말하라. 시간을 활용해서 애매한 상태와 더불어 사는 법을 배워라. 왜냐하면 그렇게 하면 결국 돈을 절약할 수 있기 때문이다.

국세청의 입장은 한시라도 빨리 당신의 서류철을 덮어버리고 싶어한다는 것을 잊지 말라. 당신과 싸우는 것은 인력과 돈과 시간이 소모되는 일이다. 당신에게 투자된 노력에 비해 수입은 보잘 것 없다. 그들도 그것을 잘 알고 있다. 그러니 계속 이렇게 말하라.

"나는 내가 옳다는 것을 확신하고 있어요. 아마 우리는 협상을 통해 해결점을 찾을 수 있을 겁니다."

국세청은 자기네가 옳다고 믿을 때조차 이런 종류의 일에서는 기꺼이 협상하려 한다. 그리고 상부로 올라갈수록 당신의 관점을 더 잘 이해해 준다는 것을 알게 될 것이다. 고위층에 있는 사람들은, 건전한 세금 행정에 있어서 적은 액수에 대한 판단의 문제를 다룰 때는 유연함이 필요하다는 것을 잘 알고 있다.

네 번째 예

당신은 절친한 친구와 함께 당신이 사는 도시에서 60마일 떨어진 시골에 주말에 쓸 여름 별장 한 채를 빌리기로 결정했다. 첫 주말에 그곳에 도착해 보니 그 별장은 엄청난 수리를 해야 할 정도였다. 문은 제대로 열리지 않았고, 보일러는 망가지고, 어지럽게 설치된 전선은 위험해 보였으며, 부엌도 엉망이었다.

다행히 당신들은 손재주가 좋다. 하지만 불행하게도 연장도 없고, 부속품들도 없을 뿐 아니라 지니고 있는 현금도 많지 않다.

친구가 마루를 쓸고 창문을 닦는 동안 당신은 근처 도회지의 철물점을 찾아간다. 한 시간 동안을 찾아다닌 끝에 당신은 필요한 부속품과 그것들을 제자리에 붙이고 맞출 연장을 발견한다. 당신이 통로를 따라 끌고 다닌 바퀴 달린 쇼핑 수레는 어느새 물건들로 가득 찼다. 당신이 물건들을 계산대 위에 올려놓자 점원은 물건값이 전부 84달러임을 알려준다.

"84달러라구요? 세상에! 수표를 써야 할 판이군."

당신이 소리치자, 점원은 "죄송합니다. 우리 상점에선 수표를 받지 않습니다"라면서 고개를 젓는다.

잠시 이 상황을 잘 살펴보자. 이 철물점은 왜 수표를 받지 않을까? 한때는 수표를 받았었는데, 사기를 당했기 때문일 가능성이 높다. 수표 중 3퍼센트는 부도가 나는데, 그 3퍼센트를 보편화시켜서 주인은 가게의 새로운 방침을 세웠고, 스쿠루지처럼 얼굴을 찌푸리면서 계산대 직원에게 '결코 수표는 받지 말라'고 지시했기 때문일 것이다. 이에 따라 점원은 아무 생각 없이 이 규칙에 예외를 두지 않고 복종한다.

당신은 점원에게 수표를 받지 않으면 물건을 살 수 없고, 그럼 새로 빌린 별장으로 이사를 할 수 없다고 이야기 해보지만 점원은 "죄송합니다. 전 명령에 따라야 하거든요"라는 말만 반복할 따름이다.

이제 당신은 어떻게 해야 할까? 그냥 가게를 나가는가? 아니다. 위로 올라가야 한다.

당신은 주인과 이야기를 나누고 싶다고 점원에게 말한다. 점원이 주인을 불러준다. 당신은 주인에게 전후의 사정을 이야기한다.

"난 이런 연장과 부품들이 필요해요. 그런데 당신 직원이 수표를 받으려 하질 않는군요."

주인은 쇼핑 수레를 응시한다.

"이게 모두 얼마치죠?"

"84달러요."

"현금이 없습니까?"

"없어요. 그러나 내 신용은 일등급이요. 나는 미들타운의 스테이트 내셔널 은행에 구좌를 갖고 있어요."

다시 한번 진행을 멈추고 살펴보자. 그 가게의 방침에도 불구하고 당신은 거래에서 유리한 입장에 있는가? 그렇다. 수표를 받아들일지의 여부를 협상하는 데 가장 좋은 시기는 가게의 서비스를 받고 난 뒤이다. 주인은 당신의 쇼핑 수레에 실린 84달러 어치의 부품과 연장들을 응시하고 있다. 주인은 이렇게 생각한다.

'아이구 맙소사, 이 친구가 '알았어요!' 하고 앞문으로 걸어나가 버리면, 나는 이 물건들을 하나하나 다시 선반 위에 얹어야 하는군.

언제 끝날지도 모를 일을 해야 하다니!'

주인은 수표를 받을까? 그렇다. 당신이 합당하게 신분을 밝히고 당신이 다니는 회사의 전화뿐 아니라 은행 전화번호를 제시하면 말이다. 다음 사실을 잊지 말라. 대부분의 경우 명령체계를 강화하는 하수인은 단지 로봇처럼 움직이는 대변인에 지나지 않는다.

로봇의 옆으로 가라. 그리고 윗 계단으로 올라감으로써 당신의 이익에 위배되는 방침들을 거부하라. 방침을 세운 사람은 그 방침을 거둘 수도 있다. 법을 만든 사람이, 당신의 특수 상황을 고려하여 자기의 방침을 수정할 기회를 주라. 그들은 종종 이런 기회에 대해서 고마워한다.

다섯 번째 예

당신에게 5학년 짜리 아들이 있다고 하자. 그 아들은 수학을 끔찍이 싫어한다. 숫자라면 질색을 하고, 잘 이해하지도 못한다. 머리가 나빠서는 아니다. 국어 성적은 출중하니까.

그 이유는 수학 선생에게 있었다. 수학선생이 수업이 끝난 후에 하도록 지시했던 특별봉사활동에 나오지 않았다는 이유로 친구들 앞에서 아들에게 심한 무안을 주었기 때문이다. 이제 아들은 숫자에 관한 한 정신적 장애를 지니게 되었다. 참 안 된 일이다.

설상가상으로 이 수학 선생이 마지못해서라도 고개를 끄덕여주지 않으면, 아들은 6학년으로 진급하지 못한다. 아들은 초긴장 상태에 빠져 있다. 진급을 하지 못하면 아이는 상처를 받고 정서적으로 황폐해질 게 뻔하다.

자, 그렇다면 당신은 어떻게 아들이 6학년으로 올라갈 수 있도록 협상할 것인가? 분명히 나는 이런 결과가 모든 측면에서 정의롭고 자비로운 것임을 가정하고 있다. 그리고 이 상황은 당신의 자녀가 자신이 처한 곤경을 솔직하게 털어놓는 것을 전제로 한다. 당신은 자녀와 좋은 관계, 즉 서로의 약점을 받아들이는 기초 위에서 서로 신뢰하는 관계를 맺고 있어야 한다.

어떻게 협상할 것인가. 이때 수학선생이 실제로 낙제점을 주기 전에 그 선생을 만나야 한다는 것이 바로 중요하다. 일단 학교 성적 기록부에 기록이 올라가면, 모든 것은 확정되고 만다. 당신이 수학 선생을 개인적으로 직접 만나야 한다는 것도 중요한 점이다.

앞에서 다뤘던 것처럼 전화로 협상하지 말라. 전화로는 쉽게 거절당할 수 있기 때문이다. 전화로는 합당치 않은 처신을 하기도 쉽다. 맞대면한 상태에서 거절하고 합당하지 않은 처신을 보이는 것은 또 다른 문제이다.

수학 선생과 비밀리에 의논할 때는 적극적으로 상황을 설명하라. 그리고 그가 정신을 집중하여 호의적으로 듣고 있는지 확인하라. 그래도 통하지 않으면 즉시 학교의 위계질서에 따라 다음 단계에 호소하라. 필요하면 교장과 면담을 할 때까지 계속하라.

보통의 경우, 교장은 수학선생보다 이런 교착상태를 더 잘 이해할 것이다. 왜? 교장은 정치적이기 때문이다. 교장은 당신을 불만과 걱정이 많은 부모로만 보는 것이 아니라 납세자(당신이 불만이 있는 다른 동료 부모들과 함께 학부모 회의에서 그 이야기를 할 수도 있고, 교육세를 낮추는 대중 운동을 일으킬 수도 있는)로 보고 있기 때문이다. 그 가능성과 그에 따른 부정적인 평판은 교장을 몸서리치게 만들 것이다.

당신의 아들이 6학년으로 올라갈 수 있을까? 그렇다. 당신이 빨리 움직이기만 한다면 말이다. 피라미드 구조의 어떤 행정기관에서든 높이 올라갈수록 당신에게 유리하다. 높은 곳의 공기를 마시고 있는 사람들은 피라미드의 바닥에 있는 사람들보다 더 유연하고 실용주의적이다. 그들은 이른바 굽힐 수 없는 규칙을 더 기꺼이 굽히려 할 것이다.

유리한 고지에 올라가기에 대해 다시 한 번 언급한다.

대부분의 규모 있는 조직은 사업 개선부, 통상부, 소비자 단체, TV나 신문의 조치 촉구기구, 심지어 의원들 같이 당신이 도움을 청할 수 있는 모든 종류의 사람들과 한 집단이 되어 있다. 허버트 험프리는 '원칙' 이라는 주제로 다음과 같이 말했다.

"결코 포기하지 말고 결코 굴복하지 말라."

Chapter 12

자신을 주목하게 하라, 개인화

전문가들조차도 혼란을 느낄 정도로 우리들의 삶은 급격하게 변화하고, 부딪히는 문제들은 점점 더 복잡해지고 있다. 모든 조직은 빠르고도 거대한 규모로 성장함으로써 우리로부터 멀어지고 있다. 결국 많은 사람들은 자신을 이방인같이, 즉 군중 속에 휩쓸린 하나의 숫자처럼 느끼게 된다.

그들은 냉담과 절망 사이에 있는 묘한 혼합물과 같은 태도를 갖는다. 아마도 프란츠 카프카의 '성'에 나오는 붉은 끈을 든 채로 끝도 없이 긴 줄에 서서 기다리고 있는 얼굴 없는 군중은 그에 대한 적절한 비유가 될 수 있다. 즉 우리는 마치 어떤 거대한 통계 치의 작은 입자같이, 다시 말하면 삶이라는 거대한 개미탑에서 일하는 개미와도 같이 비개인화 되었다는 것이다.

물론 항상 그런 것은 아니다. 큰 도시에서조차 이웃에 있는 가게에 가면, 가게 주인이 친근한 말투로 그들의 이름으로 불렀던 때를 사람들은 기억한다. 이런 친근한 인간관계를 통한 사업은 현대의 상업사

회보다 비효율적일 수 있지만 어쨌든 서로를 보다 더 충족시키는 것
또한 사실이다.

하지만 분명히 말하건대 나는 "예전의 그 멋진 시절로 돌아가야 한
다"고 주장하기 위해 이런 이야기를 꺼낸 것은 아니다. 내가 말하고
자 하는 것은, 효율적으로 협상을 하기 위해서는 상대방에게 자신을
통계상의 한 수치나 상품, 즉 상거래 상의 한 물품으로 보이도록 해
서는 안 된다고 말하는 것이다.

당신이 자신을 독특한 개성을 지닌, 상처받기 쉬운 인간으로서의
존재로 내보일 때, 바라는 바를 얻을 가능성이 훨씬 더 크다. 자기 자
신에게 냉담하지 않으면서 자기 앞에 있는 사람을 인간적인 관점에
서 무관심하게 대할 수 있는 사람이 과연 얼마나 되겠는가?

대부분의 사람들은 자신이 잘되는 것이 다른 사람이 잘되는 것과
깊은 관계가 있음을 잘 알고 있다. 내 이웃이 냉대를 받는 것은 결국
나 자신이 손상되는 것과 같다.

사람은 모두 제각각 떨어져 있는 섬이 아니다. 우리는 그것을 잘
알고 있다. 그러나 일상생활의 압력에 직면하다 보면 우리는 이 상호
의존성을 잊는 경향이 있다.

그러므로 자신을 개인화시켜서 비개인적인 통계수치로 보이지 않
게 하는 것은 당신 자신에게 달려 있다. 누구도 자신을 통계수치와
동일시하지는 않는다. 피와 살이 있는 사람으로서의 고뇌를 함께 슬
퍼한다.

이 사실은 미국 독립전쟁 직전 새뮤얼 애덤스의 말에 잘 함축되어
있다. 보스턴 학살이 계획되고 있는 동안 애덤스는 이 학살의 결과에

관해 이렇게 한 마디 했다고 기록되어 있다.

"서너 명의 죽음은 독립을 위한 순교가 될 것이다. 그러나 스무 명씩이나 죽는다는 것은 전혀 다르다. 왜냐하면 일단 그 수치를 넘어서면 우리는 더 이상 순교를 하는 것이 아니라 하수 처리 문제를 다루는 것이니까."

애덤스의 냉정한 말과 그 말의 윤리적 의미는 그만 두고라도 그의 이론은 정확하다. 사건의 효과를 최대화시키기 위해서는 그 상황과 상황에 관련된 사람들을 알아볼 수 있어야 한다.

2차대전이 끝났을 때 우리는 인류에게 엄청난 잔혹 행위가 행해졌다는 것을 알게 되었다. 그러나 우리는 나치와 수면 아래에 있는 많은 수동적인 동조자들이 자행했던 절대악의 깊이를 실감할 수 없었다. 그 수치만으로는 이해할 수 없기 때문에.

그러나 십대의 유태인 소녀가 쓴 글은 그 당시 일어났던 공포를 얼마간이라도 이해할 수 있게 도와주었고 사람들로 하여금 눈물을 흘리게 만들었다. 나치의 마수를 피해 숨어 있던 한 소녀가 자신의 경험을 생생하고 다정다감하게 풀어놓은 그 글에는 감동적인 순수함과 낙관주의와 인간애가 넘친다. 이 글은 물론 1947년에 발표되었고 뒤에 연극과 영화로 만들어져 전세계에 영향을 주었던 '안네 프랑크의 일기' 이다.

이것은 무엇을 말하는가. 협상가로서 당신의 영향을 극대화시키기 위해서는 상대하는 사람이 누구든 간에 당신 자신과 상황을 개인화시킬 수 있어야 한다는 것이다.

그렇다면 어떻게 당신 자신을 개인화 시킬 수 있을까?

상대방이 당신을 독특한 존재이고, 피와 살이 있는 존재이며, 3차원적인 개인으로, 즉 감정과 무언가를 필요로 하는 사람, 상대방이 좋아하고 걱정해 주고 책임감을 느끼도록 하는 사람으로 인식시켜야 한다. 다시 말해서 적어도 상대방이 무언가를 해주고 싶은 사람으로 느끼도록 만들어야 한다.

어떻게 상황을 개인화 시키는가? 그 답은 간단하다. 크든 작든 어떤 기관이나 기구를 대표해서 협상하지 말라. 그 기관을 대표하는 당신 자신을 위해서 협상하라는 말이다.

상세히 설명해 보자. 우리 중 누구도 기밀유지를 필요로 하는 어떤 기구에 대한 서약을 지키는 사람은 거의 없다. 그러한 기구는 우리와 밀접한 관계가 없으며, 생명이 없고, 추상적이어서 의무감이나 관심을 불러일으키지 못한다. 건축가를 제외하고는 아무도 벽돌과 유리와 강철, 콘크리트에 대해서 조금도 신경 쓰지 않는 것처럼 말이다. 그러한 단체는 차갑고 생명력이 없어 보인다. IBM과 콘 에디슨, 제너럴 일렉트릭, 마 벨, 국세청(IRS) 등과 같은 추상적 실체들이 자주 패배하는 것은 이 때문이다(전형적인 태도는 이렇다. "모빌 오일 회사가 10만 달러를 잃었다고 우리가 달라질 게 뭐 있어? 나누면 반 센트의 몫도 안 되는 걸"). 이것이 바로 번영하는 조직을 대표해서 협상하는 것이 좌절하는 이유다. 예를 들면 그런 협상에는 다음과 같은 구절들이 붙기 마련이다.

"벤손허스트 통상부를 대표하여 우리는 당신이 이렇게 해줬으면 합니다…"

"미국의 보이스카우트 협회의 이익을 위하여 우리는 당신이 이렇게 하기를 바랍니다…."

"루터파 교회의 미주리 주 집회는 당신이 이렇게 할 것을 촉구합니다…."

"재정상의 문제를 해결하기 위해 국제 여성기구는 당신이 서약을 지킬 것을 요구합니다."

그렇다면 당신이 미국 소아마비 환자 구호모금 운동이나, 캘리포니아 주 정부, 유나이티드 웨이, 지역여성회, 뉴욕 시 운송청, 그 밖의 당신이 가입한 단체들을 대표하여 다른 사람으로 하여금 비개인적인 이 단체 자체(실제로는 개인을 뺀 단체 자체란 있을 수 없지만)에 약속을 하게 하려면 어떻게 할 수 있을까?

인간화 시켜라. 그러면 다른 사람들의 약속을 받아낼 수 있다.

말의 뜻은 이렇다. 당신이 한 조직체의 일원이라고 가정하고 당신이 협상하고 있는 상대가 당신을 힘들게 하고 있다고 하자. 그럴 때는 그 사람이 기관이 아니라 당신을 생각해 주도록, 즉 그 기관을 통해서 당신 생각을 해주도록 설득하라.

"저는 그렇고 그런 데 있게 되었습니다…. 그런데 당신은 제게 이걸 해주겠다고 하지 않았습니까? 저는 당신을 믿고 있었기 때문에 저희 사장님께 당신을 믿는다고 말했답니다. 가족들에게도 그렇게 말했고요. 회계보증도 했습니다. 저를 실망시키지 않으실 거라고 믿겠습니다."

상대방이 "이걸 개인적으로 말씀하시는 겁니까?" 하고 물으면 당신은 단호하게 "그렇습니다"라고 대답하라.

다른 말로 하면, 상대방을 '끌어들여라' 상대방이 정서적으로 참여하게 하라. "제 부탁을 들어주셨으면 합니다. 그렇게 해주신다면 정말 감사하겠습니다"라는 식의 말로 접근하면 상대는 손을 늦추기가 어렵다. 그런 말은 상황을 인간화시키는 데 엄청난 효과를 거둔다. 물론 당신 쪽에서 무언가를 해주어야 할 적절한 때가 온다면 친절한 도움을 받을 수 있으리라는 뜻 역시 상대는 이해하게 된다.

그렇다면 다음과 같은 질문이 생길 것이다. 당신은 협상 회담에서 어떻게 당신 자신을 개인화시킬 것인가?

다음은 그것의 현실적인 보기들이다. 여기 첫 번째 예가 있다.

당신이 35마일 속도제한 구역에서 45마일로 달렸다고 하자. 길가 숲에 숨어 있던 순찰차가 당신을 스피드건으로 포착한다. 그리고 사이렌을 울리면서 당신을 무자비하게 추격한다. 당신은 어쩔 수 없이 자동차를 세우며 투덜댄다. 순찰차에서 내린 경찰이 딱지 철을 손에 들고, 선글라스 뒤의 표정을 알 수 없는 눈으로 당신에게 천천히 걸어온다. 당신은 카림 압둘 자바에 맞서서 싸워야 하는 조그만 아이처럼 무력감을 느낀다. 이럴 때 보장된 협상 방법은 없다. 그러나 당신이 이 상황에서 딱지를 떼일 확률을 줄일 수는 있다.

먼저 위협적이지 않은 태도로 차에서 내려라. 그리곤 '나는 완전히 당신 손에 달렸어요'라는 듯 고분고분한 태도로 교통경찰관을 맞이하라. 창문을 올린 채 운전대에 앉아 있는 것은 안 된다. 그 경찰은 당신이 마약에 취해 있거나 무릎 사이에 권총을 감춘 범죄자로 생각할 수도 있다. 이와 비슷한 상황일 때 일부 경관들이 미친 사람들에게서 총을 맞기도 한다는 것을 생각해 보라.

당신은 본질적으로 당신뿐만 아니라 교통경찰관의 필요와 관심을 고려해야 한다. 당신이 면허증을 내미는 동안, 이 만남에서 전환점이 생길 수도 있다. 이 상호작용의 접합점에는 다음 세 가지 목적이 있다.

1. 그의 관심을 딱지에서 멀어지게 하는 것.
2. 그가 당신을 인간적인 관점에서 보게 하는 것.
3. 딱지 철에 볼펜을 대는 것을 막거나 적어도 지연시키는 것.

이렇게 말하면서 서두를 꺼내라.

"아, 경관님. 만나서 반갑습니다. 전 길을 잃었거든요! 계속 빙빙 돌고 있었어요. 이런 동네로 가려면 어떻게 하면 됩니까?"

그는 아마 당신의 질문을 잠시 무시할 수도 있고, 재빨리 말을 가로막아 이렇게 말할 수도 있다.

"과속으로 달리고 있었다는 걸 알고 계십니까?"

당신은 이제 이렇게 말함으로써 그를 당신 질문 쪽으로 유도한다.

"그래요, 그렇지만 길을 잃었거든요. 여기가 어딘지 모르겠어요!"

경관은 틀림없이 길을 가르쳐 줄 것이다. 그가 그렇게 하는 동안 관련된 질문을(그가 딱지에 쓰지 못하게 할 수 있는 것이면 뭐든지) 끝없이 하라. 그가 길을 정확히 가르쳐 주는 데 5분 정도를 허비하고, 또 당신이 그에게 합당한 감사를 하고 나면 그는 지금의 문제, 즉 당신의 교통위반으로 화제를 돌릴 것이다.

이 시점에서 교통경찰이라는 직업의 위험과 어려움에 관한 얘기를 꺼냄으로써 경관으로 하여금 자신이 중요한 존재라고 느끼도록 하라. 당신 자신은 준법정신이 투철한 시민으로, 즉 문제에 봉착한 보통사람으로 묘사하라. 그가 당신의 과속으로 얘기를 돌리면 이렇게 말하라.

"저런, 죄송합니다. 미처 알지 못했어요. 그때 잠시 딴 생각을 하고 있었거든요…."

여기서 그에게 털어놓을 독특한 개인적인 곤경들을 자세히 얘기하라. 모든 사람에게는 문제가 있게 마련이다. 독재적인 사장이나 병든 배우자, 관절염을 앓고 있는 노부모, 지불하기에 벅찬 할부금, 성실하지 않은 배우자, 실망만 안겨주는 자녀 같은 문제들 말이다.

잊지 말고 그의 결정으로 하여 당신이 이때까지 '오점' 없는 기록을 유지하고 있었다면 이렇게 말하라.

"이게 운전 경력 12년만에 처음 받는 딱지가 되겠군요. 내 자랑스런 기록에 이런 얼룩이 지게 되다니, 정말 싫군요."

그는 망설일 가능성이 많다. 어느 경찰이든지 누구에게 첫 소환장을 떼는 일은 꺼리게 마련이다.

당신의 변명이 어떤 것이 됐든 딴 사람과 다른 독특한 변명이면 더욱 좋다. 법을 집행하는 경관이라면 실제로 어떤 종류의 변명도 다 들어왔다는 것을 잊지 말라. 당신의 무용담이 특이하고 흥미로운 것이면, 틀에 박히고 단조로운 그의 직업에서 오는 재미에 대한 필요를 만족시킬 것이다. 더욱이 그는 이제 경찰서에 돌아가 자기 짝이나 동료에게 얘기할 무용담을 하나 갖게 되는 것이다.

흔치 않은 변명을 하라고 말했는데, FBI 훈련소 국장이었던 사람이 내게 해준 이야기가 하나 있다. 경찰 한 사람이 일방통행인 거리에서 반대 방향으로 차를 몰고 가는 사람에게 딱지를 떼려고 했다.

갑자기 그 범법자가 순진하게 물었다.

"경관님, 당신은 저 방향표시가 거꾸로 뒤집혀 있을지도 모른다는 생각이 들지 않는단 말입니까?"

이 이야기를 해준 사람 말이, 이 일은 실제로 일어난 것이며 딱지를 떼지 않았다고 했다. 아마도 그런 기발한 이야기를 생각해 낸 창의력에 대한 보답이었을 것이다. 리플리가 말했듯이 믿거나 말거나!

당신이 무엇을 하든 경관이 질문을 하는 동안에는 차에 앉아 그를 지루하게 하지 말아야 한다. 또 다음과 같은 '호기' 있는 말은 결코 하지 말라.

"그래, 딱지를 떼! 나는 이걸 대법원까지 항소할 거니까!"

"내가 재산도 많고 영향력도 대단한 사람이란 걸 당신이 알았으면 좋겠는데."

"그 스피드건의 성능에는 문제가 있는 게 틀림없다. 당신도 알고 있을 것이다. 과학적으로 볼 때 당신 장비는 그리 정확하지 않다."

그런 상황에서라면 아마 남자들보다 여자들이 더 효과적이다. 통계를 보면 과속 차량이 스피드건에 포착되었을 때 운전자의 성별은 파악되지 않는다 그럼에도 여성들은 남성들보다 1,000명당 25퍼센트 적은 비율로 딱지를 떼인다는 통계가 있다.

대부분의 여성들은 차를 멈추고 나서 내가 지금 이야기하고 있는 테크닉을 따르는 것 같다. 여성들은 차에서 내려서 깊이 뉘우치는 기색을 보이며, 친근하게 대하고, 경관에게 인간적인 차원에서 얘기하려고 애쓴다. 위에서 말한 25퍼센트의 차이는 주로 남자 경찰들에게 일어난 것이다. 그러나 여성들이 법 집행에 더 많이 참여하더라도 그

통계치는 그리 많은 변화는 없을 것 같다. 이런 경우 많은 여성들이 '개인화'를 더 잘한다는 것을 인정하자.

두 번째 예를 보자. 당신은 심장병을 고치기 위해 산호세에서 샌프란시스코로 6개월 안에 이사하기로 했다. 당신은 먼저 샌프란시스코에 가보았다. 높게 솟아 있는 아파트들을 끝없이 순례한 끝에 드디어 당신의 가족을 위한 완벽한 아파트 하나를 찾아냈다. 문제는 빈 아파트는 하나뿐인데 대기하고 있는 사람들은 당신 앞으로 30명이나 더 있다는 것이다. 당신은 31번째 서열에서 첫 번째가 되고 싶다.

불가능해 보이는 것을 어떻게 할 수 있을까? 당신은 어떻게 하면 당신이 원하는 것을 얻을 수 있을까?

바로 최종결정을 내리는 1순위자, 즉 건물의 소장을 찾아가라. 그는 실제로 이 문제에 관해 최종적으로 말할 수 있는 유일한 사람이다. 당신의 배우자와 어린애들을 데리고 가라. 당신의 어린애들이 잘 행동하도록 가르치고, 필요하면 '부모의 마음'에 대고 호소하라. 내가 말하는 것은 합당한 옷차림과 예의범절이다. 어린애까지 포함해서 누구도 쇼에 나가는 듯한 옷차림을 하지 말라. 누구도 켄과 바비라고 불리는 플라스틱 같은 부부에게 세를 놓고 싶지는 않다. 당신은 세 들어 사는 사람으로서 책임감이 있고, 경우 바르고, 안정되어 있으며, 바람직한 사람으로 보이도록 해야 한다.

선택된 가족만이 건물 소장의 이웃, 즉 그가 함께 지내야 할 사람들이 된다는 것을 잊지 말라. 소장은 과거의 경험으로 보아 세 들어 사는 사람들이 그에게 말도 못할 폐를 끼칠 수도 있고, 또 그의 삶을 풍요롭게 할 수 있다는 것을 알고 있다.

소장과 그의 가족들에 관해서도 알 수 있는 대로 최대한 알아내라. 동시에 그가 당신을 개인적이고 3차원적인, 즉 인간적 관점에서 보는지를 확인하라.

먼저 정중하게 그 아파트를 이용할 수 있는지를 물어 보라. 그가 "죄송합니다만, 당신 앞에 30명이 있습니다"라고 받아치거든 망설이지 말고 자신이 얼마나 먼 거리를 여행해 왔는지 설명하고 효과적으로 이렇게 말하라.

"우리에게 기회가 별로 없다는 건 알고 있지만, 아파트 내부가 어떤지 좀 볼 수 있겠습니까?"

특정한 아파트 방을 볼 수 없을지라도(그 방은 이미 차 있을 수도 있다), 소장이 당신에게 어떤 아파트든 보여주도록 부탁해 보라. 이렇게 하면서 당신은 예절과 감정이입, 예의, 배려, 끈기, 상냥함, 사려 깊음 등이 잘 혼합된 행동을 보여야 한다.

그 다음 날부터 이 지역에 들를 때마다 소장을 방문하라. 그가 가망이 없다고 말하더라도 이런 접촉을 지속하라.

소장이 당신에게 상당한 시간을 투자하고 있는 동안, 당신의 환경을 잘 설명하고, 그와 터놓고 이야기하고, 그의 조언을 구하라. 당신이 일하는 곳의 주인과 직업의 종류, 당신이 속한 조직, 일어나고 자는 시간, 관심거리와 취미 등을 상세히 이야기하라. 소장이 자신의 가족에 대해 아는 것만큼이나 당신을 실제로 알게 될 때까지 계속하라.

당신의 강력한 개인화 작업이 이루어지고 있는 동안 빈자리가 나올 때가 되면 어떤 일이 일어날까? 소장은 대기자 명단을 훑어볼 것이다. 그의 눈은 잠시 첫 번째 이름에 머물겠지만 그뿐이다. 말하자면 그 이름은 얼굴 없는 숫자에 지나지 않는다.

그에게는 이제 그 아파트를, 자기가 전혀 모르고 아무런 감정교류도 없는 누군가에게 세를 주는 것과, 자기가 너무나 많이 알고 있는 당신에게 주는 것 중에서 선택해야 한다. 그리고 우리가 이전에도 말했다시피, "잘 알려져 있는 악마가 알려져 있지 않은 악마보다 낫다"는 말 역시 안다.

당신은 31위에서 명단의 꼭대기로 뛰어오르게 되기 쉽다. 당신은 아파트를 얻게 된다. 왜냐하면 소장은 이미 당신에게 상당한 시간을 투자했으며, 하나의 이름이나 숫자가 아니라 당신 자신에 대해 잘 알고 있기 때문이다. 당신은 선택 과정을 개인화 시킨 것이다(물론, 이런 테크닉은 소장에게 결정권이 있을 때에만 효과가 있다. 그렇지 않다면 다른 협상 테크닉을 써야 한다).

이제 세 번째 보기를 들어보자. 나의 둘째 아이 스티븐은 고등학교 마지막 학기에 자동차를 얻어 타면서 미국을 횡단할 여름방학 계획을 세웠다. 그가 말하는 식으로 하면, "이 여행은 커다란 경험이 될 것이고, 옷이나 돈도 별로 들지 않을 것이다."

말할 것도 없이 우리 부부는 아들의 생각에 완전히 반대였다. 우리는 이런 시도에 흔히 하는 반대를 했다. "그런 여행은 육체적으로 위험하다. 어떤 지역에서는 불법이 되는 일이다. 어찌 될지 예측할 수 없는 일이다"와 같은 반대 말이다.

약간 토론을 한 다음, 아들은 이런 반론들을 논리적으로 반박했다. 그러나 우리는 확실한 승리를 보장할 말을 했다.

"좋다. 그러나 아무도 너를 태워주지 않을 거다. 사람들은 히치 하이크하는 사람들을 더 이상 태워주지 않으니까."

그러나 스티븐은 그 문제도 이미 생각해 두었다. 그는 주유소에서 휘발유 깡통을 하나 샀는데, 그걸 깨끗이 닦아서 내부를 작은 캠핑 가방이나 여행가방으로 만들 생각이었다. 마치 기름을 사기 위해 주유소까지 걸어가야만 하는 사람인 것처럼 말이다. 분명히 그의 국토 횡단 여행은 십대들의 단순한 치기가 아니라 잘 계획된 전술이 뒷받침된 목표였다.

몇 달 동안의 토론과 논쟁 끝에 우리는 그가 자기 꿈을 추구하도록 '자비롭게 내버려두기'로 했다. 그가 여행을 마치고 안전하게 돌아왔을 때 그의 첫 번째 얘기는, 지나가는 차를 타는 것이 얼마나 쉬운가 하는 것이었다.

차를 태워준 첫 번째 운전자가 스티븐이 다음 차를 잡기 위해 이야기할 틀을 제공해 주었다고 했다. 스티븐과 몇 마일을 간 다음에 그 운전자는 말했다.

"자넨 그 휘발유를 얻으려고 지옥 같은 장거리를 걸었겠군."

스티븐이 대답했다.

"사실 전 차가 없어요. 이 깡통은 여행 가방이에요. 이런 식으로 여행하는 게 더 쉽다고 생각지 않으세요?"

그의 말이 운전자를 엄청 웃도록 만들었고, 운전자는 친절하고 알찬 정보를 많이 제공해 주었다. 비록 엄지손가락을 교통수단으로 이용하는 것은 상당한 위험을 수반하지만, 그 아이의 경우에는 효과가 아주 좋았다. 그 '휘발유 깡통'을 들고 다님으로써 그는 자신을 개인화시켰고, 보통의 히치 하이크하는 사람들로부터 자신을 차별화 시켰다. 지나가는 차들이 그를, 잘못 본 것이기는 했지만, 동일시 할 수 있고 도와주고 싶은, 동정이 가는 인간 존재로 보았기 때문이다.

네 번째 예를 들어보자. 개인을 통계적인 하나의 점으로 보이게 하는 현대사회의 도구들 중 하나는 컴퓨터이다. 당신은 컴퓨터로부터 오자나 잘못된 청구를 받아본 적이 있는가? 만일 그랬다면 기계적인 것과 협상하는 것이 얼마나 어려운가를 알고 있을 것이다.

당신은 요청하고 쓸 수 있으나 상대방은 당신의 호소에는 귀먹고 눈멀도록 프로그램화 되어 있다. 당신이 원하는 대로 어떻게 바로잡을 수 있을까?

먼저, 길쭉하게 내려오는 컴퓨터 천공 카드의 서식에 쓰인 '접거나 찢거나 훼손시키지 마시오' 라는 주의를 처리해 보자. 여기서는 해결책이 간단하다. 가위나 볼펜을 들고 카드에 구멍을 하나나 둘 더 뚫으면 된다. 합법성의 권위를 사용하는 그들의 금지조항을 어김으로써 자신을 즐기고 창조적으로 되라. 그리고 당신의 카드에 틀린 곳을 바로 잡아서 다시 우편으로 되 부쳐라.

당신의 특별한 카드가 시스템을 통과할 때 컴퓨터는 원래의 작업 절차 때문에, 그걸 토해낼 것이다. 인간존재가 그걸 손으로 처리하게 되는 것이다. 그들의 기록이 당신이 바라는 교정을 정당화시킬 때 처리가 될 것이다.

둘째, 글자나 말로 된 그 잘못된 컴퓨터 용지와 싸운다. 이 경우, 기구에 전화를 해서 당신의 기록을 맡은 사람과 통화하라. 대부분의 경우 당신이 바라는 교정이 이루어질 것이다. 다음 달에도 같은 잘못이 반복되는 경우를 생각해 보자.

이런 일이 일어나면, 당신과 통화한 개인에게 '개인적인 서신'을 보내고, 그들의 상사와 그 기구의 우두머리에게 복사본을 보내라.

이런 사람들의 이름은 비서들이나 전화교환원들을 통해서 쉽게 알아낼 수 있다.

두 가지 접근법의 핵심은 당신을 도움이 필요한 특별한 인간존재로 봐줄 유한한 존재와 접촉하는 것이다.

계속해서 다섯 번째 예를 들어보자. 우리 딸 샤론은 이런 이야기를 했다. 그 애는 교환학생으로 프랑스 가정에서 한 여름을 보냈다. 그 애와 같이 지냈던 사람들은 조그만 농장을 갖고 있었는데, 그 농장에서는 멜론을 재배했다.

그들은 정기적으로 멜론을 사려고 하는 사람들의 전화를 해오곤 했는데, 그럴 때마다 그 요청은 거절당했다.

어느 날, 12살 정도 된 한 소년이 비슷한 요청을 해왔다. 같은 대답이 뒤따랐다. 그러나 그 어린 녀석은 끈질겼고, 주인이 일하는 곳을 계속 따라다녔다. 그 어린아이의 개인적인 이야기를 한 시간 정도 듣고 난 다음에 농부는 멜론 밭의 중간에 멈췄다. 그리고 말했다.

"됐다! 너는 저 큰 걸 1프랑에 가져가도 좋아."

"전 10상팀(1상팀은 1/100프랑)밖에 없는데요."

그 소년이 호소했다.

"보자. 그 가격에는…"

그 농부가 샤론을 보고 윙크하면서 얄궂게 이렇게 말했다.

"저기 있는 조그만 파란 멜론은 어떠냐?"

"그걸로 하겠어요. 하지만 아직 넝쿨에선 따내지는 마세요. 내 동생이 2주 뒤에 가지러 올 거예요. 말하자면, 나는 구매만 하는 거죠. 걔가 짐 싣고 수송하는 일을 맡았거든요."

여섯 번째와 마지막 예를 잘 생각해 보라. 당신이 위치 좋은 지역의 아파트에 산다고 하자. 지금은 1월의 중간이고, 당신은 충분한 난방을 제공받지 못하고 있다. 고양이조차 떨고 있다. 그렇다면 소장이나 건물 책임자, 주인에게 불평해야 하는가? 아마도 이미 그렇게 해봤지만 소득이 없었을 것이다.

나는 누구에게든지 성을 내거나 공격적인 태도로 대해서는 효과를 얻지 못한다고 믿는다. 당신은 결코 '불평' 하지 말고, 그저 자신의 필요와 상황을 알려야 한다. 당신이 강하게 나가게 되면 '적절한 서비스가 이루어지지 않는다' 는 문제에서, 당신이 무례하다는 데로 가버린다.

이 경우에는 실내 전체가 마치 북극과 같은 것인지 어떤지를 먼저 파악해야 한다. 주인이 자기의 수입을 늘리기 위해 일부러 난방비를 줄이려 하는 것이라면, 세 들어 사는 모든 사람들이 힘을 합쳐서 행동한다.

일반적으로 이런 경우에는 위임된 힘을 사용해야 한다.

그전에 문제를 더 복잡하게 만들어보자. 어찌어찌 해서 당신이 그런 일을 당한 유일한 사람이고, 당신은 모든 짓을 다 해봤다. 전화와 편지, 정부 당국, 지방 라디오 방송의 시정 요청 프로그램 등이 모두 다 허사였다.

상황이 아주 심각하고 당신은 모든 합리적인 방법을 다 시도해 보았다. 일을 더 풀어나가기 전에 이런 상황이 지속되는 데 대한 책임이 누구에게 있는지 판단하라. 이야기의 진전을 위해서 그 책임이 딴 곳에 사는 주인에게 있다고 해두자.

그가 어디 사는지를 알아 보라. 그가 예상하지 못했던 순간에 그의 아내와 자녀들이 있는 일요일에 그를 방문하라. 사려 깊고 호의적이며 예의바른 자세로 처신하라. 그에게 결코 태만함을 나무라지 말라. 왜냐하면 자기가 사랑하는 사람들 앞에서 체면이 손상되면 화를 낼 것이기 때문이다. 이런 식으로 말하라.

"제가 처한 상황이 이러저러합니다. 전 당신이 그걸 모르고 있다는 걸 잘 압니다. 왜냐하면 당신은 그런 상황을 참아내지 못할 것이기 때문이죠. 제겐 몸이 아픈 아이가 있는데, 우리 집의 온도는 영하 5도입니다. 문제가 뭐라고 생각하시는지요? 보일러 파이프가 잘못된 거겠죠? 제가 어쩌면 좋겠습니까? 당신이 저를 도와주시라는 걸 알고 있습니다."

자기 가족 앞에서, 즉 무대 전면에서는 그가 당신의 곤경을 무시하지 못할 가능성이 많다. 더욱이 그는 더 이상 당신을 아파트 203호로 알고 있는 것이 아니라 아주 인간적인 필요를 지닌 사람으로 볼 것이다.

모든 특정 협상 상황에 다 맞는 보편적 처방은 없다. 사실들의 특정한 결합은 상황에 따라 다르게 존재한다. 그러나 몇 가지 일반적인 원칙이 항상 적용될 수 있다. 다음 두 가지를 잊지 말라.

1. 상대방을 독립된 한 인간으로 대하지 않을 때 그를 속이는 것은 쉬운 일이다.
2. 당신 자신이 피도 눈물도 없는 통계수치에 포함되도록 허용하지 말라. 손바닥에서 떨어진 한 톨의 모래는 마루 틈으로 떨어져 내려갈 뿐이다. '닥터

지바고'의 라라처럼 '잘못 놓인 명단의 이름없는 숫자'가 되지 말라. 사람들은 좀처럼 숫자에 신경을 쓰지 않는다. 따라서 사람들의 태도 또한 이렇게 되고 만다.

"그러니까, 463번이 자신에게 문제가 있다고 생각한단 말이지? 신경 쓸 필요 없어."

비록 우리가 이 시점까지 오기는 했지만 이런 접근법에 대한 경고도 해야겠다. 아무리 효과적인 테크닉이라도 극단적으로 사용하면 더 이상 효과가 없다는 것을 부디 잊지 말라. 노골적이고 우스운 모양이 될 수도 있다. 그러니 중용을 취하는 것이 많은 도움이 된다.

얼마 전 나는 당신도 들어봤으면 하는 계시적인 이야기를 들었다. 새 성직자가 자기의 첫 미사 때 신도들에게 너무나 신경이 쓰여 거의 말을 할 수 없었다. 후에 그는 자기 상급자, 즉 주임신부에게 도움을 청했다.

그 청에 대해서 기분이 좋아진 주임신부는 그 보좌신부 어깨 위에 자기 팔을 올려놓고 말했다.

"신도들을 휘어잡기 위해서는 성경이 살아 나오게 해야 하네. 자네의 양떼를 성경에 나오는 시대와 사건들이 오늘날 다시 일어나고 있는 것처럼 보게 되어야 하네. 예수의 관심이 바로 사람의 인간성을 구원하는 데 있었음을 잊지 말게. 그의 사명은 사람을 지배하는 데 있는 것이 아니라 그들을 해방시키는 데 있었네."

주임신부는 더 가까이 다가서면서 말했다.

"다시 말해서, 신도 하나 하나에게 자신의 개인적인 경험이 되도록 하게. 그들의 언어를 쓰도록 하라구. 마치 젊은이들이 말하듯 있는 그대로 말하게."

그 신부는 열정적으로 고개를 끄덕이며, 자기의 상급자가 계속하도록 독려했다. 이 젊은이의 태도가 인상적이어서 주임신부는 경험에서 나오는 충고의 마지막 부분을 말하지 않을 수 없다. 그 신부를 더 가까이 오게 하더니 이렇게 속삭였다.

"아, 그래. 자네 물 컵에 보드카나 진을 약간 넣어두면 긴장을 푸는 데 좀 도움이 될 수도 있네."

다음 일요일, 그 보좌신부는 자기 상급자의 지도를 곧이곧대로 따랐다. 그리고 아주 마음을 턱 놓고는 단숨에 설교를 끝냈다. 그는 주임신부가 신도들 뒤에서 열심히 메모하고 있는 것을 보았다. 미사가 끝나고 그는 더 확실한 지도를 받기 위해서 주임신부에게 달려갔다.

"신부님, 이번 주에는 제가 어땠습니까?"

"좋았네. 그러나 나중에 바로잡아야 될 게 여섯 가지가 있네."

주임신부는 보좌신부에게 이런 메모를 건네주었다.

1. '도표에 나타난 최고 열 가지'가 아니라 십계명이다.
2. '십이 다스'가 아니라 열두 제자였다.
3. '골리앗 엉덩이를 매질한' 게 아니라 다윗은 골리앗을 죽였다.
4. 우리는 예수 그리스도를 '고故 J.C.' 하고 부르지는 않는다.
5. 다음 일요일에는 '성 태피 성당에서 베드로 밀어주기 시합'이 있는 것이 아니라, '성 베드로 성당에서 태피 풀링 게임(설탕과 버터를 졸여 땅콩 따

위를 넣은 캔디를 만드는 게임 ― 역주)'이 있다.

6. 성부와 성자, 성신을 "큰아버지, 아들, 유령."이라고 해서는 안 된다.

아마도 '개인화 시키는 힘'을 가장 효과적으로 쓰는 예 중 하나는 오랫동안 시카고 시장을 지냈던 리처드 J. 데일리의 경우일 것이다. 그의 접근법을 같은 시대에 똑같이 대도시의 시장으로 있었던 전 뉴욕 시장 존 린지와 비교해서 특성을 파악해 보자.

내 생각에 존 린지는 빅 애플(뉴욕 시의 별칭)이 맞이하게 된 시장 중 가장 잘생긴 사람이었다. 단아하고, 각진 턱을 지닌 조각 같이 생긴 그는 쉽게 각종 언론매체와 쇼 업계에서 경력을 쌓을 수 있었다. 그는 역대 시장 중 가장 키가 컸다고 해도 과언이 아닐 만큼 훤칠했고, 옷차림새 역시 흠잡을 데가 없었을 뿐 아니라 말솜씨 또한 빼어났다. 그의 말투는 사뭇 뉴욕 시 출신 같지 않았는데, 바로 이 점이 그가 뉴욕 시장이 될 수 있게 했을 것이다. 존 린지는 모든 걸 갖춘 것처럼 보였다.

최고의 의욕을 지닌 점잖은 존 린지가 자기의 목적을 성취했을까? 전혀 그렇지 못했다. 왜냐하면 그는 매력있는 인간성에도 불구하고 자신을 개인화 시키지 못했다.

　그는 늘 뉴욕 시를 대표해서 협상했다. 그는 "뉴욕 시는 당신이 약속을 존중하길 바랍니다"라는 식으로 말했다. 늘 그 시장의 이름을 '린슬리'로 잘못 발음함으로써 "침묵이 상책이다"라고 얼버무리는 역할을 했던 노조 지도자 마이클 퀼 같은 사람이 이런 비인간적인 추상적 말에 신경이나 썼을 것 같은가? 뉴욕이라는 거대도시는 유한한 마음이 이해하기에는 너무 크다. 퀼에게는 그런 말이 대영제국에서 온 요청같이 보였다.

　반면에 데일리는 키가 작고 얼뜨기 같이 생겼다. 그가 체중을 줄였을 때는 고작 '땅딸보'로 불렸을 뿐이다. 그는 30년 동안 유행에 뒤떨어진 옷을 입었다. 그가 공개석상에서 연설했을 때 그의 언어는 영어를 무참히 살육하는 말들이었다.

　그는 개교식 테이프를 끊으면서 그 건물을 '학업에 관한 가장 판에 박힌 말'에 바치거나, 고소 당한 옛 친구를 "우리는 우리의 전 생애 동안 어릴 적부터의 친구였다"고 변호하곤 했다. 또 베트남 전쟁에 대한 반대를 "남북전쟁 이후 우리 나라에서 이보다 더 심각한 국론분열은 없었다"라는 말로 무산시키곤 했다. 한때 한 무리의 업계 집행진들에게 이렇게 연설한 적도 있었다.

　"오늘날 진짜 문제는 미래입니다."

　그리고 1968년에 있었던 전국 민주집회의 시위에 대한 경찰 반란 보도에 대해 그는 다음과 같은 유명한 반박을 하기도 했다.

　"경찰은 무질서를 초래하기 위해서 있는 것이 아닙니다. 경찰은 무질서를 유지하기 위해서 여기 있는 것입니다!"

신문이 충실히 그의 말을 인용했을 때 시장의 공보 비서는 "그건 저주받을 만큼 잘못된 보도입니다"라며 언론을 비난했다. 이어서 비서는 기자들 앞에서 "당신들은 시장이 말한 문장이 아니라 시장이 뜻한 바를 인용했어야 했어요"라고 말했다. 어쨌든 그들은 그걸 이해했다.

이처럼 데일리는 별볼일없는 용모에 더해 최악의 말솜씨를 지니고 있었다. 그러나 데일리의 용모와 잘못된 발음이 결점이 되었는가? 그 반대이다. 그런 점들이 그를 인간적이고 친근하고 호소력 있는 인물로 만들었다. 그는 이미 고인이 되었지만 아직도 시카고에서 아주 존경받는 인물이며, 아마도 곧 성인聖人이라는 말까지 듣게 될지도 모른다고 말할 정도이다.

지난 늦가을 나는 시카고의 오헤어 공항에서 비행기 이륙을 기다리고 있었다. 내 옆 좌석에 앉은 사람이 물었다.

"밖에 눈이 옵니까?"

창문 밖을 흘깃 내다본 나는 그렇다고 말했다. 그는 그 말을 당연하다는 듯이 받아들였다.

"저 말이죠, 데일리가 살아 있었을 때는 결코 이렇게 일찍 눈이 오지 않았다고요."

고인이 된 시장은 시카고의 조그마한 공동묘지 한 구석에 눈에 띄지 않게 묻혀 있다. 그러나 여러 해가 지났어도 수만 명의 사람들이 경의를 표하기 위해 그가 마지막으로 쉬고 있는 곳을 순례하곤 한다. 이 많은 묘지 참배객들의 무게로 해서 묘지 주변 땅이 움푹 꺼졌으며, 그의 유해가 있는 무덤은 더 솟아올랐다. 왜 이렇게 수많은 사람들이 그의 묘소를 참배하는가? 우리가 아는 한, 시장은 여전히 그들의 부탁을 들어주고 있기 때문이다!

왜 오늘날까지 시카고의 회사 경영진과 사업가들은 "데일리는 우리의 친구였다. 그는 진정으로 사업을 이해했다"라고 주장하는가? 왜 노조 대표자들이 아직도 이렇게 말하는가?

"데일리는 진정으로 노동하는 사람들과 그들이 필요를 이해했다."

어떻게 그가 울타리의 양쪽을 다 상대해서 양쪽 사람들 모두 시장이 자기편이라는 것을 납득시킬 수 있었을까? 린지와는 달리 데일리는 '개인'으로 협상했다. 그는 결코 민주당 국가위원회나 시카고 시를 위해서 협상하지 않았다. 그는 그런 개념들이 너무 추상적이라는 것을 확실하게 알고 있었다. 대신에 그는 개인에게 한 사람 한 사람 사적으로 다가가서 개인적으로 자신에게 약속해 줄 것을 부탁했다.

예를 들면, 그는 이런 식의 말을 하곤 했다.

"존, 당신은 내게 이런 것을 하겠다고 말했지 않나. 나는 자네를 믿고 있네. 난 내 아내에게조차 자네와의 약속을 얘기했다네. 날 실망시켜선 안 되네! 내가 묵주 기도를 할 때 내 기도에 자네가 포함되어 있다는 걸 잘 알지? 나는 오늘 아침에도 자넬 위해 촛불을 밝혔다구. 보라고, 여기 내 손가락에 촛농이 묻어 있잖아!"

이것이 바로 '개인화 시키는 힘'이다!

우리는 이제까지 협상의 여러 가지를 충분히 돌아봤다. 이 긴 여행의 마지막에 도착했을 때, 그곳이 당신의 삶에 보탬이 되고, 당신의 삶을 해방시키는 출발점이 되리라고 믿는다.

당신에게는 이 세상에서 해야 할 역할이 있다. 즉 여기 존재하는 이유가 있다. 그러나 당신의 몫을 찾아내고 당신의 미래를 이끌어 가는 것은 당신에게 달렸다. 당신은 홀로 자신의 노력을 통해 자신의 운명을 정해야 한다. 이 책임을(당신 자신만을 위해서가 아니라 우리 모두를 위해서) 받아들여라. 당신에게는 당신의 삶뿐만 아니라 다른 사람의 삶까지도 바꿀 힘이 있다. 힘을 행사할 기회가 왔을 때 몸을 빼거나 다른 누군가가 행동하기를 기다리지 말라.

물론 당신은 자신이 원하는 것을 얻을 수 있다. 그러나 당신이 원하는 부분을 얻는 그 과정에서 다른 사람들에게 역시 무언가를 얻도록 해야 한다.

훌륭한 인생이란 당신이 살아가는 동안 무언가를 도와주는 곳에서 참여하고 있는 존재일 때 가능하다.

나는 이 책을 '소피의 선택'이라는 글에서 윌리엄 스티론이 했던 이야기로 끝맺으려 한다.

아우슈비츠에 대해 이제까지 한 이야기 중 가장 심오한 이 이야기는 단 두 구절의 질문과 답변이다.

질문 : "대답 좀 해주십시오. 아우슈비츠에서 하느님은 대체 어디에 있었습니까?"

대답 : "그러면 사람은 도대체 어디에 있었는가?"

허브 코헨, 협상의 법칙

펴낸날 | 2001년 9월 10일 초판 1쇄 **발행** | 2003년 5월 16일 초판 16쇄 **발행**

지은이 | 허브 코헨 **옮긴이** | 강문희

만든이 | 이종록 · 송서순 · 한정아 **파는이** | 김재균 **펴낸이** | 양근모

펴낸곳 | 청년정신 · 서울 마포구 서교동 463-31 플러스빌딩 3층

전 화 | 3141-3783 **팩스** | 3141-3784

인 쇄 | 신화인쇄 **제본** | 원진제책사

등 록 | 1997. 12. 26. 제 10-1531

배고픔, 갈증, 섹스는 만족의 한계를 알지만
권력은 그 한계를 모른다!

권력과 책임

최고 리더십을 위한 반(反)마키아벨리즘

권력의 함정을 피하기 위해,
미래의 리더들이 꼭 읽어야할 책!

과거의 권력은 정도의 차이만 있을 뿐 항상 타인에 대한 착취를 의미했다.
하지만 미래에도 역시 그럴 것이라고 믿는다면 그것은 착각이다.
미래의 지도자는 조직의 구성원을 거느리는 사람으로 해석되지 않을 것이다.
미래의 지도자는 많은 사람들과 관계를 가지되,
과시하거나 지배하는 것이 아니라 조심스럽고 책임감 있게
구성원들의 사기를 북돋아주는 역할을 할 것이다.
또한 꼭대기에서 고독한 결정을 내리기보다는 동등한 동반자로서
구성원의 의견을 주의깊게 경청할 것이다.
그렇다. 미래의 지도자는 권력의 속성과 권력이 남용되었을 때의
파괴력을 분명히 인식하고,
권력의 크기만큼 책임감도 지니고 있는 사람이다.

베른하르트 A. 그림 지음·박규호옮김 | 신국판 | 값12,000원

"진화론적 사고와 기독교,
더 나아가 종교 일반의 관계에 대한 설명은
현재 가능한 최고 수준이다."
- E. O. William, 하버드 대학교, 일치(Consilence)의 저자

다윈주의자가 기독교인이 될 수 있는가?

진화─창조론 접점 가능 "신념공격 말고 비교해보자"

1999년 초·중·고의 과학시간에 진화론 교육을 폐기했던 미국 캔자스 주의 결정은,
20년대와 80년대 초 창조론 교육을 둘러싸고 벌어졌던 재판과 논란 뒤, 잠잠했던 창조론─진화론의 대결에
다시 불을 붙였다. 2001년 2월 캔자스 주는 2년 만에 다시 진화론을 교육과정에 포함시키기로 결정했다.
그렇다면 진화론자들은 승리했는가? 철학자이자 동물학자인 마이클 루스의 "다윈주의자가 기독교인이
될 수 있는가?"는 평행선을 달릴 것만 같은 진화론과 창조론의 접점에 관해 이야기한다.
결론적으로 책 제목의 질문에 대한 루스의 답은 "물론 가능하다"는 것이다.
그는 1981년 아칸소 주에서 벌어졌던 창조과학교육 재판에 창조과학에 반대하는 증인으로 나섰고,
일련의 저작활동을 통해 진화론과 사회생물학을 옹호해온 대표적인 진화론자다.
루스는 "더이상 서로의 신념을 공격하지 말고 비교를 시작하자"고 주장한다.
그가 보기엔 진화론이나 기독교나, 인간은 여타의 생물체와는 확실히 다르게 위치한다는 믿음을 갖고 있다.
이타주의를 억압하는 인간의 이기심에 대한 진화론의 설명도 아우구스티누스의 원죄 설명과 맞닿아 있다고
주장한다. 기독교인은 아니지만 독실한 퀘이커교 가정에서 태어난 그는 이 책에서 신학에 대한
깊은 이해를 보여준다.
그리하여 그는 생명의 기원, 영혼, 설계, 기적, 사회진화론 등의 주제를 하나씩 보며 양 진영의
다른 관점이 과연 화해할 만한 지점이 있는지 꼼꼼히 검토한다. 90년대 중반 이후
창조론에 과학의 옷을 입힌 지적 설계가설의 대표론자 마이클 베히에 대한 비판도 주목할 만하다.
─한겨레신문

마이클 루스 지음 · 이태하 옮김 | 신국판 | 양장본 | 값15,000원

210. 223. 73. 173 (create 추가)
210. 223. 73. 189 (2p)
210. 225. 73. 224 (internet)